folio
junior

Jean-Michel Payet

Mademoiselle Scaramouche

(Les Grandes Personnes)

Pour Alizarine.
Et à la mémoire de Lucien Lepreux, mon grand-père,
dont le cœur balançait entre Lagardère et d'Artagnan.

Élégant comme Céladon,
Agile comme Scaramouche,
Je vous préviens, cher Mirmydon,
Qu'à la fin de l'envoi je touche !

Edmond Rostand, *Cyrano de Bergerac.*

Première partie

La fille de maître Jean

Le pré des Nonnes

Zinia se réveilla brusquement. Le silence inhabituel, absolu, qui régnait l'avait tirée de son sommeil : il manquait à la maison ses bruits feutrés du matin. La nuit s'attardait encore, mais à travers la fenêtre la jeune fille devinait que, bientôt, l'aurore ferait pâlir les étoiles. Elle resta un instant aux aguets. Toujours ce silence, dense, menaçant.

« Il l'a fait », se dit-elle et elle sauta hors du lit. Elle sentait la colère l'envahir, ce qui, chez elle, était souvent une façon de manifester son inquiétude. Elle sortit de sa chambre en chemise sans ressentir le froid qui, depuis deux ou trois nuits, s'était emparé de la ville, et alla frapper à celle de son père. Une fois, deux fois. Pas de réponse. Avant même de pousser la porte, elle avait déjà compris. « Père ? » La pièce était vide. Dans la lumière timide du jour naissant, elle devina le lit où personne n'avait dormi. Il flottait dans l'air un parfum de tabac froid. Au mur, la vieille épée manquait. « Il l'a fait ! » répéta-t-elle, irritée.

Zinia retourna dans sa chambre et s'habilla à la hâte. Elle enfila une large jupe, un gilet, et chaussa ses bottes souples, cadeau récent de son père. Drapée enfin dans un long manteau, elle rabattit le capuchon sur ses cheveux rouges hâtivement attachés et sortit dans la pâleur de l'aube.

Elle marchait sans hésiter, portée par l'angoisse. Et la colère, toujours. Il avait cédé. Son père avait cédé. Il n'avait pas voulu traiter par le mépris ce petit baron arrogant tout fier de sa rapière encore neuve. Et cela pourquoi ? Pour rien. Pour une bêtise. La veille, trois jeunes nobliaux étaient venus chercher querelle à Jean Rousselières sous un prétexte que Zinia avait déjà oublié. Ce n'était pas la première fois que des jeunes gens stupides le provoquaient, à l'affût d'une gloire pour le moins douteuse. Ancien capitaine des mousquetaires, le père de Zinia s'était couvert d'honneurs au service du jeune roi Louis, puis il avait choisi de se retirer et s'était installé comme maître d'armes à Montguéroux, loin des intrigues de la cour et des tracas de la capitale. Cependant, sa réputation l'avait précédé, et l'on venait de loin pour bénéficier de son enseignement. Il avait lui-même suivi celui d'un élève du grand Siennois Ferro di Cagli, mais c'était sur le champ de bataille qu'il avait affermi sa main et imaginé plusieurs bottes qui s'étaient révélées fatales à nombre de ses adversaires.

Il s'était constitué ainsi une clientèle régulière, mais avait dû constater bien vite que toute médaille a son revers : régulièrement, de jeunes imbéciles venaient le défier, espérant gagner là une renommée rapide. Les plus chanceux repartaient humiliés. Les autres ne

12

rencontraient que la mort. Le maître d'armes voulait éviter ces querelles artificielles, inutiles. Il ne relevait pas les injures et passait son chemin devant les fiers-à-bras. Mais, la veille, cela n'avait pas été le cas.

Zinia arriva devant la vieille église Saint-Pancrace. Elle courait plus qu'elle ne marchait. Elle contourna l'édifice en longeant le cimetière. Les croix de pierre se détachaient sur un ciel laiteux. Elle détourna aussitôt les yeux, craignant d'y voir un mauvais présage. Au loin, un volet claqua. Les rues étaient encore vides. Bientôt, ce serait l'heure du chant du coq. L'heure des duels.

La veille, ces trois jeunes nobles avaient provoqué son père, mais, comme à l'accoutumée, celui-ci les avait ignorés. Ils s'en étaient alors pris à elle, Zinia, se conduisant comme des soudards, de telle sorte que Jean Rousselières n'avait pu faire autrement que d'intervenir. S'il ne trouvait aucun plaisir à estourbir des imbéciles, il ne pouvait accepter que ceux-ci entachassent son honneur. Il s'était donc résolu, une fois encore, à s'engager dans ce duel stupide.

Toute la journée, Zinia avait essayé de l'en dissuader. Car si toute sa science des armes était demeurée intacte, son corps avait perdu de sa souplesse avec l'âge, et ses articulations le faisaient souffrir plus qu'il ne voulait l'admettre. Sa lame n'avait plus la même vivacité, et son cœur, plus la même audace.

Elle approchait des dernières maisons du bourg. Là, après le porche de l'abbaye, la rue se transformait en un chemin longeant un verger. Au-delà s'étendait le pré des Nonnes. Dans la froide quiétude du jour, la jeune fille perçut le bruit du fer que l'on croise. Le duel était engagé.

Deux individus se faisaient face, s'observant. Par des battements brefs, ils testaient la fermeté de leur poignet, la résistance ou l'agilité de leur adversaire. L'un d'eux était grand, fort, tout en puissance, s'avançant sans hésiter, tandis que l'autre, plus malingre, se contentait d'esquiver, attendant le moment de porter ses attaques. L'inconnu contre son père.

– Arrêtez ! cria Zinia en se précipitant vers le pré.

Son cri troubla la rencontre. Aussitôt, quatre hommes en noir se mirent en travers de sa route. Les témoins des deux duellistes.

– Silence ! dit l'un d'eux.

– Laisse-les, Zinia ! lança un autre. Le capitaine sait ce qu'il fait. Il saura faire plier ce baron de bas étage.

La jeune fille reconnut le maréchal-ferrant, ami de son père, ainsi que le barbier. On avait sans doute convoqué ce dernier pour soigner les blessures à l'issue de l'assaut. Les deux autres devaient être ces petits nobles qui accompagnaient le baron en question. Plus loin, elle aperçut Suzanne, leur servante, tremblant pour son maître. Zinia se mit à se débattre. Elle n'était pas fille à se rendre au premier ordre. En tentant d'échapper aux quatre hommes, sa chevelure se dénoua et un flot de cheveux rouges se répandit sur ses épaules.

– Reste à l'écart ma fille ! intervint alors le plus chétif des combattants.

Sa voix était à la fois ferme et douce. Zinia s'immobilisa aussitôt, gonflant les narines et plissant les yeux. Certes elle obéissait à son père, mais sa colère n'était pas retombée pour autant.

Sur le pré, le combat reprit. Les deux hommes s'observaient à nouveau. Le baron porta soudain une attaque sur le flanc qui fut aussitôt contrée. Puis une autre et une autre encore. À chacun de ses coups, le nobliau tirait dans le vide, la lame se plantait dans l'herbe, détournée de sa cible. Il tenta une feinte qui fut déjouée de la même façon et sa lancée suivante fut parée de telle sorte qu'il se retrouva dos à son adversaire. Jean Rousselières semblait s'amuser avec lui, le déroutant par des parades et contre-parades dont le baron ignorait jusqu'à l'existence. Mais Zinia comprenait que son père ne cherchait pas à donner une leçon à cet homme. Il utilisait toute sa science pour économiser ses forces déclinantes et pour masquer la raideur qui s'était emparée de son poignet.

Avec fougue, le baron lança alors une nouvelle attaque frontale, mais le capitaine l'esquiva une fois encore, le blessant au passage à l'épaule gauche. L'homme tomba, le nez dans l'herbe. Il se releva aussitôt.

– Cette blessure vous suffit-elle ? demanda le père de Zinia. Nous pouvons en rester là.

– Abandonner au premier engagement ? Vous ne me connaissez pas, monsieur.

– Jusqu'à ce jour, j'avais en effet ce bonheur.

Ils se remirent en garde et le combat reprit. Les assauts se faisaient plus fougueux. Le baron, humilié par sa blessure, redoublait ses attaques, de taille et d'estoc, comprenant que seuls son savoir et sa hargne conjugués lui laisseraient une chance de vaincre. Cependant chacune de ses tentatives se voyait contrée, coupée par des parades précises et nettes. C'était la force contre la science.

Jean Rousselières faiblissait pourtant. Ayant conscience qu'il ne pourrait rester sur la défensive plus longtemps, il choisit de neutraliser définitivement son adversaire. Il connaissait une botte qui, d'un même mouvement, arrachait le fer et portait une grave blessure à la main, interdisant la poursuite de l'engagement. Il s'avança donc avec une déroutante garde en septime. Mais, alors que le vieil homme s'apprêtait à mettre fin au duel, le destin, avec une ironie cruelle, changea la donne : le père de Zinia glissa soudainement sur l'herbe encore humide et, sans que l'autre ait fait le moindre geste, alla s'empaler sur l'épée de son adversaire.

Le temps sembla s'arrêter. Les deux bretteurs, leurs témoins et Zinia retinrent leur souffle. Puis le capitaine fléchit les jambes et, lentement, tomba sur les genoux. Le jeune baron retira son épée, regardant le maître d'armes avec étonnement, comme si lui-même avait toujours douté de pouvoir le vaincre. Le blessé lâcha son arme et prit appui sur le sol. Il cherchait à reprendre son souffle. Puis il s'affaissa sur le côté, inanimé.

Zinia hurla et se précipita avant même que le barbier puisse constater la gravité de la blessure. Elle eut cependant le temps de lire sur le visage du baron un mélange d'incrédulité et de satisfaction. Il se voyait déjà auréolé de la gloire d'avoir défait le capitaine aux mille victoires. Cet air impudent transforma aussitôt la douleur de Zinia en une haine féroce. Elle ramassa l'épée de son père et fit face au vainqueur :

– Le combat n'est pas fini, monsieur. La fille peut achever ce que le père a laissé.

– Croyez-vous que je puisse me battre contre une femme ?

– Il va bien falloir vous y résoudre.

– Oubliez cela. Votre courage vous honore mais la douleur vous égare.

– Craindriez-vous de croiser le fer avec une demoiselle ?

– Une demoiselle ? Mais je ne vois ici qu'une fille !

Et ce disant, le baron lui tourna ostensiblement le dos. Sous l'insulte, Zinia lui fouetta les fesses d'un battement de sa lame. Aussitôt l'homme se retourna et se mit en garde.

– Prenez garde, jeune fille ! On n'humilie pas un baron de Villarmesseaux !

– Mais on peut le tuer ! dit Zinia.

Et, alliant le geste à la parole, elle engagea une attaque qui força le baron à reculer. Celui-ci para de justesse.

– N'insistez pas, vous dis-je !

Mais Zinia poursuivit ses assauts, le poussant à parer des coups qui n'avaient rien de timide.

– Ah ça ! Vous l'aurez voulu. Je n'aurai certes pas de gloire à vous défaire, mais il n'est pas question que je laisse ma vie sur ce pré. Messieurs, vous m'êtes témoins que je suis forcé de me défendre.

Et il se remit en garde. Il crut tout d'abord que quelques moulinets suffiraient à décourager la donzelle, mais comprit bien vite que Zinia s'avérait la digne fille de son père. Si elle ne possédait pas la force du baron, elle semblait bien avoir acquis la science du capitaine. Ses attaques étaient savantes, surprenantes. Elle enchaînait les voltes et les sauts, faisant preuve d'une souplesse qu'il pouvait bien lui envier. Il se mit à tailler devant lui avec hargne, battant violemment l'air, mais elle esquivait chacun de ses coups avec audace et invention. Surtout, il put lire dans les yeux de la jeune fille la colère, la détermination et la haine qui guidaient sa main. Le baron commença à avoir peur. Zinia, cependant, ne se souciait pas des états d'âme de son adversaire. Elle cherchait les faiblesses de sa défense, attentive au moment où elle pourrait placer une botte enseignée par son père.

Aussi, sur un dégagement de la lame du baron, elle tourna sur elle-même avec un large mouvement du bras, puis, dans le même élan, porta tout le poids de son corps vers l'avant comme si elle chutait. Dérouté par cette manœuvre, le baron n'eut pas le temps de comprendre ce qui se passait : la pointe de l'épée de Zinia lui pénétrait dans l'œil gauche et lui empalait la cervelle. Il s'effondra avant d'avoir réalisé que sa vie avait pris fin.

Zinia resta un instant interdite. Pour elle, l'escrime n'avait jusque-là été qu'un entraînement, une technique. Un jeu aussi, parfois. Pour la première fois le jeu était devenu un combat. À mort. Elle revint brusquement à la réalité. Le barbier s'approcha du baron tandis que la jeune fille s'agenouillait auprès de son père. Sa blessure était plus grave qu'on n'aurait pu le craindre. La lame avait touché le cœur. Il respirait avec difficulté, les yeux mi-clos. Zinia lui souleva doucement la tête. Il ouvrit les yeux et tenta de lui sourire, mais ne parvint qu'à grimacer de douleur. Elle le regardait sans rien dire. Ils avaient tous deux l'habitude de se parler franchement, sans détour. Il essaya d'articuler un mot, mais en vain. Il ferma les yeux et tenta de reprendre sa respiration, puisant dans ses dernières forces. Zinia se pencha sur lui.

— Mon… épée, parvint-il à murmurer.

— Elle est là, père, ne crains rien.

Il hocha doucement la tête puis leva une main en direction de la jeune fille, mais elle retomba, inanimée. Il tentait encore de dire quelque chose. Ses lèvres bougeaient sans qu'aucun son en sorte. Puis :

— Sca… Scaramouche…, réussit-il à bredouiller.

Et sa tête roula sur le côté. Il était mort.

Zinia Rousselières

Le maréchal-ferrant releva doucement Zinia en la couvrant de son capuchon.

— Il ne faut pas rester ici. Le guet risque de venir à tout instant. Tu dois partir. Nous dirons qu'ils se sont entre-tués...

— Ne croyez pas vous en tirer à si bon compte, intervint l'un des deux témoins du baron. Le père de notre ami, le marquis de Villarmesseaux, n'est pas homme à laisser le crime de son fils impuni !

— Le crime ? Mais vous avez vu comme nous qu'il s'agissait d'un duel ! → s'agir, imparfait

— Je doute que cette distinction suffise à calmer sa douleur. Et sa colère. Le duel concernait cet homme et non sa fille...

Zinia dévisagea les deux témoins du baron. Elle leur lança avec mépris :

— Il semble que, chez les Villarmesseaux, l'idée de noblesse ne rime pas avec celle d'honneur.

— Que savez-vous de la noblesse et de l'honneur, vous, la fille d'un soudard ?

Elle se cabra sous l'insulte. Désignant son père mort, elle ajouta en levant la tête :

— Sachez que l'homme qui gît là a plus d'honneur dans le bout de son petit doigt que toute la lignée des Villarmesseaux ne saurait en avoir en cinq siècles de courbettes et d'intrigues.

L'homme allait lui répondre lorsqu'on entendit au loin la marche cadencée du guet. Mettant fin à la discussion, le maréchal-ferrant tira Zinia par la manche.

— Tu dois fuir, absolument. Le cheval de ton père est là-bas, sous le tilleul. Disparais avec lui et ne reviens me voir que ce soir, à la nuit tombée.

— Mais…

— Je m'occupe de tout, finit-il par dire pour couper court à toute discussion.

Sans plus attendre, Zinia sauta sur la jument jaune et, quittant le pré des Nonnes, longea le mur de l'abbaye puis s'enfonça dans la forêt toute proche.

Elle galopait avec fougue, poussant son cheval dans les allées du bois, le talonnant, serrant les dents. Plus vite ! Encore plus vite ! Ce n'était pas les soldats qu'elle fuyait, mais le destin qui venait de lui jouer un tour atroce. Les branches basses lui griffaient le visage, accrochaient ses cheveux et elle ne se rendait compte de rien. Comme toujours, elle réagissait en laissant éclater sa hargne ; pourtant, au plus profond d'elle, une sensation de vide la gagnait. Un vide terrible.

Le cheval soufflait, mais elle ne l'écoutait pas. Le galop. Toujours, jusqu'à la fin. Sur des chemins qu'elle

21

connaissait depuis son enfance, elle se perdit sans en avoir vraiment conscience. Elle ne ressentait ni la faim, ni le froid qui descendait à travers les branchages. Elle ne faisait plus que se laisser porter par sa monture qui, insensiblement, ralentit son allure. Elle s'arrêta enfin dans une clairière au milieu de nulle part, et Zinia glissa sur le sol couvert de mousse. Ses joues étaient humides. Soudain, elle fut saisie par la température glaciale, la rosée, le vent, et elle eut beau se draper dans sa cape, elle ne put empêcher ses dents de claquer, sans pouvoir se contrôler. C'était plus fort qu'elle. Elle poussa alors un long cri, un cri de bête, d'animal blessé. De rage aussi. Et, seule, loin de tous, elle se mit à pleurer.

Un souffle chaud. Zinia releva la tête. Hortense, sa jument, la regardait avec curiosité. Le soleil avait tenté une timide apparition entre les nuages. Il était haut. Combien de temps était-elle restée prostrée sans penser à rien ? Avait-elle dormi ? La réalité la ressaisit tout d'un coup. Elle revit son père, cet homme qui l'avait élevée seul à la mort de sa mère. Un homme silencieux, parfois austère, mais tendre et attentif. Il avait voulu qu'elle bénéficiât de leçons que la plupart des filles de sa condition ne recevaient pas. Ainsi, elle avait appris à lire, à écrire et à compter, mais il avait également tenu à ce qu'elle ait des notions de musique et de dessin, d'histoire et de sciences, de sorte qu'elle en savait bien plus que certaines demoiselles de la noblesse qui n'apprenaient que le nécessaire pour briller dans les salons et se marier. Il ignorait quel serait son destin et avait voulu lui donner les armes pour se défendre dans la vie. Et ce n'était pas qu'une façon de parler. Car il lui avait aussi inculqué son propre savoir. Elle avait assisté à ses cours et savait comment croiser le fer, de quelle façon porter une attaque, effectuer un contre, un doublement ou se mettre en sixte. Mais, surtout, il lui avait appris cette botte rare, si utile, qui venait d'envoyer le jeune baron rejoindre ses ancêtres.

Elle avait de cette façon vécu un peu à l'écart des autres filles du bourg, avec les récits de son père qui n'ignorait rien de la dureté des batailles, ni de celle de la vie de cour, qu'il avait brièvement côtoyée alors que, encore soldat, la Fronde grondait dans la capitale, menaçant la couronne. Ces souvenirs la faisaient rêver. Elle essayait d'imaginer les fastes de Saint-Germain-en-Laye ou du Louvre et se promettait qu'un jour elle les admirerait de ses propres yeux. Mais elle ignorait quand ce jour viendrait. Surtout maintenant qu'elle se retrouvait seule, orpheline, et sans doute traquée.

Orpheline… En se répétant ce mot, elle vit à nouveau son père allongé sur le pré, pâle, exsangue. Et ce dernier mot qu'il lui avait soufflé : « Scaramouche. » Qu'est-ce que cela pouvait bien signifier ? S'agissait-il de quelque chose d'important, ou était-ce le délire d'un moribond ?

Elle se releva, ramassa l'épée qui avait glissé auprès d'elle, flatta son cheval d'une tape sur l'encolure. Le destin lui avait joué un sale tour, et elle ignorait désormais de quoi demain serait fait. Sa vie venait de basculer. Mais elle n'avait pas encore idée à quel point.

Zinia ne sortit des bois qu'une fois la nuit tombée. Elle voulait rentrer en ville, chez elle, se recueillir une dernière fois devant son père avant que celui-ci fût inhumé.

Elle attacha son cheval dans l'ombre d'un fourré, à l'extérieur du bourg, et pénétra dans la cité par la porte Saint-Joseph, qui en général n'était pas gardée. Elle espérait que le guet ne mettrait pas trop de zèle à lui courir après. Si les duels étaient bien interdits, on considérait que c'était là une façon respectable de régler les affaires d'honneur, plutôt que de s'en remettre aux tribunaux qui n'en voulaient qu'à votre argent.

Zinia remonta la rue Saint-Joseph sur une trentaine de mètres et tourna sur la gauche dans une ruelle plus discrète. Une fois à hauteur de sa maison, elle s'arrêta. Tout avait l'air calme. Seule la fenêtre du rez-de-chaussée laissait filtrer une lumière vacillante. Sans doute Suzanne y veillait-elle le corps du maître. Zinia, prudente, resta pourtant immobile plusieurs minutes, tapie dans l'encoignure d'une autre demeure qui faisait saillie sur la rue. Alors qu'elle s'apprêtait à sortir de sa cachette, elle perçut un cliquetis. Très bref, vite maîtrisé. Zinia se renfonça aussitôt dans son coin. Des soldats. Le guet, sans doute. On l'attendait. Elle avait eu raison de se méfier. Elle patienta un peu, puis, lentement, repartit en sens inverse.

Elle ne connaissait pas beaucoup d'endroits où se cacher. Sa première idée fut d'aller chez Charles, le maréchal-ferrant. À nouveau, elle effectua un large détour pour rejoindre la forge. Elle frappa à la porte qui donnait sur l'arrière. La porte s'entrebâilla. Charles inspecta la ruelle avant de lui faire signe d'entrer, et referma brusquement derrière elle.

– Tu as faim ? demanda-t-il sans préambule.

– Mon père ?…

– Il est chez lui. Chez vous. Suzanne le veille.

– Il… ?

L'homme acquiesça sans un mot, le regard triste. Zinia serra les dents et détourna les yeux. Quelque chose au fond d'elle avait encore espéré que son père n'avait été que blessé.

– Je veux le voir.

– C'est trop risqué.

– Oui, je sais. Je viens de la maison. Le guet s'y trouvait. Pourquoi ?

– Eh bien, j'ai essayé de leur expliquer que les deux adversaires s'étaient entre-tués, mais les témoins du baron n'ont pas voulu entrer dans ce jeu. Ils ont présenté le duel comme un combat loyal remporté par leur ami. Et…

– Et ?

– Ils ont prétendu que tu l'avais assassiné ensuite.

– Mais c'était aussi un combat loyal !

– Je sais et nous avons témoigné en ce sens. Cependant, comme il y a doute, les soldats du guet veulent t'interroger.

Zinia se laissa tomber sur un banc.

– Je vais aller les voir. Leur expliquer.

– Non. Ta parole ne vaudra rien contre celle de ces nobles. Il est certain que le père du baron de

Villarmesseaux va tout faire pour venger son fils. Il a des relations, du pouvoir. Il connaît personnellement le gouverneur. Face à tous ces gens-là, tu ne fais pas le poids. Au mieux, on te jettera dans un cachot en attendant le jour où un juge voudra bien se soucier de ton affaire. Et ça peut durer des mois…

La jeune fille hocha la tête. Elle savait tout cela. La justice du roi ne présentait pas le même visage pour les nantis dotés d'un nom prestigieux et pour les anonymes de la plèbe. Le maréchal-ferrant reprit :

– Le mieux que tu aies à faire est de disparaître quelque temps. Connais-tu quelqu'un qui puisse te cacher ?

– Non, personne. À part toi, mon parrain.

– Ici, ce n'est pas prudent. Ils te trouveront…

– Je… je veux revoir mon père.

– Pas tout de suite. Je t'y emmènerai tout à l'heure, au noir de la nuit. En attendant, mange un peu. Tu as l'air transie.

Il lui prit son capuchon qu'il accrocha à un clou et lui désigna la table :

– Regarde, Ermeline l'a préparée pour toi.

Il poussa vers elle une soupe fumante accompagnée de tranches de pain épaisses. Elle hésita une seconde puis se mit à manger goulûment. Le chagrin, la fatigue et le froid lui avaient donné faim. Le maréchal-ferrant s'assit en face d'elle.

– Ton père n'a pas souffert, dit-il.

Puis, comme gêné, il ajouta :

– Il n'y avait plus rien à faire.

Elle hocha la tête. Soudain, comme si cela lui revenait en mémoire, elle lui demanda :

– Avant de…, il m'a dit un mot : « Scaramouche. »
Tu sais ce que ça veut dire ?

– Scaramouche… ? Non… Non, je ne vois pas.
Jamais entendu.

Elle prit un morceau de pain qu'elle grignota négligemment. Elle cherchait encore la signification de ce mot.

– Je… je me suis aussi occupé de… de l'enterrement,
dit soudain Charles.

Il paraissait mal à l'aise.

– Nous allons l'inhumer aux côtés de ta mère, n'est-ce pas ?

– Oui, bien sûr.

– Bien. Bien. J'ai demandé à Martin de me donner
un coup de main.

Martin était un peu l'homme à tout faire de ce côté
du bourg, dans la paroisse Saint-Joseph. Il aidait à la
messe, faisait des travaux sur la voie publique et assurait
la charge de fossoyeur contre quelques liards. Charles
continuait de fixer Zinia. Celle-ci reposa sa cuillère.

– Qu'y a-t-il ? demanda-t-elle.

Il répondit par une question :

– Quel âge as-tu ?

– Quatorze ans, dit-elle. Tu le sais. Pourquoi ?

– Donc tu es née…

– En 1658.

– C'est ça.

– Mais pourquoi ces questions ?

27

– Il y a quelque chose qui… qui n'est pas clair. Martin va t'en parler.

– Martin ?

Elle vit le maréchal-ferrant se lever et ouvrir la porte qui donnait dans la chambre. Martin en sortit. Comme toujours, il avait les cheveux en bataille et sa petite moustache blonde se perdait dans une barbe mal rasée. Il demeurait debout, tenant son bonnet à deux mains, hésitant, gauche. Le regard de Zinia allait de l'un à l'autre sans comprendre.

– Vas-y, l'encouragea Charles. Dis-lui.

– Cet après-midi, j'ai ouvert le caveau où repose ta mère. Je voulais préparer la place pour maître Jean.

On nommait ainsi couramment Jean Rousselières, le maître d'armes. Zinia hocha la tête pour montrer qu'elle suivait.

– Le cercueil de ta mère n'a presque pas bougé. Sa plaque commémorative est toujours lisible : « *Mathilde Rousselières, née Samud, 1634-1663* ».

– Oui.

– Mais… il n'est pas tout seul…

– Comment ça ?

– Le cercueil… Il y en a un autre.

– Dans la tombe de ma mère ?

– Oui, un plus petit.

– Et de qui s'agit-il ? demanda Zinia.

– On peut y lire : « *Zinia Rousselières, 29-IX-1658 - 24-XII-1661* ».

Ce que Zinia venait d'entendre n'avait pas de sens. Puisqu'elle était là, vivante, devant eux.

– C'est… c'est moi, finit-elle par articuler. J'ai quatorze ans. Je suis née en 1658, le 29 septembre…

– Oui. Mais ça ne peut pas être toi, intervint Charles.

– Alors, qui est-ce ? demanda Zinia. Peut-être avais-je une sœur jumelle ?

– Tes parents t'en ont parlé ?

– J'ai à peine connu ma mère. Elle est morte lorsque j'avais cinq ans. Et mon père ne parlait pas de ces choses-là. De toute façon, si j'avais eu une sœur jumelle, elle n'aurait pas porté le même prénom que moi.

Tous trois se turent. Les deux hommes dévisageaient Zinia. Celle-ci cherchait toujours une explication, simple, logique, évidente. Mais n'en trouvait aucune. Petit à petit, une idée se fraya pourtant un chemin dans son cerveau.

– Si c'est bien Zinia qui se trouve dans ce cercueil, alors, moi, qui suis-je ?

Ils gardèrent le silence. La jeune fille devinait que, sans doute, les deux hommes s'étaient déjà posé cette question. Elle avait l'impression de vivre un cauchemar. Depuis toujours, elle avait été Zinia, la fille de Jean Rousselières, le maître d'armes, et de feu Mathilde Rousselières, sa femme. Elle n'avait jamais eu de doute à ce sujet. Jamais. Et là… Qu'est-ce que cela signifiait ? Soudain, elle eut une illumination !

– Le registre de la paroisse ! s'écria-t-elle. Nous y trouverons des réponses.

– À cette heure-ci ? demanda Charles.

– Je veux savoir. Maintenant.

Déjà, elle s'était levée.

— L'église est fermée à cette heure, plaida Martin. Et le père Antoine dort déjà.

— Tu as les clefs de la sacristie, n'est-ce pas ?

— Non. C'est le père qui les garde. Il faut attendre demain matin.

La jeune fille acquiesça lentement. Déjà, elle ne regardait plus les deux hommes. Demain… Qui sait ce qui pouvait se passer d'ici à demain ? Avec les gardes, dehors, qui cherchaient à l'arrêter, et l'enterrement de son père… C'est maintenant qu'il fallait agir… Pour être fixée.

Le secret de la sacristie

L'église où Zinia avait été baptisée se trouvait assez loin de la demeure du maréchal-ferrant, ce qui impliquait un long chemin à parcourir. Long, et dangereux : on la recherchait pour assassinat.

La rue qu'elle venait d'emprunter dormait tranquillement. Drapée dans la cape dont elle avait relevé la capuche, elle s'efforçait de marcher sans faire résonner ses bottes. Elle perçut soudain le pas d'un cheval, puis de deux. Ils remontaient la rue dans sa direction. Aussitôt, elle fit demi-tour. Autant éviter les mauvaises rencontres. Évidemment, cela allait rallonger son itinéraire mais la prudence s'imposait. La rue s'incurvait légèrement. Derrière elle, toujours le pas de ces chevaux qui avançaient nonchalamment. Elle se hâta pour échapper à une possible menace. Brusquement, devant elle, apparut un cavalier immobile : elle était cernée. S'agissait-il d'une embuscade ? L'homme avait perçu son hésitation, qui la rendait suspecte. Il s'avança dans la lumière de la lune. Son visage était émacié, une vilaine cicatrice barrait d'un trait glabre sa courte barbe. Les bords de son chapeau gardaient ses yeux dans l'ombre, mais Zinia savait qu'ils ne la quittaient pas. Qui était-il ? Assurément pas un soldat du guet. Après tout, chacun était libre de circuler la nuit s'il le désirait. Tous ces cavaliers ignoraient son identité et n'avaient sans doute aucune raison de s'intéresser à elle. À moins que…

Zinia se retourna : deux hommes à cheval. Les témoins du petit baron.

– C'est elle ! cria l'un d'eux

Aussitôt, le cavalier à la balafre se mit en travers de la rue. Ils voulaient la coincer. Sur sa droite, Zinia devina une cour dont le portail n'était pas fermé. Elle s'y engouffra et referma le battant derrière elle. En deux bonds, elle grimpa à l'échelle d'une grange puis franchit un mur de ballots de paille avant de se laisser glisser dans une autre cour. Elle était déjà venue jouer dans cet endroit avec Colin et d'autres. Tous les enfants du quartier connaissaient ce passage entre les rues. Tandis que les cavaliers se ruaient à ses trousses, elle s'enfuyait déjà dans une venelle. Elle les avait semés. Pour l'instant. Mais elle savait maintenant qu'il lui faudrait redoubler de prudence car, en plus du guet, elle devrait désormais compter avec les hommes du comte de Villarmesseaux.

La masse noire de l'église Saint-Joseph se dressait dans la nuit bleutée. Autour régnait le silence, parfois troublé par un aboiement ou le cri d'une corneille. Zinia traversa le cimetière pour atteindre la porte de la sacristie. Fermée. Au-dessus, sur la gauche, s'ouvrait une fenêtre étroite, mais Zinia ne pouvait espérer l'atteindre.

Elle fouilla les alentours des yeux. Rien, à part une dent de fourche brisée. Un outil inutilisable, sans doute abandonné là par Martin… Cela lui donna une idée. Elle s'empara de ce morceau de métal et se dirigea vers le porche de l'église. La serrure ne devait pas être très sophistiquée. Elle y enfonça doucement la pointe tordue, tournant et faisant levier en même temps. Il y eut un claquement sec, amplifié par la résonance de la nef. La serrure venait de céder. Zinia se retourna. Personne. Elle entrebâilla la porte et se glissa à l'intérieur de l'édifice.

Il faisait noir. Et froid. Un voile humide lui tomba sur les épaules. Elle s'avança dans l'allée latérale, veillant à ne pas faire claquer ses bottes sur les dalles. Un timide rayon de lune traversait les vitraux et révélait la silhouette des statues figées sur leurs socles. Ces images des saints qu'elle connaissait depuis toujours prenaient, sous la voûte sombre, l'allure menaçante de fantômes témoins de son intrusion. Elle hâta le pas. La sacristie s'ouvrait à gauche de l'autel. Elle y pénétra sans vergogne.

Elle repéra aussitôt le grand registre posé sur le coffre où l'on rangeait les vêtements sacerdotaux. Elle l'ouvrit au hasard. La lumière permettait à peine d'en déchiffrer le contenu. Zinia tourna les pages jusqu'à la plus récente. Tracée d'une écriture appliquée mais irrégulière, figurait la notice suivante :

« L'an mil six cent soixante et douze, le 25 de mars, le Sieur Jean Joseph Marie Paul Rousselières, âgé de cinquante ans, maître d'armes, ancien capitaine dans les armées du Roy, demeurant rue des Écouffiers de cette paroisse, décédé

ce jour même à huit heures trente, sera inhumé dans le cimetière attenant à notre église. »

En dessous, de la même écriture, figurait :

« *Témoins*
Charles Grostéfan, maréchal-ferrant
Sosthène Leblond, barbier
Père Desmoulins ».

Les noms des témoins étaient suivis d'une croix. Elle
relut encore la page qui marquait là, de façon officielle,
le décès de son père, puis elle feuilleta le registre en
remontant dans le passé. Sous ses yeux, les mois défi-
laient, puis les années. Les morts et les naissances. Les
mariages également. Des noms familiers lui apparais-
saient. D'autres demeuraient inconnus. Elle sauta toute
une partie pour atteindre la date qui l'intéressait. L'année 1658. Le 29 septembre.

« *L'an mi six cent cinquante et huit, le vingt-neuf du mois*
de septembre fut née vers les six heures du matin et le même
jour baptisée, Arthézinia, Marie, Jeanne, Mathilde, Lucie
Rousselières, fille du Sieur Jean Joseph Marie Paul Rousse-
lières, maître d'armes, ancien capitaine dans les armées du
Roy, et de Mathilde, Jeanne, Adrienne Rousselières, née
Samud, son épouse légitime. Le parrain, Charles Grosté-
fan, la marraine, Louise Vignot, et le père présents, lesquels
ont signé.
Père Thirion. »

34

L'écriture était plus tenue, plus élégante. Cette preuve de sa naissance fascinait Zinia. De sa naissance… ? Elle n'avait jamais connu cette Louise Vignot, sa marraine. Seuls son père et le prêtre avaient signé l'acte. Il n'y apparaissait, en tout cas, aucune trace de jumelle. Elle parcourut à nouveau le registre, en avançant dans le temps. L'année 1661. C'était la date de décès qu'avait donnée Martin. Le 24 décembre, le soir de Noël. Elle trouva vite la période en question. Le 15, une naissance et un décès. Le 20, encore un mort. Le froid faisait plus de ravages que la chaleur. Puis… Une page déchirée. Grossièrement. Elle jeta un œil plus loin. Le 29 décembre, un autre décès, celui d'un vieil homme, suivi d'une naissance le 2 janvier, un garçon… Zinia continua à lire les actes les uns après les autres à la recherche de son nom, mais elle savait déjà qu'elle ne trouverait rien. L'énigme de cette enfant morte, enterrée près de sa mère, resterait entière. Quelqu'un était déjà venu effacer toute trace de ce qui s'était passé. Et le prêtre de l'époque dormait lui aussi depuis plusieurs années dans l'enclos du cimetière. Elle était désormais dans une impasse…

Zinia quitta l'église à la fois amère et inquiète. Elle avait mis la main sur son acte de naissance mais ignorait toujours l'identité de l'enfant allongée aux côtés de sa mère dans le froid du tombeau. Quel secret ses parents lui avaient-ils caché ? Elle se voyait confrontée à cette énigme alors qu'aucun d'eux n'était plus là pour la lui dévoiler. Des hypothèses naissaient dans sa tête, confuses, inquiétantes, qu'elle repoussait, leur préférant la certitude d'une preuve. Plus que jamais, elle devait rentrer. Elle caressait l'espoir de découvrir chez elle un indice qui pût la renseigner. Elle descendit la venelle des Carmes, choisissant de faire encore un large détour pour s'approcher de sa demeure par l'arrière.

L'habitation des Rousselières, quoique modeste, s'avérait plus confortable que la plupart des taudis dont le peuple devait se contenter. Contrairement aux autres demeures de la rue, elle ne disposait pas de jardin. En revanche, elle s'appuyait sur une vaste bâtisse, sans doute une ancienne grange, aménagée en salle d'armes, où des années durant maître Jean avait donné ses leçons d'escrime. Cette salle, uniquement éclairée de fenêtres hautes, s'ouvrait par une porte inutilisée depuis longtemps. Zinia espérait pouvoir l'emprunter pour pénétrer chez elle sans être repérée par le guet qui devait encore la traquer.

Elle patienta un instant, tapie dans la venelle, avant de se risquer à découvert. Elle allait s'élancer lorsqu'une main surgit de l'ombre et se posa sur son épaule. Elle sursauta, retenant un cri d'effroi.

– Colin Terrepot ! chuchota-t-elle. Que fais-tu là ?

– J'ai appris pour ton père et je…

Elle lui mit une main sur la bouche et le repoussa dans l'obscurité d'un porche voisin.

– Ce n'est pas le moment, lui répondit-elle, brusque.

Colin Terrepot l'agaçait. C'était un brave garçon, mais, depuis des années, il s'était mis en tête d'épouser un jour Zinia. Il le laissait si bien entendre un peu partout dans le quartier que la noce semblait acquise pour beaucoup de voisins. Colin rêvait de ce jour à venir, ce qui n'était pas le cas de la principale intéressée. Elle n'envisageait d'ailleurs d'épouser personne. Pour l'instant du moins.

– Le guet, insista-t-il. Ils t'attendent.

– Je sais.

– Alors c'est vrai ? Tu as… tué un homme ? Un baron ?

– Les nouvelles vont vite…

– On dit que son père, le marquis, va envoyer des hommes pour le venger.

– C'est déjà fait.

Ce disant, elle réprima un frisson. Elle savait que ces gens-là risquaient d'être plus efficaces, plus déterminés et plus expéditifs que la justice du roi. Si elle voulait vivre, elle allait devoir quitter la ville pendant un temps. Mais, avant tout, il lui fallait dire adieu à son père.

– Viens chez moi, je te cacherai, lui proposa-t-il.

– C'est gentil, mais… non.

– Toute seule tu n'y arriveras pas. Je peux te…

– Non, répéta-t-elle en reculant pour lui faire comprendre qu'il n'était pas nécessaire d'insister.

Elle heurta alors une borne de pierre avec l'épée qu'elle avait gardée à son côté. Cela produisit un tintement dans la nuit. Les deux adolescents se figèrent.

– Qui va là ?

La voix venait d'une dizaine de mètres plus loin, en contrebas de la ruelle. Ils repérèrent aussitôt un soldat en embuscade qui sortait de sa cache l'épée à la main. L'homme marchait vers eux mais il ne pouvait deviner leur présence dans l'ombre. Colin repoussa Zinia, lui faisant signe de demeurer immobile, et il s'avança au-devant du soldat. Celui-ci brandit son arme pour la baisser aussitôt :

— Colin ! Que fais-tu là, garçon ? Tu attends ta belle ?

— Je… j'espérais la voir, oui.

— Ce n'est pas prudent, ça. L'affaire est grave. Nous avons des ordres. Pas question de la laisser filer. Ne te mêle pas de ça. Va te coucher. Nous ne lui ferons pas de mal… si elle ne se défend pas.

Le soldat parlait par phrases courtes, comme si une idée en amenait une autre. Il paraissait embarrassé. Sa mission ne lui plaisait guère. Il connaissait bien le père de Zinia, qui lui avait appris à tirer l'épée convenablement. Et puis, il ne portait pas particulièrement les nobles dans son cœur. Mais le devoir était le devoir pour ce militaire fidèle à la couronne.

Colin fit mine de repartir chez lui en remontant le passage étroit. Cependant, dès que le soldat eut repris position dans sa cache, il rejoignit la fugitive. Il lui avait sauvé la mise, mais son plan était compromis.

— Tu veux m'aider ? demanda Zinia.

— Tout ce que tu veux !

Il avait répondu avec enthousiasme, comme si elle venait de lui faire un cadeau.

— Eh bien, tu remontes par là et tu vas jusqu'à la halle. Là, tu fais le plus de bruit possible avec ce qui te tombe sous la main.

– Pour attirer les soldats ?

– Exactement.

– Et après ?

– Tu disparais !

– Non, je veux dire, toi, que vas-tu faire ?

– Je dois aller voir mon père, et puis je me mettrai au vert quelque temps.

– Je viendrai avec toi.

– Pas question.

– Pour t'aider. Te protéger. À deux, c'est plus facile…

– Non : je ne sais pas combien de temps je vais devoir fuir.

– Justement…

– Si tu veux vraiment m'aider, coupa-t-elle, fais ce que je t'ai demandé. Maintenant.

Il la regarda un instant, hésitant, puis, d'un air bougon, lâcha :

– D'accord.

Et aussitôt, il s'enfonça dans la nuit.

Zinia patienta. D'où elle se trouvait, elle apercevait la porte arrière de la salle d'armes et elle savait maintenant que, juste en face, se tenait un soldat prêt à s'emparer d'elle. Elle repensa à Colin avec un sentiment où se mêlaient reconnaissance et culpabilité. Il venait de la sauver et elle se servait de lui. Soudain, un violent fracas réveilla la nuit. Un bruit en cascade. Du métal que l'on culbute, des bassines que l'on renverse. Puis du bois qui se casse. Le soldat jaillit de sa cache et s'éloigna en direction de ce tintamarre, laissant la voie libre.

Zinia attendit qu'il eût tourné le coin de la rue pour bondir vers la porte. Heureusement, elle en détenait la clef. Clac, elle fit jouer le pêne, se faufila et referma doucement le battant. Dans le noir de la salle déserte, elle s'immobilisa, attentive aux échos de la rue. Au loin résonnaient encore les marmites et les cris des soldats. Colin avait mené à bien sa mission. Merci Colin. Désormais, elle était chez elle, à l'abri. Mais comment allait-elle se sortir de là ? « On verra demain », se dit-elle, et elle traversa la salle d'armes pour rejoindre l'habitation.

Les confidences
d'une nourrice

La salle commune était vide. Une chandelle, seule, se consumait. Une autre lueur vacillait à l'étage. La chambre de son père. Avec appréhension, Zinia grimpa l'escalier.

Le corps de Jean Joseph Marie Paul Rousselières, maître d'armes, reposait au centre du lit. Il portait son beau costume noir, celui qu'il réservait aux rencontres officielles, devenues de plus en plus rares avec les années. De chaque côté du lit brûlait un cierge. Sur une chaise, Suzanne dormait, la tête en arrière, appuyée contre le mur. Son chignon, en partie défait, laissait échapper une longue mèche blanche.

Zinia regarda sans ciller ces deux êtres qui, depuis des années, étaient toute sa vie. Le visage froid de son père où la barbe avait continué de pousser malgré la mort, et le corps fatigué de celle qui avait pris soin d'elle en toute fidélité. Les yeux fixés sur eux, elle repensa à ce qu'elle venait de vivre, aux questions qui se pressaient dans sa tête.

– Tu es là.

Il s'agissait plus d'un constat que d'une question. Suzanne s'était réveillée et dévisageait la jeune fille avec inquiétude et une infinie tendresse. Zinia s'approcha d'elle, se laissa glisser à ses pieds et posa sa tête sur les genoux couverts d'un tablier rapiécé. La servante caressa sa chevelure rousse.

— Il n'a pas souffert, dit Zinia.

— Non.

— Et je l'ai vengé.

— Oui. Peut-être aurait-il mieux fallu… Mais tu as bien fait. Ce noble ne méritait pas de vivre.

— Je n'ai pas réfléchi à ça.

— Je sais. Et il ne faut pas avoir de remords. Seulement, maintenant, tu vas devoir te protéger et…

— Qui suis-je ? l'interrompit Zinia.

— Comment ça « qui suis-je » ?…

— J'ai parlé avec Martin…, ajouta la jeune fille.

Et elle lui fit part de l'histoire du second cercueil et de la page arrachée du registre. Suzanne hocha la tête. Pour elle, c'était comme si ces révélations n'étaient qu'une confirmation, comme si Zinia venait de lui apporter les pièces d'un puzzle resté longtemps incomplet.

— Tu sais ce que tout ça signifie ? lui demanda Zinia.

— Non. J'ignorais tout, mais…

— Mais ?

Zinia tendit le visage vers elle.

— Raconte, supplia-t-elle d'une voix très basse.

La vieille ne répondit pas tout de suite. Son esprit faisait un voyage à rebours dans le temps. Elle remontait les années de sa mémoire.

– Maître Jean et Mathilde avaient déjà leur enfant lorsque je les ai connus. Je venais d'arriver dans la région. Mon mari était mort, et mes trois enfants aussi. Je cherchais un emploi quelque part, pour manger. Ils m'ont proposé des petits travaux. Plus pour m'aider que par réel besoin : ils avaient une vie calme et Mathilde assurait une bonne partie des tâches de la maison. Ils avaient une adorable petite fille blonde qui commençait à trotter…

Zinia avait retrouvé la position qu'elle prenait quand, petite, Suzanne lui racontait les contes qui la faisaient rêver. Elle savait qu'il ne fallait pas l'interrompre.

– Vers l'âge de trois ans, la petite Zinia est tombée malade. Au début ce n'était qu'une fièvre, mais son cas s'est aggravé. Tout le temps qu'elle ne passait pas à son chevet, Mathilde le consumait en prières à l'église. Mais Dieu et ses saints restaient sourds, la maladie de la petite ne se laissait toujours pas vaincre. Elle dépérissait tant qu'un soir il fallut faire venir le prêtre pour lui donner les derniers sacrements. C'est alors que ton père est allé voir une de ses relations, un homme de bien et de pouvoir, disait-il, afin qu'il lui recommande un médecin compétent. Je n'ai jamais bien su les détails, mais le lendemain, une voiture s'est arrêtée devant la porte. Il était tard. Son passager s'est engouffré dans la maison sans qu'on puisse le voir. Il est resté des heures. Au matin sa voiture avait disparu.

Elle marqua une pause, comme pour laisser au médecin le temps de sortir de son histoire, mais Zinia savait que les révélations allaient suivre. Du moins, elle l'espérait.

43

– Le jour suivant, tes parents sont demeurés au chevet de l'enfant, puis, dans la soirée, Jean est allé mettre un cierge au pied de la Vierge sainte. À ceux qui l'ont croisé, il a dit, laconique : «Grâce à nos prières et à la volonté divine, la petite va un peu mieux.» Le jour d'après, le mieux se confirmait, et bientôt, on apprit que l'enfant était sauvée.

– Et alors ? Quel rapport a cette maladie avec ce que je t'ai raconté ?

Suzanne poursuivit, semblant ignorer la question.

– Lorsque tu es sortie de cette fièvre maligne, tu étais encore toute maigre et fragile. On ne te reconnaissait pas et, surtout, tes cheveux avaient changé de couleur. Cela était pour le moins étrange. Ta mère expliqua que c'était dû au remède qui t'avait sauvée. Les boucles qui s'échappaient de ton bonnet étaient devenues rouges.

Tout en disant cela, Suzanne continuait à caresser les longues mèches de la jeune fille, ces cheveux flamboyants qu'elle admirait.

– Du temps passa et les bruits qui couraient dans le bourg s'estompèrent peu à peu. Pour finir, le regard de ton père sut faire taire toutes les langues. Puis ce fut à ta mère de tomber malade, mais elle n'eut pas ta chance. En peu de jours, elle rendit son âme à Dieu. Elle fut portée en terre par les quelques proches que tolérait ton père. Voilà. Tu sais tout ce que je sais.

Zinia se releva et regarda la vieille droit dans les yeux.

– Ce que tu veux me dire, c'est que mes parents… enfin, ceux que je considérais comme tels, ont eu une fille de mon âge, blonde, qui est morte, et que je l'ai remplacée. C'est ça ?

– Rien ne permet d'en être certain… Mais rien ne dit le contraire.

– Qu'en penses-tu, toi ?

Suzanne murmura :

– Je crois que c'est ce qui s'est passé.

La jeune fille s'approcha de la fenêtre. Avec ces révélations, il lui semblait perdre son père pour la seconde fois. L'homme qu'elle avait tant aimé et en qui elle avait une confiance aveugle ne lui avait rien dit à ce sujet. Jamais. À la douleur et à la tristesse qui l'étreignaient depuis le matin se mêlait un sentiment de colère et de rancœur dont elle avait honte. Et de solitude infinie : après son tuteur, elle venait de perdre ses racines. Elle serrait les dents pour ne pas se laisser submerger par l'angoisse du vide, refusant à ses larmes le droit de couler encore, quand elle sentit une main sur son épaule.

– Crois-tu que, pour moi, cela change quoi que ce soit ? lui demanda Suzanne. Celle à qui j'ai donné tout mon temps et toutes ces années, c'est toi, mon bandit aux cheveux rouges. Je t'aime tout pareil, que tu sois sortie de la cuisse d'un roi ou d'un ruisseau de misère.

Zinia se laissa enlacer, sans que le désarroi la quittât pour autant.

– Mais… pourquoi ? Pourquoi cet échange ? Ce mystère ? Pourquoi mes parents, pourquoi mon père ne m'a-t-il jamais rien dit ?

– Parce que pour lui, sans doute, la question ne se

posait plus. Tu étais sa fille. Peut-être voulait-il oublier ce qui t'avait conduite auprès de lui.

– Et toi ? N'as-tu rien appris d'autre ?

– Non. Ça ne me regardait pas. Il me suffisait de te voir grandir pour être heureuse. Après la mort de ta mère, maître Jean m'a prise à son service et je me suis occupée de toi, comme tu sais. Jamais je n'ai entendu ni vu quelque chose qui m'aurait renseignée sur cette histoire.

– Alors, tu ne sais pas… qui je suis ?

– Si. Je sais que tu es celle que maître Jean a élevée avec tout son amour. Tu es celle que j'ai bercée petite, que j'ai vue apprendre toutes ces choses qui te font si savante. Tu es celle qui a assimilé le maniement des armes de ton père avec une habileté qui en a surpris plus d'un. N'oublie jamais que, ce que tu es, c'est ce que cet homme a fait de toi…

Zinia hocha la tête à son tour. La vieille avait raison. Mais elle éludait le sujet. La jeune fille ne pouvait se contenter de cette réponse incomplète. Il y avait un mystère autour de sa naissance, de son enfance, et elle voulait savoir ce qu'il cachait. Pourquoi son père ne lui en avait-il jamais rien dit ? Peut-être attendait-il pour cela le jour où il… Sa dernière parole lui revint subitement en tête. Était-il possible que, au moment de mourir, il ait voulu lui révéler quelque chose ?

– Scaramouche, dit-elle à Suzanne. Tu sais ce que cela veut dire ?

– Sca… quoi ?

– Scaramouche.

– Non… Non. Je ne vois pas. Qu'est-ce que c'est ?

Zinia se releva sans répondre et balaya la chambre du regard. Rien dans la nudité de cette pièce ne répondait à sa question. Elle alla ouvrir le coffre où son père rangeait ses vêtements, hésitant avant de fouiller. Elle avait en quelque sorte l'impression de violer son intimité. Il lui fallait pourtant savoir. Ce mot, révélé à l'ultime minute de sa vie… Ce ne pouvait être un hasard. Peut-être était-ce un mot de passe ? Un à un, elle souleva les vêtements pliés avec soin et les posa sur le sol à côté d'elle. Le coffre fut bientôt vide : il ne s'y trouvait malheureusement rien qui pût la renseigner.

Scaramouche… Peut-être avait-elle mal compris ? Sarah Mouche ? Char à mouches ? Peut-être son père délirait-il ? Elle était sûre que non. Sa voix était claire. Il avait réellement voulu lui dire ça. Ce mot-là.

Elle descendit dans la pièce du rez-de-chaussée. Le mobilier y était réduit à l'essentiel. Une large table, deux bancs, un vaisselier, quelques chaises, une pauvre tapisserie sur le mur du fond, ainsi que deux épées en partie rouillées. C'était tout. Dans la cuisine, domaine de Suzanne, là aussi, rien que le nécessaire, des objets que Zinia connaissait de tout temps. Restait la pièce minuscule qui servait de bureau à son père. Bureau, le mot paraissait trop ambitieux pour désigner ce réduit sans fenêtre qui s'ouvrait, au fond, sur la salle d'armes. S'y côtoyaient un fauteuil dont le rembourrage s'échappait par endroits et une table étroite sur laquelle s'entassaient un livre de comptes, une plume et son encrier, un chandelier et une liasse de lettres. Dans un coin, diverses rapières hors d'usage qui ne méritaient plus de trôner dans la salle d'armes mais que son père n'avait pu se résoudre à jeter. Seule décoration, une série de gravures représentant des spadassins, d'anciens maîtres d'armes ou escrimeurs qui avaient eu, un temps, suffisamment de gloire pour qu'un artiste acceptât d'en retenir les traits. On en comptait sept, bien alignées sur le mur. Chacune d'entre elles, jaunie par le temps, mangée de taches de moisissure, s'encadrait d'une simple baguette de bois de quelques centimètres de largeur. Zinia était persuadée que son père avait acheté l'ensemble à un colporteur de passage, mais il était surprenant que cet homme, qui n'avait jamais manifesté aucun goût pour l'art ou la décoration, eût choisi de placer ces images dans son bureau.

Zinia venait très rarement dans cette pièce, domaine réservé de son père. Elle regarda les portraits l'un après l'autre. Il s'agissait d'hommes à l'allure fière, larges chapeaux, panache au vent, l'épée en évidence, parfois brandie. La plupart avaient des vêtements démodés : fraise, casaque de mousquetaire, baudrier trop voyant… Pourtant, dans la série, l'un d'eux se distinguait. Tout habillé de noir, il portait une cape courte, un bonnet, et son épée demeurait discrète. On la devinait à peine, dépassant de sa jambe, et, dans sa main gauche, il tenait une guitare. Autre particularité qui retenait l'attention : cette gravure était la seule qui fût protégée d'un verre. Elle ne signifiait pourtant rien pour Zinia. La jeune fille décrocha tout de même le cadre afin de l'examiner de près. Elle le retourna. Rien au dos. Elle avait fait fausse route. Elle le remit en place, mais le clou ne tenait plus dans le plâtre humide. Après des années d'immobilité, il céda. Le sous-verre se brisa sur le carrelage.

En ramassant les fragments, Zinia remarqua que, en se disloquant, le cadre avait révélé le bas de la gravure. Y figurait un nom en lettres sobrement calligraphiées. Le nom du personnage en question : Scaramouche.

Une poignée
de cheveux rouges

Elle détailla avec plus d'attention le portrait. Le personnage n'était pas très avenant : une moustache en croc et une royale[1] en guise de barbe, les sourcils sévères… Pourtant, on devinait sous l'autorité du spadassin une sorte d'ironie que Zinia ne parvenait pas à s'expliquer. Scaramouche. Qui était-ce ? Un ami de son père qui connaissait le mystère de sa naissance ? Dans ce cas, comment le retrouver ?

Elle allait poser la gravure sur le bureau lorsqu'elle découvrit qu'un billet avait été glissé entre celle-ci et le fond du cadre. Avec précaution, elle le déplia. Il s'agissait d'une lettre.

« *Monsieur,*
Les armées du Roy se mettent en campagne et il en va de mon honneur de me mettre au service de Sa Majesté. Pour les raisons que vous savez, il ne m'est pas possible de

---

1. Nom qui désigne une petite touffe de poils située sous la lèvre inférieure.

laisser ici des ordres pour que l'argent destiné à l'entretien de l'enfant vous soit remis. J'ose espérer que cette guerre des Flandres sera brève et que je serai en état de tenir l'engagement que je pris auprès de mon ami ainsi que j'ai pu vous le mander. Si toutefois Dieu avait conçu pour moi un autre destin et qu'Il voulût me rappeler à Lui, sachez qu'il vous sera possible de contacter le notaire parisien qui détient les fonds pour l'entretien de l'enfant, ainsi que l'adresse de son père. Ne pouvant confier ce lourd secret à aucun de mes proches, j'ai fixé sous le tiroir du petit cabinet que vous savez l'adresse de cet homme de droit.

Je pars néanmoins serein, sachant que, désormais, l'enfant est aux mains d'un homme d'honneur que je prie de recevoir ma très franche et très réelle estime.
Philippe de Mandeterre,
Ce 7 mai 1667. »

Au bas de la lettre était rajouté d'une écriture plus hâtive :

« Ne manquez pas de détruire cette lettre imprudente. »

Zinia relut la missive encore une fois. L'écriture était élégante, pourtant, ce n'est pas cela qui l'hypnotisait. « L'enfant », le mot résonnait dans sa tête. Il ne pouvait s'agir que d'elle. La jeune fille se laissa tomber dans le fauteuil. Plus loin, elle avait bien lu : « son père ». Cette lettre éclairait ce que venait de lui raconter Suzanne. Zinia réenvisagea toutes les informations qui venaient de fondre sur elle et qui redessinaient sa vie entière.

Ses parents, ou du moins ceux qu'elle avait toujours appelés ainsi jusqu'à ce jour, auraient donc perdu une enfant blonde. Elle aurait été remplacée par une petite fille rousse du même âge, à qui l'on avait donné le même prénom. Elle serait cette petite fille. La vraie Zinia, Arthézinia au long, aurait été enterrée en secret dans le caveau où sa mère la rejoindrait quelques années plus tard. Des secrets, encore des secrets. Pourquoi ? Ce Philippe de Mandeterre aurait donné de l'argent à ses parents adoptifs pour qu'ils prennent soin d'elle. L'enchaînement des faits lui donnait une sensation de vertige. Et pourtant, tout collait. Si ce n'est que… que Zinia ne comprenait pas la raison de ces mystères. Pourquoi cacher cette éventuelle adoption ? « *Pour les raisons que vous savez…* », disait la lettre. Quelles étaient-elles ? Et elle, Zinia, ou quel que fût son véritable nom, qui était-elle ?

Elle plia soigneusement la lettre et la glissa sous sa chemise.

– J'ai déjà entendu parler d'un domaine de Mandeterre. Ton père l'a évoqué un jour, mais je ne me souviens plus à quel propos. Mon pauvre Anicet y avait travaillé, je crois. Ou pas loin. Ça se situe vers l'ouest, à un ou deux jours d'ici… Une grande famille, à ce que je crois. Mais je n'en sais guère plus.

Suzanne avait déjà sorti une sacoche dans laquelle elle fourrait des provisions, du linge, un nécessaire de toilette, tout ce qu'elle pouvait pour le voyage de Zinia. Elle aurait mis toute la maison dedans si elle avait pu.

Elle cherchait à dissimuler son inquiétude à la petite. Celle-ci était désormais orpheline, recherchée par le guet et, bientôt, par les hommes du marquis de Villarmesseaux. Suzanne savait pourtant qu'il était inutile de tenter de la dissuader d'entreprendre son voyage. Lorsque Zinia lui avait révélé l'existence de la lettre cachée, elle avait aussitôt compris que la jeune fille allait partir sur les traces de ses origines et que, comme d'habitude, rien ne la détournerait du but qu'elle s'était fixé.

Zinia alla se changer. Du coffre de son père, elle sortit des vêtements d'homme. Ils seraient plus confortables pour faire la route. Et plus discrets. On recherchait une jeune fille, pas un garçon. Elle enfila une culotte qui lui descendait sous les genoux, passa une veste sur son justaucorps et serra ses longs cheveux dans un bandeau avant de se coiffer du chapeau gris de Jean Rousselières. Puis elle s'assit sur le rebord de la fenêtre et relut la lettre une fois encore, tandis que Suzanne s'affairait. Il avait été convenu que la fidèle servante s'occuperait de la maison et que, si Zinia ne revenait pas, elle pourrait la garder pour toujours. À l'évocation de cette éventualité, Suzanne s'était signée trois fois pour conjurer le sort.

Soudain, on entendit le pas de plusieurs chevaux résonner sur le pavé de la rue. D'instinct, Zinia se précipita pour éteindre la chandelle, puis elle s'approcha prudemment de la fenêtre. Trois cavaliers venaient d'être arrêtés par le guet. Ils parlementaient en désignant sa maison. Zinia ne tarda pas à les reconnaître. Il s'agissait des témoins du baron, accompagnés du balafré. Ce dernier avait l'allure menaçante des spadassins qu'elle avait observés sur les gravures de son père, mais, quand il leva la tête, elle vit cette fois ses yeux et ne put réprimer un frisson : son regard était terrible, clair, presque transparent, si glacial qu'on ne devait jamais y lire pitié ou hésitation.

La sacoche était pleine. Suzanne avait insisté pour que Zinia emportât tout l'argent disponible dans la maison, mais la jeune fille en avait discrètement abandonné une partie pour les besoins de celle qui l'avait nourrie. Elle prit également avec elle les deux objets auxquels elle tenait le plus : l'épée de son père que, depuis le matin, elle n'avait pas quittée, et le pendentif qui lui venait de sa mère, le seul bijou qu'elle eût jamais porté : une grosse perle noire en forme de goutte et qui brillait beaucoup. Pour le reste, Zinia se souciait peu d'emporter le moindre souvenir. Elle dégoterait ce dont elle avait besoin au cours de son voyage.

Il fallait partir. L'adolescente alla se recueillir encore un instant auprès de la dépouille de son père, puis, sans un mot, elle embrassa la nourrice.

– Je reviendrai, l'assura-t-elle.

Elle inspecta la rue. Tout était redevenu calme. Il ne fallait pas que le guet la vît sortir et que l'on accusât Suzanne de complicité.

Elle gagna le grenier et, dans la partie basse de la toiture, dégagea deux larges tuiles entre les chevrons. L'air de la nuit lui caressa le visage. Elle grimpa sur une chaise, puis, d'un mouvement souple, se hissa sur le toit. Aussitôt, elle s'y aplatit. Pas de mouvement en bas. Par l'ouverture, Suzanne lui passa la sacoche, le chapeau, son large capuchon et l'épée, puis elle se firent un geste d'adieu avant que Zinia ne s'éloigne vers la maison voisine. On était au plus noir de la nuit. Les nuages s'étaient faits ses alliés en masquant la lune.

Elle réussit, de toit en toit, à s'éloigner suffisamment, rejoignant ensuite la porte Saint-Joseph puis les fourrés où elle avait dissimulé sa jument. Elle constata avec inquiétude que celle-ci n'était plus seule. Un deuxième cheval broutait à ses côtés. Aussitôt, Zinia se plaqua au sol. Quelqu'un était venu. Quelqu'un qui, sans doute, l'attendait. Soudain, une voix siffla dans la nuit :

– Zinia ?

– Colin Terrepot ! Encore toi.

Le garçon sortit de l'ombre.

– Ça a bien marché, hein ? Ils sont partis à mes trousses et ils t'ont laissé la voie libre.

– C'était parfait.

– Mais c'est quoi ce déguisement ? T'as l'air d'un garçon !

– Bien vu.

Colin remarqua aussitôt la sacoche que Zinia avait fixée à la selle de sa monture.

– Alors tu… tu pars ?

– Oui, c'est plus prudent.

– Où vas-tu ?

– Loin.

– Seule ? Tu n'as aucune chance.

Elle ne répondit pas, se contentant de resserrer ses sangles puis d'ajuster ses rênes.

– Je sais chasser et pêcher, poursuivit-il. Et je peux travailler. N'importe où. Ici, personne n'a vraiment besoin de moi. Je sais aussi me battre. Je te serais utile…

– Oui, Colin, je sais tout cela, mais je dois partir seule.

– Bon d'accord, d'accord. Mais tu ne peux m'interdire d'aller me balader où je veux…

Sans attendre de réponse, il se mit en selle et progressa de quelques pas sur la route. À son tour, Zinia sauta à cheval. Ce garçon commençait à l'agacer. Et la patience n'était pas sa vertu première.

– J'ignore où je vais, mentit-elle, et je ne sais pas pour combien de temps je pars. Il me faut régler des problèmes importants. Et sans doute dangereux. Pour cela, je préfère être seule, tu comprends ? Seule.

Et devant sa mine déconfite, elle ajouta :

– On se reverra… un jour.

Mais elle n'en savait rien.

– Donne-moi quelque chose qui t'appartient, dit brusquement Colin.

– Mais quoi ?

– Je ne sais pas, un souvenir, pour que je ne t'aie pas complètement perdue.

Si cela lui permettait enfin de partir, Zinia y consentait. Elle fouilla dans sa sacoche, mais ne trouvant rien qui puisse faire l'affaire, elle sortit sa dague et coupa une mèche de ses cheveux.

– Voilà, dit-elle en lui tendant la poignée rouge. Ça te va ?

Et sans attendre de réponse, elle poussa son cheval sur la route, laissant derrière elle le garçon désemparé.

Elle partait. Pour combien de temps ? Elle l'ignorait ; mais elle savait déjà qu'elle devrait aller loin pour éclaircir ce mystère au cœur duquel le destin l'avait plongée. En s'éloignant de la ville où elle avait grandi, elle ne voulait pas prêter l'oreille à l'angoisse qui la saisissait. Elle avait le sentiment d'abandonner sa maison, ses parents morts, Suzanne, et sans doute une partie d'elle-même : celle qui s'était cru pendant près de quatorze années Zinia Rousselières. Une infinie tristesse lui serrait la poitrine.

Cependant, dans un même temps, une sensation enivrante lui montait du ventre et irradiait tout son corps. Elle allait découvrir le monde et donner un coup d'épée à son destin. Devant elle, il y avait l'inconnu, certes, mais aussi l'aventure, la liberté, et, pour saluer ce jour nouveau, chevauchant au sommet de la colline, elle ôta son feutre gris et lâcha ses cheveux rouges dans la clarté lunaire.

Colin l'avait regardée disparaître au fond de la nuit. Dans sa main, chaude et douce, la poignée de cheveux rouges. Il mit pied à terre et rentra en ville. Aurait-il dû la suivre ? Le pouvait-il encore ? Il s'en voulait de cette indécision qui l'avait toujours empêché d'aller jusqu'au bout de ses désirs. Avait-il bien fait de laisser Zinia partir seule à l'aventure ?

À peine eut-il franchi la porte Saint-Joseph qu'une voix se fit entendre dans son dos :

– Il est bien tard pour se promener ainsi…

Une voix d'homme, inconnue. Puis, sur sa droite, une autre :

– … Ou bien trop tôt.

Colin se retourna. Les hommes demeuraient dans l'ombre, invisibles. Que lui voulaient-ils ? Il ne possédait rien. Son cheval ? Une troisième voix, cette fois-ci devant lui, toujours dans le noir de la rue, prit le relais :

– N'aurais-tu pas vu une jeune fille cette nuit ?

C'était une voix blanche, inquiétante. Son propriétaire finit par se détacher du mur où il s'était appuyé.

– Une jeune fille qui se cache… parce qu'elle a tué.

– Je… je n'ai rien vu…

L'homme s'approcha de lui. Le nuage qui masquait la lune glissa. Colin remarqua la traînée blanche d'une cicatrice dans sa barbe.

– Cherche bien. À cette heure-ci, il ne doit pas y avoir grand monde dans les rues. Nous venons de nous rendre chez elle, nous savons qu'elle n'y est pas.

– Je ne sais rien. Je reviens de loin et…

Brusquement, l'homme saisit le poignet du garçon.

– Nous savons également que cette jeune fille est… rousse.

Et tout en parlant, il lui serrait le bras avec une force prodigieuse au point que Colin dut ouvrir les doigts. La mèche rouge lui échappa, s'éparpillant dans la boue.

– Ce n'est pas joli de mentir, jeune homme.

Avant que le garçon eût pu répondre, l'homme balafré lui décocha une gifle violente du revers de sa main gantée. Colin alla s'effondrer par terre, sa tête heurtant un mur. Il sentit aussitôt le goût du sang dans sa bouche. Et celui de sa haine pour cet homme.

Sans un autre regard, les inconnus l'abandonnèrent

et il resta seul, immobile dans son caniveau. Il jeta un coup d'œil aux cheveux épars, souillés, et entreprit de les ramasser. Bientôt, il entendit le bruit d'une cavalcade. Ses agresseurs quittaient le bourg. Ces derniers ne lui avaient plus posé la moindre question, comme s'ils connaissaient la direction prise par Zinia. Peut-être avaient-ils aperçu les traces fraîches de son cheval sur le chemin humide ? Peu lui importait : Colin comprenait que la jeune fille était en danger. Et il ne savait comment lui venir en aide.

La troupe du Soleil
de France

Au point du jour, Zinia s'arrêta au bord d'une rivière. Elle s'assura qu'il n'y avait personne alentour, puis se dévêtit, se trempa dans l'eau froide et se sécha avec son capuchon. Elle avala ensuite une bouchée du pain que Suzanne avait glissé dans la sacoche et but quelques gorgées d'eau avant de repartir.

Elle chevaucha tout le jour, évitant les routes trop fréquentées, et s'orientant grâce aux indications des paysans qu'elle croisait dans les champs. Le soir venu, elle trouva refuge dans une grange que des fermiers voulurent bien lui ouvrir. Lovée dans la paille, elle voulut repenser à ce qui venait de lui arriver en si peu de temps et à ce que pourrait désormais être sa vie, mais, avant qu'elle ait pu faire le moindre projet pour le lendemain, elle s'endormit, ivre de fatigue.

Elle atteignit Mandeterre le matin suivant. L'effervescence qui régnait dans la petite ville la surprit. On décorait des charrettes, on roulait des tonneaux, et les habitants portaient leurs vêtements d'apparat. Comparée à eux, elle faisait bien triste figure, et on dévisagea avec curiosité ce cavalier négligé voyageant sur un cheval jaune et maigre.

Un marchand de vin lui indiqua sans rechigner le chemin du château :

– Tu n'as qu'à me suivre, mon gars. J'va y livrer mon vin !

Et ce disant, il grimpa sur une charrette sur laquelle étaient ficelées plusieurs barriques.

Ils avancèrent en silence, Hortense, sa jument, réglant son pas sur le rythme lent de l'attelage.

– D'où viens-tu jeune cavalier ? dit enfin le marchand, une fois sorti du bourg. Viens-tu pour la fête ?

– La fête ?

– Tu ne sais donc point ? Monsieur l'comte marie sa fille !

– Le comte de Mandeterre ?

– Tout juste. La belle Tiphaine va épouser le marquis de Charmelay. Va y avoir du beau linge ! Des carrosses sont déjà arrivés de partout depuis hier. Même de Paris ! Et ça continue… Une bonne partie de la ville est invitée à festoyer, mais pour nous, c'est dans le pré du bas.

Il se tut un instant, le regard rêveur. Il semblait partagé entre le plaisir de faire la fête, le mécontentement d'être parqué à l'écart et l'espoir d'apercevoir, même de loin, des personnages importants. Comme s'il sortait brutalement de son rêve, il ajouta avec un clin d'œil, en désignant son chargement :

– Et puis, c'est bon pour les affaires ! Enfin, s'il nous paye un jour…

Zinia se demandait si, pour ses affaires à elle, cette agitation s'avérerait bénéfique. Elle ne venait là que pour se procurer une adresse. Le reste ne la concernait pas. Depuis son départ, elle avait tourné et retourné la situation dans sa tête, faisant mille hypothèses, sans jamais pouvoir cependant parvenir à une conclusion solide. Première inconnue : le signataire de la lettre retrouvée était-il encore vivant ? Elle décida de s'adresser à son compagnon de route :

– Le père de la mariée, c'est le comte Philippe ?

Le marchand de vin se pencha vers elle et la dévisagea.

– Qui es-tu, mon garçon ? Tu n'as point l'air si vieux pour avoir connu le comte Philippe… Il y a bientôt quatre ans qu'on l'a porté en terre. Dieu ait son âme !

Puis il poursuivit, comme pour lui-même :

– Non, c'est son frère qui a hérité du domaine, Alexandre de Mandeterre.

Il avait lâché ces mots comme s'il avait craché par terre.

– Je pourrais entrer avec vous ? demanda Zinia à brûle-pourpoint.

– M'est avis que c'n'est point une bonne idée, ça, mon gars. Le comte n'est point quelqu'un de… facile. Je veux dire… faut montrer patte blanche pour entrer dans le domaine. Je n'sais point ce que tu as derrière la tête et je n'veux point l'savoir. Mais je ne peux point prendre de risque et perdre un client comme monsieur l'comte.

– Au moins, vous savez mettre les points sur les *i*.

– Pourquoi qu'tu dis ça mon gars ? N'comprends point.

Zinia se retint de sourire. Il lui faudrait trouver une autre façon de s'introduire dans le château. Et cela ne semblait pas si facile.

Petit à petit, le paysage changeait. Après des terres cultivées, ils traversèrent des prés où paissaient vaches et moutons, puis ils longèrent une belle forêt cernée de murs. C'était là le début du domaine de Mandeterre. Ils durent bientôt ralentir devant un portail de bois à double battant où des hommes en armes filtraient les arrivants. Zinia aperçut alors ce qui devait être les communs du château. Dans la cour, les fournisseurs déchargeaient leurs charrettes. Au-delà, des arbres de haute tige révélaient un parc d'où émergeaient les toitures de la demeure des comtes de Mandeterre.

– Moi, je m'arrête là, mon garçon. C'est ici que je livre.

Il la salua d'un signe de la main et fit tourner son attelage. Les hommes de garde s'approchèrent, parlementèrent un instant et le laissèrent passer. Quand Zinia arriva à leur hauteur, ils se mirent en travers de sa route.

– Que veux-tu ?

– Je viens voir si vous avez besoin d'un coup de main pour la fête.

L'homme qui l'avait interpellée la détailla puis, avec une grimace railleuse, lâcha :

63

– On n'a pas besoin de garçon de ferme. Si tu veux offrir tes services au château, il faudra présenter un peu mieux que ça. De toute façon, nous n'avons pas reçu d'ordre dans ce sens. Allez, circule !

Zinia jeta un coup d'œil en direction de la cour où les fournisseurs s'activaient, puis, lentement, elle poussa son cheval vers la route et reprit son chemin.

Elle longeait toujours le domaine. De hautes grilles succédèrent aux murs de clôture et, derrière un massif de hêtres, le château lui apparut soudain. Tout de brique rouge, avec des encadrements de fenêtres en pierre blanche, il n'en imposait pas autant que sa toiture l'avait laissé imaginer, mais l'entretien du parc et le quadrille des carrosses lui conféraient un certain prestige.

Zinia observa un instant les allées et venues. Des laquais en livrée saluaient les arrivants. Elle devina, à quelques pas derrière eux, des hommes en armes, qui filtraient les accès au château. Le comte de Mandeterre semblait se méfier des indésirables.

La jeune fille demeura en retrait, cherchant un moyen de s'introduire à l'intérieur. Son aspect ne lui permettrait certes pas de se glisser parmi les invités qui circulaient à bord de luxueux carrosses. Elle décida pourtant de tenter sa chance, mais, avant qu'elle eût traversé la route, un cavalier au galop lui coupa le passage. La jument jaune fit un écart. Zinia sentit aussitôt la colère monter en elle. Le cavalier atteignait déjà la grille et elle s'apprêtait à l'interpeller lorsqu'elle aperçut son visage. L'homme à la balafre. Pas de doute, c'était bien lui.

Il franchit sans formalités le haut portail d'entrée, mit pied à terre et abandonna son cheval à un laquais. Avant de s'éloigner, il se retourna et son regard croisa celui de Zinia, sans pour autant la reconnaître. Celle-ci ne put réprimer un frisson. Elle s'engagea immédiatement sur un chemin qui l'emmena à bonne distance du domaine.

Comment l'homme à l'estafilade s'était-il retrouvé là ? L'avait-il suivie ? En tout cas, il n'avait pas semblé l'identifier. Il cherchait une jeune fille, pas un garçon à la mise négligée. Mais que savait-il d'autre à son sujet ? Ses deux acolytes étaient-ils eux aussi dans les parages ou bien continuaient-ils à fouiller les alentours de la maison de son père ? Face à ce danger inattendu, elle choisit de se perdre dans les bois sans trop réfléchir à sa route. Pénétrer chez les comtes de Mande-terre s'avérait plus difficile qu'elle ne l'avait imaginé. Avec l'apparition du balafré, cela devenait également plus dangereux. D'autant plus que le signataire de la lettre, le comte Philippe, qu'elle espérait bienveillant à son égard, était mort. Comment pourrait-elle maintenant prendre connaissance du message confié à la discrétion d'un petit tiroir de secrétaire ? Elle n'avait pas le choix : il lui fallait s'introduire dans la place. Mais comment ?

Elle décida d'attendre la nuit et l'heure où la fête battrait son plein pour tenter sa chance. On la considérait déjà comme un assassin, elle pouvait bien se faire voleuse.

Peu à peu, la futaie se densifiait et le chemin de terre qu'elle avait emprunté se creusait comme l'ancien lit d'une rivière. Soudain, elle entendit des voix. Lointaines. Des cris. Elle arrêta sa jument et tendit l'oreille. Oui, une voix autoritaire, menaçante. Elle mit pied à terre et s'avança prudemment.

— Tu vas me donner ta bourse, manante !

— Pitié ! Oh ! pitié grand seigneur ! je n'ai que quelques pièces pour acheter un remède à mon père malade…

Un bandit de grand chemin était prêt à détrousser une pauvre fille. Zinia risqua un œil à travers un buisson. Le malandrin portait un très large chapeau, une cape rouge vif, un nez d'une longueur impressionnante au-dessus d'une moustache qui ne l'était pas moins. Son large col achevait de lui donner un air à la fois terrible et un peu ridicule. Il menaçait sa proie par de terribles moulinets, mais tenait son épée comme une savate. Plus loin, Zinia aperçut avec effroi un corps à terre. Le vaurien avait déjà tué une de ses victimes.

— Alors, cette bourse ? Ça vient ?

Il cherchait à se faire craindre. Cependant, bien qu'il fût grand, Zinia pensait pouvoir lui tenir tête à l'épée. Surtout grâce à l'effet de surprise. Son père lui avait toujours expliqué que le fait d'avoir une arme à son côté lui donnait un devoir : celui de la mettre au service du bien. Délicatement, elle sortit la lame de son fourreau, affermit sa poigne et se tassa légèrement sur elle-même, prête à bondir.

— Tant pis pour toi, maudite ! Tu vas rejoindre ton amant !

Et l'homme au large chapeau brandit son arme au-dessus de lui, prêt à frapper. Aussitôt, Zinia jaillit du taillis.

– À moi, monsieur !

L'homme fit un bond en arrière à la vue de Zinia.

– Mais…

– Face à une autre lame, vous faites moins le fier, lança-t-elle.

Elle continuait à marcher sur lui, mais l'homme refusait l'engagement. Elle tenta une feinte. Il recula encore, regardant à plusieurs reprises sur sa droite. Des complices se tenaient-ils prêts à jaillir des bois ? Elle le menaça d'un battement sur sa lame qui sonna mal. Ce n'était pas là un fer de qualité.

– Attendez…, tenta l'homme, s'écartant toujours.

La détermination de Zinia semblait l'effrayer. Elle n'en ressentait que plus de mépris pour cet individu qui osait s'attaquer à une jeune fille sans défense, mais qui, face à une lame acérée, se comportait comme un pleutre. Instinctivement, elle bomba le torse. L'avantage était de son côté. Elle s'amusa à fouetter deux fois l'air devant elle et, deux fois, l'homme recula. Il finit par buter sur une racine et tomba à la renverse avant que le combat eût commencé. Zinia s'avança, lui pointa la lame sur le cœur.

– Alors, monsieur le brigand, on fait moins le fier.

– Gr… grâce, je… Grâce !

Il tremblait, roulant toujours des yeux de droite à gauche, comme s'il attendait du secours.

– Bravo !

Une voix d'homme. Sur la gauche. Une voix qui répéta :

– Bravo !

Un vieil homme sortit des buissons et s'approcha, un large sourire aux lèvres.

– Bravo, dit-il encore. Vous avez été parfait, jeune homme.

Zinia resta interloquée. Le vieux lui avait saisi la main et la secouait avec enthousiasme.

– Formidable. C'est exactement ce qu'il nous faut. N'est-ce pas Fagotin ?

– Tout à fait, dit une autre voix.

C'était le mort qui venait de parler. Il se relevait, d'ailleurs, époussetant son costume souillé de terre.

– C'était très bien, ajouta-t-il avec un large sourire.

– Oui, très convaincant, renchérit une femme d'un certain âge qui sortait, elle aussi, des taillis.

Zinia crut un instant être tombée dans un piège. Pourtant, ces individus ne semblaient pas agressifs. Elle choisit de rester sur ses gardes. C'est alors qu'un autre larron surgit derrière elle.

– Quelle audace, monsieur ! Quel allant ! Quel génie ! Vous avez fait tomber cet idiot aux orties !

– Ça va, Truffaldin ! dit le vieux.

– Je vois encore une fois qu'il ne faut pas parler. Ou alors vulgair'ment, ou alors sans rimer.

– Tu nous fatigues, intervint le mort ressuscité.

Une seconde femme, jeune, un peu ronde, le sourire aux lèvres, vint rejoindre le reste de la bande et tous se mirent à détailler Zinia de pied en cap.

68

— Qu'est-ce que vous en dites ? demanda enfin le vieux.

— Il n'a pas l'air mal, dit la victime.

— M'ouais, faut rien exagérer, dit le brigand en se relevant à son tour.

— Manque un peu de chair, fit la vieille avec une moue d'hésitation.

— Mais il sait manier l'épée, reprit la victime.

— Mes amis, il me semble que ce jeun' god'lureau
Pourrait bien faire l'affaire, pour remplacer Arnaud.

— Truffaldin, tais-toi, s'énerva le faux mort.

Zinia recula de quelques pas, par prudence, afin de les garder tous dans son champ de vision. Son épée n'avait pas regagné son fourreau.

— Vous pouvez m'expliquer ? demanda-t-elle.

— Vous avez raison, jeune homme, excusez-nous, dit le vieux, mais vous nous avez étonnés. Et en bien.

— Je ne comprends toujours pas.

— Voilà : ce nigaud essaie de faire le Capitan, mais, visiblement, il n'est pas doué pour ça.

Il avait désigné le brigand.

— Le Capitan ? demanda Zinia.

— Vous avez devant vous la troupe du Soleil de France.

En prononçant ces mots, le vieux s'était écarté et avait désigné ses compagnons d'un ample geste du bras. Tous saluèrent en chœur.

— Vous nous avez surpris en pleine répétition. En fait, Fagotin tentait de reprendre le personnage que jouait Arnaud, notre Capitan. Celui-ci nous a quittés pour épouser une riche veuve il y a trois jours de ça.

– J'eusse aimé moi aussi épouser une grand-mère,
Bossue, laide et velue, mais une riche héritière…

– Tais-toi, Truffaldin, dit le mort.

– Il a pourtant raison, intervint la vieille femme.
Courir les routes pour ramasser une misère, ce n'est plus
de notre âge !

– N'écoutez pas ces paroles amères, monsieur, reprit
le vieux. Qu'y a-t-il de plus beau que de découvrir
notre pays en montant sur des tréteaux, d'enflammer
le cœur des belles, de faire rire, de faire rêver ? Chaque
jour est une nouvelle aventure ! Et nous vivons dix
vies, cent vies en endossant les défroques de nos personnages !

– Oui, quand nous arrivons à manger à notre faim !

– Qu'importent les nourritures terrestres lorsque
nous portons celles de l'âme !

– Il est vrai que ni Shakespeare ni Molière
Ne peuvent remplacer une tourte au gruyère.

– Truffaldin, tais-toi.

– Une troupe…, dit enfin Zinia, les yeux écarquillés.

– Oui, jeune homme, et permettez que nous nous
présentions, poursuivit le vieux. Voici Isabelle, ma fille,
qui faisait, vous l'avouerez, une parfaite victime. Elle joue
les amoureuses.

La jeune fille fit une profonde révérence tout en
jetant un regard langoureux en direction de Zinia.

– Ça suffit, dit Fagotin.

– Fagotin, enchaîna le vieux. Valet de comédie. Il
est plein de talent, mais pour jouer le Capitan, hum ! ce
n'est pas acquis… Il est aussi mon gendre.

Le comédien en question ôta son faux nez et sa moustache avant de saluer sèchement.

– Léandre, qui est, dans la plupart de nos comédies, un parfait amoureux.

Le faux mort fit à son tour une courte révérence.

– Smeraldina, la plus accorte des soubrettes…

La jeune femme brune et un peu ronde salua avec un sourire ravageur.

– Ma femme, dame Guillemette…

La vieille hocha la tête.

– Truffaldin, second valet…

– Nous formons tous la troupe du Soleil de France. Moi, je suis comédien depuis ma tendre enfance.

– Et enfin, moi-même : Fabritio, mais pour la scène, je suis Pantalon, le vieux grigou et parfois le docteur. Voilà. Et pour l'instant, nous sommes bien ennuyés.

– Ennuyés ? demanda Zinia.

– Oui, poursuivit le vieux. Et plus que ça : sans Capitan, nous ne pouvons pratiquement jouer aucune de nos farces ! Fagotin s'y est essayé, mais… vous avez vu le résultat ! Pas brillant.

– Il ne faut pas exagérer, intervint Fagotin.

– De toute façon, il doit jouer le valet aux côtés de Truffaldin, reprit Fabritio. Alors…

Il laissa sa phrase en suspens, faisant mine de réfléchir. Il espérait que Zinia devinerait où il voulait en venir. Faute de réaction, il se lança :

– Mais vous, jeune homme, vous avez le panache pour ce rôle !

– Moi ? s'étonna Zinia.

– Tout à fait ! Vous êtes intervenu avec la fougue et l'audace nécessaires. Le Capitan est un faux courageux pourtant. En réalité, c'est un pleutre… Mais c'est un rôle captivant, facile, qui remporte toujours un franc succès. Un rôle à votre mesure !

– Mais, je ne suis pas comédien !

– Qu'en savez-vous, si vous n'avez jamais essayé ?

– Il est un peu maigrelet, dit alors dame Guillemette.

– Avec le costume et le maquillage, il sera parfait, rétorqua le vieux.

– Non, non, ce… ce n'est pas mon affaire, protesta Zinia en remettant son épée au fourreau. J'ai d'autres projets… Je suis désolée pour vous mais je ne peux pas.

Elle recula de quelques pas, prête à partir.

– Même pour un soir ? Un unique soir ? demanda le vieux. Nous devons jouer aujourd'hui pour le comte de Mandeterre. Il marie sa fille. Il nous a engagés pour réjouir ses invités par quelques farces de notre cru avant le souper.

Zinia se figea.

– Ce soir ? Le comte de…

Une occasion inespérée de pénétrer dans le château se présentait à elle.

– Je ne saurai pas, se défendit-elle encore.

Fabritio sentait que le jeune homme était prêt à céder. Remarquant son allure peu soignée, il ajouta :

– Nous avons tout l'après-midi pour vous apprendre le canevas de notre pièce. Pour les dialogues, pas de problème : nous improvisons ! Et puis vous aurez un toit et un repas pour la nuit.

– Devenir comédien demande plus d'une heure.
Il faut bien des années pour devenir acteur.

– Tais-toi, Truffaldin, dit Léandre.

– Ce sera facile, insista le vieux. Ça ne vous coûte
rien d'essayer !

– D'accord, accepta enfin Zinia. Je veux bien m'y
risquer… pour un soir.

– Bravo ! s'exclamèrent les membres de la troupe.

– Quel est ton nom ? demanda aussitôt Smeraldina.

– Je…

– Nous avons tous un nom de théâtre, intervint le
vieux qui avait perçu la gêne du nouveau. Peu nous
importe qui tu es. Monter sur les planches, c'est une
nouvelle naissance. Baptise-toi toi-même.

Zinia demeura muette. Elle avait déjà assisté plusieurs fois à des spectacles de rue à Montguéroux. Elle
se souvenait d'intrigues, de personnages. Elle y avait
souvent ri, même si ces spectacles étaient plutôt mal vus
par les personnes bien pensantes. Mais un nom, comme
ça. Rien ne lui venait. Rien. Sauf…

– Scaramouche, dit-elle.

Le vieux eut l'air surpris, mais il n'en dit rien.

– Bienvenu à Scaramouche ! clama toute la troupe.

Le mariage d'Isabelle

Les femmes de la compagnie prirent place sur le pauvre chariot où s'entassaient les malles de costumes, les accessoires et quelques éléments de décor. Sur l'avant, une bâche était tendue pour protéger ces dames des intempéries. Les hommes marchaient à côté. Pour se fondre dans la troupe et passer inaperçue, Zinia attela sa jument jaune à l'arrière du chariot et emboîta le pas à ses nouveaux compagnons.

Lorsqu'ils atteignirent la grille principale du château, Fabritio se présenta aux laquais. On leur demanda d'emprunter l'entrée des fournisseurs, celle où le marchand de vin avait abandonné Zinia. De là, on les conduisit à l'orangerie du château, une jolie construction qui tenait lieu de jardin d'hiver avec ses hautes et larges fenêtres.

– C'est bien clair, lâcha Fabritio. Parfait, ainsi les chandelles ne seront pas nécessaires. C'est toujours ça d'économisé.

Les comédiens s'employèrent aussitôt à aménager le lieu pour la représentation. Ils dressèrent tout d'abord les tréteaux de fortune qu'ils montaient habituellement sur les places publiques, puis, à l'aide de grands draps noirs et rouges, isolèrent les coulisses du reste de la salle. Enfin, ils tendirent au-dessus de la scène un large calicot où l'on pouvait lire en lettres ornées : « Théâtre du Soleil de France ».

– Voilà notre monde à nouveau planté, prêt à frémir et à séduire l'assemblée ! s'exclama Fabritio, avec un plaisir évident.

– Il dit ça à chaque fois, glissa Léandre à Zinia.

– Le chariot de Thespis s'est enfin arrimé.

La lumière est propice, nous pouvons commencer.

Zinia se trouvait enfin dans la place. Elle profita de ce que la troupe se reposait un moment pour explorer les lieux. Dénicher ce mystérieux cabinet... Elle pouvait désormais mesurer la difficulté de son entreprise. Comment allait-elle pouvoir reconnaître le meuble évoqué dans la lettre ? Dans son message, le comte Philippe n'avait pas été plus précis. La jeune fille savait juste que son père adoptif était sans doute venu ici, puisque la lettre précisait : « ... *du petit cabinet que vous savez...* ».

Zinia s'engagea dans un vestibule. Cette aile de la demeure était déserte. Les domestiques s'activaient dans les communs pour la préparation du repas, dans les chambres pour accueillir les invités, et dans tous les autres lieux où se dérouleraient la fête et les cérémonies.

Un cabinet, ça pouvait se trouver partout. Dans un boudoir, un bureau, un salon. Un couloir, même. Par les baies donnant sur la cour de service, elle aperçut soudain deux hommes. Son cœur fit un bond : l'un des

75

deux était le spadassin à la balafre. Il s'entretenait avec un personnage richement vêtu, bien portant et sensiblement plus âgé. Instinctivement, elle fit un pas de côté pour ne pas être repérée. Son poursuivant de la nuit parlait le chapeau à la main, marquant ainsi la déférence qu'il devait à son interlocuteur. Zinia ne pouvait cependant entendre la teneur de leurs propos. Bientôt, le balafré s'éloigna tandis que l'autre se dirigeait vers le bâtiment qu'elle explorait. Zinia s'enfuit par la première porte sur sa droite.

Elle pénétra dans un salon élégamment meublé. Fauteuils, buffets, coffre, une table couverte de napperons sur laquelle on avait disposé un impressionnant vase turquoise. Mais pas de cabinet. Elle entendit alors des pas dans le vestibule et le murmure d'une conversation qui se rapprochait. Il ne fallait pas rester là. Au fond de la salle, une autre porte. Ouverte. Elle s'y engagea et se retrouva dans un petit boudoir chichement éclairé par un œil-de-bœuf inaccessible. Et pas d'autre issue. Elle était piégée. Dans le salon, les voix se faisaient plus nettes. Elle tendit l'oreille.

— … et, dans ces circonstances, sachez, monseigneur, que j'apprécie à sa juste valeur votre présence à Mandeterre.

— Laissons cela, je vous prie, monsieur. Il y a un temps pour la douleur… et un temps pour la vengeance.

— Vous savez que ma maison vous est entièrement acquise.

— Et je vous en remercie. Avec les années, j'ai pu mesurer votre fidélité à mon égard et, le moment venu, je saurai m'en souvenir.

– Monseigneur, je suis votre serviteur.

Il y eut un blanc dans la conversation. Zinia colla son œil à la serrure. Les deux hommes venaient de s'asseoir dans les fauteuils droits près de la cheminée. Elle distinguait leurs profils. L'un d'eux était l'interlocuteur du balafré, et, face à lui, était installé un homme bien mis, peut-être légèrement plus jeune, qu'elle n'avait encore jamais vu. Ce dernier reprit :

– Puis-je vous demander, monseigneur, comment le drame s'est produit ?

– Un duel.

– Monsieur votre fils a-t-il dû défendre son honneur ?

– Même pas. Cet idiot a voulu fanfaronner. Quelle erreur d'aller chercher querelle à l'une des plus brillantes lames du royaume ! Et encore, il eut la chance de vaincre ! Mais il négligea la fille. Et cela lui fut fatal.

– Vous voulez dire… ?

– Qu'il a été tué par une femme, monsieur, oui. Une fille du peuple !

– Cela est contraire à toutes les règles de…

– Laissons cela, voulez-vous ? Des gens à moi sont déjà sur place pour punir comme il convient cette insolente. On ne peut faire confiance à la seule police de Sa Majesté…

– Certes. Il importe que ces gens soient promptement châtiés des crimes qu'ils commettent. Et avec la plus grande sévérité.

Zinia réprima un frisson : elle était en présence du père de sa victime, le marquis de Villarmesseaux. L'autre homme devait être le maître des lieux, le comte

Alexandre de Mandeterre. En suivant la piste de la lettre et du cabinet, s'était-elle jetée dans la gueule du loup ? Comment ces deux histoires pouvaient-elles être liées ?

– Vous comprendrez, donc, monsieur le comte, qu'étant donné les circonstances, il ne me soit pas permis d'assister plus avant aux réjouissances du mariage de mademoiselle votre fille. Le deuil qui me frappe ne doit pas ternir vos festivités.

– S'il ne tenait qu'à moi, monseigneur, j'ajournerais la cérémonie pour vous accompagner dans votre douleur. Toutefois…

– N'en faites rien. Je vais vous quitter tout à l'heure et regagner la capitale où m'attend la marquise pour que nous préparions les obsèques. Cependant….

– Oui, monseigneur ?

– Je vous avoue, mon cher Alexandre, que je suis troublé par cette histoire.

– On le serait à moins, monsieur le marquis. Perdre son fils…

– Certes, certes, mais il ne s'agit pas que de cela.

– Non ?

– Je pense à cette affaire qui nous a rapprochés par le passé, et c'est pour cette raison que, malgré tout, j'ai tenu à venir à Mandeterre aujourd'hui. Pour vous entretenir.

– Que voulez-vous dire ?

– Vous vous souvenez de ma démarche auprès de vous ?

– Comment aurais-je pu l'oublier, monseigneur ? Ce

n'était qu'il y a quatre ans. J'ai tenté, à l'époque, de répondre au mieux à votre demande.

– Et je vous en remercie.

Le comte enchaîna :

– Je vous transmis alors les documents que mon frère avait laissés après sa mort et vous fis, par le menu, le récit de la venue de la mère et de son enfant, du moins telle que je pus la reconstituer.

– En effet, monsieur. Vous avez également mené des recherches dans la région pour tenter de retrouver cette fillette…

– Et ce malgré le très petit nombre d'indices dont je disposais !

– En aucune façon je ne remets en cause votre zèle ni votre dévouement, bien au contraire. Et j'ai déjà appuyé votre demande auprès du roi pour vous faire obtenir la charge d'aide d'échansonnerie, qui pourrait bien être vacante bientôt.

– Monsieur, je suis votre obligé. Mais je ne vois pas…

Le marquis l'interrompit :

– J'y viens : au dire de mes hommes sur place, la meurtrière de mon fils arborait une chevelure rouge. N'était-ce pas également le cas de l'enfant qui séjourna ici ?

– Il me semble, en effet, que l'on m'ait rapporté cela.

– Comme son père, ce qui ne paraît pas surprenant…, fit pensivement le marquis avant d'enchaîner. Vous comprenez où je veux en venir, n'est-ce pas ?

– Je l'imagine, oui. Vous vous demandez si la meurtrière et la jeune personne que vous recherchez ne sont pas une seule et unique personne.

– Le duel n'a eu lieu qu'à une journée de cheval de Mandeterre. Avouez que ce serait un extraordinaire hasard !

– Je n'oserais dire une chance, monseigneur. Cependant…

– Cependant ?

– Les filles aux cheveux rouges ne sont pas si rares…

– Vous avez raison, mon cher comte. Aussi ai-je demandé à mon homme de confiance de vérifier si cette personne pouvait être identifiée par le seul autre indice dont nous disposons.

– M. d'Estafier va donc repartir ce soir ?

– Non. Si vous le permettez, il ne reprendra la route que demain à l'aube.

– Je vous l'ai déjà dit, monsieur le marquis, ma maison est la vôtre…

– Je vous en suis infiniment reconnaissant, cher Alexandre. Quant à moi, je vais repartir incontinent. Qui sait ? Peut-être que, prochainement, je pourrai enfin mettre un terme à cette vieille histoire…

Les voix s'atténuèrent. Les deux hommes quittaient la pièce. Zinia resta encore immobile un bon moment, puis se risqua à entrouvrir la porte. La voie semblait libre. À son tour, elle traversa le salon pour disparaître par le vestibule.

Ces hommes avaient parlé d'elle, c'était certain. Les mots résonnaient dans sa tête sans trouver leur place. Ils avaient évoqué le père de l'enfant en question, roux, comme elle. Plus jeune, Jean Rousselières était brun. Il s'agissait évidemment là d'un indice troublant, mais pas suffisant. Il existait apparemment un lien entre le mystère de sa naissance et ces hommes énigmatiques. Mais lequel ? Que lui voulait-on ? Le notaire évoqué dans la lettre pourrait-il répondre à toutes ces questions ?

– Ah ! Te voilà ! Que faisais-tu ?

C'était Smeraldina.

– On te cherche partout, continua-t-elle. Il faut que tu essayes ton costume, ton masque… Et que tu répètes !

Elle fronçait les sourcils tout en gardant le sourire.

– Je…, commença Zinia.

– La représentation est dans moins d'une heure, la coupa-t-elle.

Dans l'orangerie, la tension était palpable. Des laquais installaient une rangée de fauteuils face à la scène, tandis que les comédiens enfilaient déjà leurs costumes. En la voyant arriver, Truffaldin lâcha :

– Le rideau écarlat' s'ouvre dans moins d'une heure
Et nous devons jouer avec un amateur !

– Viens vite ici, dit Fabritio sans chercher à discuter plus longtemps.

Fagotin tenait le costume dans lequel Zinia l'avait découvert, s'essayant à faire le méchant sur la route. Quant à Isabelle, elle avait son masque entre les mains.

– Vas-y, ôte tes vêtements, dit-elle.

Zinia hésita. Elle avait serré sa poitrine sous sa large veste mais, sans elle…

– Quand on fait du théâtre, on n'a pas ces pudeurs de salon ! dit Fabritio. Que crois-tu ? Tout le monde ici a déjà vu un garçon en chemise !

— Je dirais même qu'on aime bien ça, ajouta Smeraldina avec un sourire sans ambiguïté.

Dans la coulisse, toute la troupe s'était assemblée autour d'elle pour juger de l'effet qu'aurait le costume, se méprenant sur son hésitation. La jeune fille se tourna alors légèrement, ouvrit sa veste, la fit tomber et, avant que ceux qui l'entouraient aient eu le temps de comprendre, elle ôta d'un coup le bonnet qui lui serrait la tête. La masse rouge de sa chevelure déferla sur ses épaules.

Il y eut un instant de silence. Tous la dévisageaient, les yeux écarquillés. Truffaldin le premier reprit la parole :

— Qui donc imaginait que sous ces trois guenilles
En guise d'un garçon se cachait…

— … Une fille ! s'écria Smeraldina.

— Et jolie…, ajouta Fagotin.

— M'ouais, lâcha Isabelle.

— Mais… pourquoi… ? poursuivit Léandre.

— Ce n'est pas notre affaire, le coupa Fabritio. Pour l'instant, ce qui compte, c'est la représentation !

— Et comment allons-nous… ? intervint dame Guillemette. Pour la pièce…

— Et alors ? l'interrompit Fabritio, le jeune homme nous a convaincus qu'il ferait un bon Capitan. La jeune fille le sera tout autant ! N'est-ce pas mon ga… mademoiselle ?

— Je… j'espère, répondit Zinia.

— Moi, j'ai commencé ma carrière en jouant les amoureuses, poursuivit le vieux. À l'époque, très peu de femmes montaient sur scène. Il fallait bien assurer.

– Tu devais être mignonne, lança Guillemette.

– Plus que tu ne crois. Et dans *La Morte amoureuse*, Fagotin faisait bien une femme, non ?

Truffaldin, le sourire aux lèvres, commenta à son tour :

– Fagotin, déguisé, n'avait pas l'air farouche
Mais je trouve, et de loin, plus jolie Scaramouche !

– Allez, on s'agite ! reprit Fabritio.

– Mais comment allons-nous t'appeler maintenant ? demanda Léandre.

– Mais Scaramouche ! lança Zinia.

On ajusta le costume de Capitan à la silhouette de Scaramouche en lui rembourrant les épaules avec du tissu. D'un coussin on lui fit une bedaine, et la cape rouge acheva de lui donner une allure de bravache.

– Avec le masque et le chapeau, ce sera parfait, dit Fabritio. Mais, avant, tu dois connaître l'histoire de la pièce. Ça s'appelle *Le Mariage d'Isabelle*. Écoute bien : Léandre est amoureux d'Isabelle, mais le père de celle-ci l'a promise à un très vieux barbon, Pantalon (c'est moi). En général, ça fait toujours bien rire. Après, ça se complique. Le Cap…, enfin, Scaramouche, est lui aussi amoureux d'Isabelle…

– Mais que dois-je faire ? demanda Zinia qui commençait à paniquer.

– Attends, attends, ce n'est pas fini, continua le vieux. Pantalon et Scaramouche sont donc rivaux. Là on se donne une série de coups de batte sur les fesses, tous les deux. Euh… tu taperas doucement, hein ? Et c'est alors qu'arrivent deux autres jeunes filles. En fait, ce sont Truffaldin et Fagotin qui sont déguisés et qu'on nous met dans les pattes pour que les amoureux puissent s'aimer tranquillement et s'en aller se marier devant un notaire.

— Je joue le notaire, dit dame Guillemette avec une moue désabusée.

— Oui, un notaire qui avait été envoyé pour marier Isabelle avec le vieux. Tu suis ?

Plus il racontait son histoire, plus Fabritio la vivait, s'enthousiasmant pour chaque péripétie. Mais Zinia, elle, en perdait de plus en plus le fil.

— Pour toi, c'est simple, reprit le chef de la troupe. Ton personnage doit d'abord être menaçant, terrible, et puis, quand il y a un danger, il s'enfuit comme un lâche. La différence entre les deux fait toujours bien rire le public.

La jeune fille acquiesçait, mais elle était inquiète. Elle comprenait surtout qu'on ne pouvait pas s'improviser comédien, et le trac qui l'envahissait lui faisait regretter d'avoir choisi ce moyen pour pénétrer dans le château.

— Je… je n'y arriverai jamais. Je…

— Mais si ! Tu vas voir, lorsque l'action et les rires du public vont te porter, tu entreras dans ton personnage, tout s'enchaînera ! Et puis tu ne seras pas seule, il y a le reste de la troupe…

— Je l'ai dit bien des fois, plutôt que fair' le pitr'
Il vaudrait mieux jouer une pièce bien écrit'.

— Si tu veux bien, Truffaldin, nous reprendrons ce

débat une autre fois. Dans moins de quarante minutes nous devons entrer en scène, alors…

– C'est toujours pour demain, pour plus tard, pour jamais,
Que nous devons parler du théâtre qui me plaît !

Il s'éloigna en boudant. Fabritio se retourna vers Zinia :

– N'oublie pas que l'idée de cette pièce, c'est surtout de faire rire en montrant deux barbons voulant épouser une jeune fille. Voilà tout. Bon, et maintenant, que chacun achève de se préparer.

Les uns et les autres s'égaillèrent, ajustant mutuellement leurs costumes, vérifiant leur maquillage dans un miroir qu'on tira d'une malle. Fagotin se proposa pour aider Zinia mais Smeraldina s'en chargeait déjà.

– Ne t'inquiète pas, lui glissa-t-elle. Moi aussi, j'ai dû me lancer un jour, comme ça, sans préparation. Et ça a très bien marché ! Dès qu'ils auront commencé à s'amuser, ce sera gagné : le premier rire entraîne les autres. Et puis, pour l'histoire, si tu as un doute, tu me regardes. Je t'aiderai.

Le majordome arriva soudain en courant dans l'orangerie et se précipita vers Fabritio :

– Êtes-vous prêts ? Sa Seigneurie le comte de Mande-terre, les mariés et tous les invités viennent de ce pas assister à votre farce !

– Vite, que chacun prenne sa place, dit le chef de la troupe.

On baissa le rideau et l'on tendit le tissu qui cachait les coulisses. Smeraldina passa à Zinia son masque de Capitan en lui faisant un clin d'œil. Il était trop tard pour faire demi-tour.

La noce pénétra bientôt dans la salle. En tête marchait le comte, une vieille dame à son bras. Fabritio alla le saluer d'une large révérence.

– Monseigneur, la troupe du Soleil de France vous remercie de l'honneur que vous voulez bien lui faire en venant assister à l'une de ses farces qui l'ont rendue célèbre dans les plus grandes villes du royaume !

– Faites, monsieur, et sachez nous divertir !

Sans autre cérémonie, le comte et sa cavalière avancèrent vers les fauteuils que l'on avait préparés à leur intention, les protagonistes de la noce derrière eux. Zinia et le reste de la troupe les observaient par des fentes ménagées dans le rideau de scène. Il y avait d'abord une jeune femme somptueusement vêtue d'une robe brodée de perles blanches, que l'on retrouvaient sur sa haute coiffe d'où des boucles blondes tourbillonnaient en cascade. De son bustier s'échappaient deux manches d'une dentelle si fine qu'elles semblaient avoir été tissées par une araignée couturière ou par les doigts d'une fée. Ce splendide ensemble brillait d'un éclat que Zinia n'avait jamais imaginé. Il ne pouvait s'agir que de la mariée. Celle-ci donnait le bras à un très vieil homme à la tenue plus discrète, teintes brunes et tissus moirés, qui arborait un air aimable, serein. Sans doute était-ce le grand-père de la mariée, ou le mari de la femme assise auprès du comte. Peut-être les deux. Zinia eut alors un coup au cœur : derrière eux venait un homme encore jeune, d'une surprenante beauté. Brun, la peau blanche, l'air sombre, il marchait sur les talons de la jeune femme en la dévorant des yeux de telle façon que Zinia ne put

86

s'empêcher de ressentir une pointe de jalousie. Le marié à n'en pas douter.

Ces cinq personnes s'assirent au premier rang avec solennité, leurs invités demeurant debout. Seules quelques femmes richement parées eurent droit à des chaises ordinaires. Le comte de Mandeterre fit un geste de la main pour autoriser le début du spectacle. En coulisse, Léandre entama un air de mandoline allègre. Lentement, le rideau s'ouvrit.

Truffaldin et Fagotin entrèrent en scène avec des airs de conspirateurs. Sous prétexte de s'entretenir des désirs de leurs maîtres respectifs, les deux valets résumaient la situation de l'intrigue pour les spectateurs. Ils parlaient du mariage d'Isabelle, concocté par leurs maîtres, avec force gestes. Pour pimenter la scène, Fagotin faisait mine de ne pas comprendre les explications de son comparse, ce qui permettait à celui-ci de se répéter, tout en lui donnant des tapes sur la tête à chaque phrase.

Des coulisses, Zinia observait le public. En réalité, elle regardait surtout le jeune marié. Celui-ci n'avait pas quitté son air sombre. Assis à une extrémité du rang, il tenait timidement la main de la jeune épousée qui, tout en la lui abandonnant, ne lui prêtait pas la moindre attention. L'assemblée, quant à elle, ne semblait pas vouloir se dérider, et ce malgré les efforts des deux valets. À peine pouvait-on deviner quelques timides sourires dans les rangs du fond.

– Eh bien, ce n'est pas gagné, susurra Smeraldina, qui, elle aussi, ne quittait pas la salle des yeux. Ces gens sont sinistres. Va falloir en mettre un coup !

Elle se retourna, vérifia sa tenue, prit sa respiration et, avec entrain, fit son entrée. Tout en avertissant les valets de la venue imminente des deux jeunes amoureux, elle se jouait d'eux, promettant le mariage à l'un, un rendez-vous à l'autre, trompant les deux. Son ton gouailleur, la vivacité avec laquelle elle sautait de l'un à l'autre, leurs jeux de scène à tous trois, commencèrent à arracher quelques rires à l'assemblée. L'ambiance un peu lourde paraissait s'alléger. Le comte lui-même se laissait aller à de brefs rires. Seuls les jeunes mariés restaient de marbre.

Sur scène, Smeraldina redoublait son jeu, embrassant un valet lorsque l'autre avait le dos tourné, aguichant le second dès que le premier regardait ailleurs. Elle découvrait une épaule à droite, révélait une jambe à gauche, et servait des clins d'œil complices au public qui se déridait de plus en plus.

— Elle est excellente, souffla Isabelle. Moi, je n'ai jamais su faire ça…

Dans sa voix, Zinia avait perçu plus d'admiration que de jalousie.

— Elle est bien capable de tenir ainsi encore une heure !

— Isabelle, c'est à toi ! lança Pantalon.

Et, à son tour, l'amoureuse s'élança sur scène.

Zinia enviait la troupe qui enchaînait les scènes avec un brio dont elle se sentait totalement dépourvue. Comment allait-elle pouvoir, à son tour, entrer dans la danse sans tout gâcher ? Bientôt Pantalon intervint. Il faisait les yeux doux à Isabelle, censée devenir sa femme. Ses mimiques étaient grotesques et les valets en rajoutaient pour que le public comprenne à quel point ce mariage entre un barbon et une jeune beauté serait ridicule. Zinia en oubliait presque que, sous peu, il lui faudrait elle aussi pénétrer sur le plateau.

Pourtant, malgré les efforts du chef de la troupe, la salle ne riait plus. Plus du tout. Alors que Smeraldina avait réussi à les amuser, un silence glacial suivit les premières interventions de Fabritio en Pantalon. Que se passait-il ? Leur comique était pourtant irrésistible…

– Il y a un truc qui cloche, souffla Léandre qui venait de sortir de scène.

– Ça va être à toi, Scaramouche, dit alors dame Guillemette. N'hésite pas à en rajouter pour les faire rire.

– Prends ce bâton, conseilla Léandre. Les coups de bâton, ça ne rate jamais.

– Et… qui dois-je taper ?

– Peu importe. Tu joues un imbécile qui ne comprend rien, un bravache et un couard qui tape à tort et à travers et…

– Êtes-vous fous ?

Tous trois se retournèrent. C'était le majordome qui venait de pénétrer dans les coulisses, la mine horrifiée.

– Complètement fous ! continua-t-il. Vous rendez-vous compte de ce que vous faites ?

– Que… quoi ? demanda Léandre.

– Mais votre pièce ! Vous ridiculisez le mariage !

Il parvenait à crier à voix basse, à la fois en colère et terrorisé. Léandre voulut justifier le spectacle. Peut-être le majordome n'avait-il pas bien compris.

– Mais c'est un vieux grigou qui veut épouser une jeune fille et…

– Qui est la mariée, ici, selon vous ? le coupa l'autre.

– Ben, la jeune dame en blanc.

– Et le marié ?

– Euh… Le…

– Son Excellence le marquis de Charmelay, assis à la gauche de sa femme…

Zinia n'eut pas besoin de regarder à nouveau en direction de la salle pour comprendre qu'il s'agissait du très vieil homme sombrement vêtu. Bien sûr, la différence d'âge était fréquente dans les mariages alliant noblesse et bourgeoisie, mais à ce point, non, elle ne pouvait l'imaginer. Et pourtant… Elle mesura aussitôt l'ampleur de la gaffe que venait de commettre la troupe. Le comte risquait de prendre leur pièce pour un affront. Et sur scène, Fabritio continuait d'en rajouter, tentant désespérément de faire rire une salle de plus en plus figée. Il fallait absolument intervenir, les prévenir. Sans plus réfléchir, Zinia enfila le masque du Capitan et se jeta sur scène.

À son entrée, les comédiens suspendirent leur jeu un très bref instant, la dévisageant, interdits. Elle apparaissait beaucoup trop tôt. Zinia elle-même ne savait que faire. Tous les regards se portèrent sur elle, lui donnant le sentiment de se trouver nue face à une foule. Heureusement, son masque lui donna le courage de rester.

– Qui est ce gaillard ? improvisa aussitôt Pantalon-Fabritio.

– Je… Je…, balbutia Zinia.

– Serait-ce un fol ? demanda Fagotin en venant tourner autour de l'intrus.

– Un simplet ? enchaîna Truffaldin en suivant le même jeu.

– Un filou ?

– Un grigou ?

– Un gredin ?

– Un garou ?

– Un rapin ?

– Un rapetou ?

Chacun lui donnait à tour de rôle des bourrades afin de le ridiculiser.

– Hou ! Hou ! Mon rival ! braillait dans son coin Pantalon tandis qu'il essayait de cajoler Isabelle.

Zinia se demandait que faire. Perdue au centre de cette sarabande qui lui donnait le tournis, elle devait réagir, changer le cours de la pièce. Elle se mit à rugir. Un cri grave, menaçant, qu'elle fit jaillir du fond de son estomac. Les deux valets s'écartèrent, interloqués. À quoi leur nouvelle comparse jouait-elle ? Peut-être avaient-ils engagé une démente ? Zinia-Scaramouche brandit son épée de théâtre en faisant des moulinets pour écarter les deux hommes.

– Que fais-tu ? lui glissa l'un d'eux par-derrière.

Scaramouche se retourna tout en poussant un nouveau cri et, aussitôt après, lui chuchota :

– Le marié, c'est le vieux ! Puis s'adressant à la salle : Jeunes farauds ! Petites têtes ! Pauvres gouapes !

– Le… Sapristi !

Elle insultait les deux valets en se gonflant d'importance et, plus elle se lâchait, plus elle se sentait rentrer dans la peau du personnage. Ou plutôt c'est le personnage qui prenait possession d'elle. Les mots qui lui venaient à la bouche n'étaient plus les siens. C'étaient ceux de Scaramouche.

– Vous croyez détourner cette donzelle de son mari ?

Elle désignait Isabelle. Pendant ce temps, Truffaldin s'était approché de Pantalon et lui avait glissé la nouvelle concernant l'identité du marié.

– Rrrhhâââ ! Gente fille, il vous faut dire la vérité, n'est-ce pas ?

Scaramouche avait pris la main d'Isabelle et la tirait au centre de la scène.

– N'est-ce pas ? répéta Zinia.

– O... oui..., avoua Isabelle qui ne comprenait rien à ce qui se passait.

– Haaaaa ! Par les moustaches du grand Garouste ! Vous essayez de la ravir à ce qu'elle veut ! Et toi ? Viens un peu ici !

Elle fonça dans les coulisses et en ramena Léandre par la peau du cou.

– Voilà ce pour quoi vous essayez de l'abuser ? Un gringalet, un avorton, une demi-portion, un freluquet, un ragotin, un nourrisson presque, un gamin dont la barbe ne lui sort qu'à peine du menton ! Elle me l'a dit, à moi, Isabelle, qu'avec toi elle s'ennuyait. Qu'elle voulait un homme et pas un enfant ! Quelqu'un qui connaisse la vie et qui sache compter ! Quelqu'un qui connaisse le monde et pas seulement le bout de ses langes !

– Ah, monsieur le capitaine, s'écria Isabelle, comme vous dites cela bien !

Pantalon venait de la mettre au courant. Elle enchaîna :

– Ce… C'est dans les vieux chaudrons qu'on fait les meilleures soupes !

Truffaldin, à son tour, changea de registre et se mit de la partie :

– Je l'avoue, sans mentir, je le dis comm' je l'pense :
Du côté de la barbe est la toute-puissance !
Si votre visag' a quelques traits un peu vieux,
Moi, à votre âge je ne vaudrai guère mieux !

– Oui-da ! Nous avons la tête et l'expérience, déclara enfin Pantalon, mais ne croyez pas, jeunes sots, que nous n'avons point la force !

Et ce disant, il donna une calotte à Truffaldin. Scaramouche entra dans son jeu, alternant les répliques avec Pantalon, et pour chacune, faisant pleuvoir une taloche, un coup de pied ou une fessée du plat de l'épée de bois sur les valets.

– Et que nous n'avons point aussi la hargne !

– … et l'énergie !

– … et la jambe !

– … et le savoir-battre !

– … et le savoir-taper !

– … et le savoir-cogner !

– … et que nous avons des biceps !

– … des triceps !

– … des quadriceps !

– … euh, des jeux de creps !

– … et des sylleps !

– … et des cacatoèps !

– … des cheveux sur la têps !

Les deux vieux s'étaient mis à délirer, inventant des mots et des occasions de corriger les valets. Du coup, la salle avait perçu le changement de direction de l'intrigue. On respirait. Et on riait. Fabritio jugea prudent d'écourter la farce. Profitant des applaudissements, il fit tomber le rideau sur une envolée finale qui célébrait la gloire des barbons.

Le comte de Mandeterre se leva aussitôt pour féliciter la troupe.

– J'avoue ne pas avoir toujours suivi le fil de votre intrigue qui gagnerait, il me semble, à être un peu plus clair. Mais vous avez fini par nous bien faire rire. N'est-ce pas mes amis ?

Autour de lui, le reste de la noce se pressait avec de grands sourires. Seuls la mariée et le jeune homme brun gardaient le silence. Au vu des circonstances, Zinia comprenait mieux sa mine sévère durant le spectacle. Ces deux jeunes gens s'aimaient, à coup sûr. Soudain, perdu au milieu de l'assemblée, l'homme à la balafre accrocha le regard bleu-vert de Zinia. Celle-ci n'avait pas encore ôté le masque de Scaramouche, et elle essaya de ne pas se troubler. Il était impossible qu'il pût ainsi la reconnaître. Il l'avait si peu vue, de surcroît dans la nuit. Il la fixa pourtant avec insistance, comme s'il cherchait à savoir qui se cachait derrière ce masque.

Les invités regagnèrent bientôt les salons pour un bal qui se tiendrait sous peu dans la galerie du château, ultime festivité de l'avant-souper. Une fois la dernière robe disparue, Pantalon se laissa glisser sur une chaise. La bouche ouverte, les yeux au ciel, il laissa filer un long et profond soupir.

– Pouuuuuuh ! On s'en est tirés !

– … De justesse, compléta Fagotin.

– Grâce à Scaramouche ! clama Smeraldina en lui prenant les mains.

– C'est vrai ! C'est tout à fait vrai ! reprit Pantalon en se redressant. Tu nous as sauvé la mise ! Deux fois dans la même journée. Nous te devons tout !

Truffaldin y alla aussi de son compliment :

– Je dois dire, mademoisell', que vous sûtes y faire.

Il manque à vos répliqu' de nous les dire en vers…

– Ce… ce n'est rien, je… J'ai essayé de…, se défendit Zinia.

– Pas du tout. Tu nous as sauvés, te dis-je !

– Sans votre brio…, reprit-elle, sans votre sens de l'improvisation…

– Mais tes répliques dans le duo avec moi étaient excellentes ! « Des cheveux sur la têps ! » Très bon !

– Et tu sais bien taper ! fit remarquer Fagotin en se massant exagérément les fesses.

Pantalon écarta les bras et, solennel, déclara :

– Si tu le souhaites, ta place est acquise dans la troupe du Soleil de France !

– Venant de lui, c'est le plus beau des compliments, conclut Isabelle.

Quelques minutes plus tard, tandis qu'ils se démaquillaient, Smeraldina se rapprocha de Zinia.

– Tu n'es pas venue ici pour jouer la comédie, n'est-ce pas ?

– Non, pas vraiment.

– Tu vois, moi, je suis curieuse. Et je n'en ai pas honte. Une fille qui voyage en habit de garçon, comme toi, évidemment, on se pose des questions…

– Évidemment.

– On se demande, par exemple, si elle fuit quelque chose. Ou si elle cherche quelque chose.

– On peut se le demander, tu as raison.

– Et, forcément, on se dit aussi qu'elle ne souhaite pas être reconnue.

– Forcément, oui.

– Alors ?

– Alors quoi ?

– J'ai visé juste ?

– Comme tu l'as dit toi-même, une fille qui voyage sous les traits d'un garçon cherche avant tout…

– Oui ?

– … la discrétion.

Smeraldina demeura un instant silencieuse avant de reprendre :

– Heureusement, pour une curieuse comme moi, tout le monde n'est pas aussi… discret.

– …

– J'ai entendu des choses…

Zinia la laissait dire sans réagir. Smeraldina continua :

– Sur le beau jeune homme brun…

– Celui qui assistait au spectacle ?

– Lui-même.

– Et ?…

L'actrice sourit, satisfaite. Elle avait réussi à éveiller la curiosité de sa compagne.

– Avant la représentation, je suis allée faire un tour aux cuisines. J'avais un petit creux. C'est comme ça que je combats le trac. Et puis, nous, les comédiens, c'est là qu'on nous reçoit : à la cuisine.

– Et le jeune homme ?

– Les communs, les écuries, la cuisine, c'est toujours là qu'on en apprend beaucoup sur la vie de ces messieurs et de ces dames de la noblesse.

– Oui, et le jeune homme… ?

– C'est drôle, ça a l'air de t'intéresser. Serais-tu aussi curieuse que moi ? Il s'appelle Thibaud…

– Thibaud.

– Et la mariée, la jeune Tiphaine, est sa cousine.

– Sa cousine ?

– Oui. Leurs pères étaient frères.

« Je vois… Thibaud est donc le fils de Philippe… », se dit Zinia.

– Et ils sont fous amoureux l'un de l'autre.

– On t'a appris ça à la cuisine ?

– Les langues y filent plus vite qu'un lièvre !

– Mais… le mariage avec le marquis ?

– On a obligé la belle : grosse fortune, bel héritage… Mais, attends le plus palpitant : les tourtereaux ont prévu de s'enfuir dès demain, tous les deux !

– Et on t'a dit tout ça en cuisine ? À toi ?

– Euh… En fait, j'en ai entendu une bonne partie sans qu'on me remarque vraiment.

– Je vois… Et pourquoi me racontes-tu toute cette histoire ?

– Pour te montrer que je sais partager les secrets.

Zinia hocha la tête.

– Et tu aimerais que je partage les miens…

– Par exemple.

La jeune fille se releva, posa le masque de Scaramouche qu'elle tenait encore entre les mains, puis croisa les bras. Que lui importait cette histoire d'amoureux ? Elle n'était venue ici que pour mettre la main sur un papier. Mais il ne lui serait pas facile de découvrir le meuble dans lequel il pouvait se trouver. Il n'était en effet pas évident d'aller fouiller le château dans ses pauvres vêtements de garçon, et moins encore costumée en Scaramouche. Dans tout ce que venait de lui raconter Smeraldina, elle entrevoyait un plan. Et, pour le réaliser, elle aurait besoin de l'aide de la comédienne.

– En fait, reprit-elle, je peux peut-être te dire quelque chose.

Smeraldina retrouva aussitôt son sourire.

– Quoi donc ?

– Je cherche un cabinet.

– Un cabinet ? Tu veux dire une pièce ?

– Non, un meuble !

– Ici, dans ce château ?

– Oui.

– Et pourquoi ?

– Je ne vais quand même pas tout te révéler d'un coup. Mais… tu peux sans doute m'aider…

Un bal à Mandeterre

Le comte de Mandeterre avait désiré que le bal se tînt avant le souper, lequel devait être servi dans les salons du château. « Ainsi, disait-il, nous pourrons bénéficier plus avant de la lumière du jour. » Il omettait de préciser que son gendre, qui avait près du double de son âge, ne pourrait guère veiller plus.

Le comte était très satisfait de ce mariage. Le marquis de Charmelay, une des plus belles fortunes de la région, avait ses entrées à la cour. Grâce à cette union, l'avenir de sa fille était assuré, et il espérait bien, pour lui-même, tirer quelques avantages de la position de son gendre.

Près de deux cents invités se pressaient dans la galerie, sous les ors du plafond que l'on avait fait repeindre pour l'occasion. Le comte s'était ingénié à masquer l'état du château, parant ainsi le mariage de sa fille d'un éclat qui n'était plus le sien. Pour la réussite de cette alliance, il lui importait d'afficher un lustre sans commune mesure avec ses finances. Car celles-ci se trouvaient au plus bas. En quelques années, de mauvais placements avaient dilapidé l'héritage laissé par son frère, et il comptait sur son nouveau gendre pour redorer son blason. Mais, plus encore, il espérait la reconnaissance de monsieur de Villarmesseaux, qu'il avait assisté dans cette sombre affaire dont il ne connaissait en réalité ni les tenants ni les aboutissants. Il savait uniquement que, s'il parvenait à livrer au marquis cette insaisissable jeune fille, il n'aurait plus à craindre les aléas du destin.

Luths, théorbes et violes de gambe résonnaient, enchaînant pavanes, gaillardes et passacailles pour amuser l'assemblée. Les invités semblaient se divertir. On sautait, on tournait, on s'appliquait, on se faisait voir, on séduisait. Les dames plus âgées, dans leurs robes quelque peu démodées, papotaient entre elles, mais c'est au centre de la galerie qu'était le spectacle : les étoffes de toutes couleurs se côtoyaient, s'enchevêtraient au rythme des danses. Les bijoux étincelaient sous le vif éclat des centaines de chandelles que l'on venait d'allumer.

Au milieu de cette foule joyeuse, l'homme à la balafre se tenait sur la réserve. Il observait. C'était pour lui une activité naturelle. Il scrutait ces visages souriants ou appliqués, amusés ou fatigués, avec l'expression froide d'un homme qui ne participe jamais à la fête, mais qui la surveille.

Il repéra ainsi une jeune femme aux très longues boucles brunes, vêtue d'une robe jaune un peu trop voyante et, pour tout dire, presque vulgaire. Il ne l'avait jusque-là pas remarquée, ni à la messe, ni lors de la représentation théâtrale, et pourtant, il y avait en elle quelque chose qui ne lui était pas inconnu sans qu'il pût dire quoi. Mais, surtout, résonna au fond de lui comme un petit signal d'alarme. Cette sensation lui était familière et le trompait rarement. Il comprit bientôt ce qui l'avait intrigué : la jeune femme se déplaçait parmi les invités sans s'adresser à personne, sans danser et, surtout, en tentant de passer inaperçue. Pour lui, cela ne faisait aucun doute : cette inconnue avait un comportement bizarre. Qui pouvait-elle être ? Sans hésiter plus avant, il entreprit de la suivre.

Elle paraissait réellement seule. Elle progressait à pas lents vers le fond de la galerie, jetant furtivement des coups d'œil à droite et à gauche, ignorant tous ceux qu'elle croisait. L'orchestre attaqua un menuet, cette danse nouvelle dont on disait le roi très friand. Certains invités parurent déconcertés par ces petits pas, mais les plus jeunes avaient à cœur de montrer qu'ils étaient au fait des tendances de la cour et qu'ils appréciaient une danse se pratiquant à deux. La jeune femme en jaune, quant à elle, poursuivit son chemin, indifférente à la musique.

— Vous ne semblez guère goûter les charmes du menuet, monsieur d'Estafier. Peut-être serez-vous bien aise des plaisirs de la table ?

L'homme à la balafre sursauta. Le comte, accompagné de son gendre, lui souriait, courtois. Le vieux marquis, courbé à ses côtés, s'appuyait sur une canne richement décorée d'or et d'argent.

— Monsieur le comte sait que je suis moins au fait des salons que des routes de France.

— Il est vrai que votre vigilance nous est fort utile…

À ce propos, monsieur, auriez-vous aperçu ma fille ? Son mari souhaite la saluer avant de se retirer.

– Hélas, monsieur, j'ignore où se trouve la mariée. Mais, de votre côté, pouvez-vous me dire qui est cette jeune femme en robe jaune ?

– Quelle jeune femme ? Quelle robe jaune ? Je n'en vois point.

– Elle était ici à l'instant.

L'homme se redressa, cherchant autour de lui la tache de soleil au milieu d'une assemblée dominée par les vieux roses, les bleus pastel, les pêches, les perles et les cramoisis.

– Je ne la vois plus, mais…

– Vous savez, monsieur, je ne connais pas toutes les personnes invitées ici. Il s'en faut de beaucoup.

Et le comte s'éloigna, consacrant toute son attention à son gendre fatigué.

Zinia avait chaud. Sa lourde perruque brune doublait la masse de ses cheveux, et la flamme des centaines de chandelles achevait de la faire transpirer. Elle se sentait mal à l'aise. La musique, les mouvements, les couleurs, tout cela l'avait d'abord fascinée, mais elle avait très vite compris qu'elle avait pénétré au sein d'un monde dont elle ignorait les règles et les coutumes. Les pas de danse, le jeu des éventails n'avaient pas cours dans une salle d'armes. Et puis cette robe jaune qu'elle avait tout d'abord trouvée somptueuse lui paraissait maintenant ridicule. C'était pourtant le plus élégant des costumes de Smeraldina.

Elle observait les danseurs. Tous n'évoluaient pas avec la même aisance. Le menuet ne semblait pourtant pas si difficile. Il est vrai que, à part les bourrées que l'on dansait dans les fêtes de son enfance, elle avait peu pratiqué ces réjouissances de salon. Mais peu lui importait. Elle n'était là que pour une chose : un papier dissimulé sous le tiroir d'un petit cabinet. Et pour le trouver, elle comptait sur le beau Thibaud. Mais où se cachait-il ?

Lorsqu'elle s'était glissée dans la galerie, le bal venait d'être ouvert par les mariés. En réalité, le marquis de Charmelay n'avait en tout et pour tout fait que trois pas hésitants au bras de sa belle. Un homme de sa famille l'avait vite remplacé. Zinia avait alors aperçu de l'autre côté de la salle le jeune Thibaud de Mandeterre dans l'encoignure d'une porte vitrée, à demi masqué par le rideau, avec le même regard austère qu'elle lui avait connu lors de la représentation. Une danse plus tard, quand elle avait voulu le rejoindre, il avait disparu. Et la mariée aussi.

Elle s'était alors mise à leur recherche, parmi les danseurs, puis dans les petits salons avoisinants, où l'on bavardait en se désaltérant. La musique n'y parvenait qu'atténuée. Sur des sofas, dans des fauteuils sévères, des dames ridées aux toilettes somptueuses échangeaient des confidences et des ragots qui les amusaient follement. Mais de Thibaud, point. Et Zinia ne disposait pas d'autre piste pour retrouver le meuble mystérieux. Avec un peu de chance, il saurait quel était le cabinet auquel son père avait fait allusion des années auparavant.

Soudain, elle crut apercevoir la silhouette du jeune

homme se faufiler dans une antichambre. Il devait rejoindre sa belle sans aucun doute. Elle regarda autour d'elle. Personne ne l'observait. Elle s'approcha de la porte.

Elle ne tarda pas à réaliser qu'elle n'avait pas affaire à Thibaud. Deux hommes conversaient. L'un d'eux était le comte de Mandeterre. L'autre, son vieux gendre à la voix nasillarde et fatiguée.

– … Croyez, Votre Grâce, que je partage entièrement vos vues.

– C'est heureux. Je ne saurais souffrir un affront de cette sorte. Mon nom et ma position ne me le permettent pas.

– Votre Grâce, je vais tout mettre en œuvre pour que cela ne se produise point.

– Usez de votre autorité sur votre fille, qu'elle se décide à m'obéir tout à fait. Je me suis laissé dire qu'elle et votre neveu avaient le projet de fuir ensemble, et ce dès demain. Je n'ose le croire…

– J'ai moi aussi des oreilles ici qui m'en ont informé.

– Sachez qu'il ne peut être imaginable qu'un Charmelay soit ridiculisé par une Mandeterre…

– N'ayez crainte, Votre Grâce. Cela ne se fera point. Mon neveu ne me provoquera pas une nouvelle fois de la sorte.

– Mais encore ? J'attends de vous des mesures radicales. Si je devais subir de ma femme une insulte qui fît rire de moi jusqu'à la cour, il ne pourrait plus être question des accords financiers que nous avons passés ensemble.

– Soyez rassuré, Votre Grâce. Les mesures que j'envisage envers mon neveu se réaliseront ce soir… et elles seront… définitives.

– Je n'en veux rien savoir. Je suis âgé mais je ne suis pas un sot, monsieur. Faites ce que vous avez à faire et Dieu fasse, lui, que, dès demain, je m'en puisse retourner dans mon domaine. Avec ma femme.

Des bruits de pas. Les deux hommes quittaient la pièce. Zinia s'éloigna en hâte. Elle n'avait pas trouvé Thibaud, mais elle avait appris autre chose. Une chose qui lui faisait froid dans le dos. Un mot, surtout, qui résumait l'intention du comte : « définitives ». Pour éviter le ridicule et, sans doute, pour assurer sa fortune, cet homme s'apprêtait à tuer son propre neveu. La jeune fille avait beau se persuader que là n'étaient pas ses affaires, elle ne pouvait imaginer se taire et laisser le beau jeune homme aller seul au-devant de la mort. Elle devait le prévenir. Peut-être, ayant devancé la menace qui planait sur lui, avait-il déjà enlevé sa cousine ? Pourtant, lorsqu'elle atteignit la salle de bal, bruyante et animée, elle s'arrêta net : à quelques pas d'elle, à demi dissimulé par un lourd rideau, se tenait Thibaud de Mandeterre.

Il demeurait seul, perdu dans ses pensées, indifférent à la musique qui s'achevait. Puis il y eut un flottement, cet instant où les danseurs s'écartent, se désunissent, repartant chacun vers une autre histoire. Les instruments s'accordèrent avant d'entamer un nouveau morceau.

– C'est un menuet, monsieur.

Thibaud se retourna, dévisageant la jeune inconnue en robe jaune qui lui faisait face.

– En effet, répondit-il.

– Peut-être pourriez-vous m'en apprendre les pas ?

– C'est que… Je ne suis sans doute pas le professeur qu'il vous faudrait… J'ignore…

– Je vous crois plus averti que vous ne voulez le reconnaître. Et, au pire, nous apprendrons ensemble.

Plus surprise que choqué par l'audace de cette jeune femme, il lui tendit la main et l'amena prendre place parmi les invités, au centre de la pièce. Ils dansèrent tout d'abord en silence, appliqués. Puis, au bout de quelques pas, ils s'installèrent dans le rythme de la musique.

– Belle réception, dit Zinia.

– Oui, je crois.

– Mais tout le monde ne semble pas à la fête.

Il la regarda avec plus d'attention.

– Que voulez-vous dire ?

– L'amour que vous portez à la mariée vous met en danger.

Le jeune homme s'interrompit un bref instant.

– Continuez de danser, lui glissa Zinia, il se peut qu'on vous surveille !

– Qui êtes-vous madame ? Je ne crois pas avoir eu l'occasion de vous être présenté.

– Quelqu'un qui doit sans doute à votre père, le comte Philippe, d'être ici en vie aujourd'hui.

– M… Mon père ?

– En effet. Et cette vie que je lui dois, je viens vous la rendre.

– Vous êtes bien mystérieuse. Pouvez-vous m'en dire plus ?

– Votre amour contrarie les plans de votre oncle et il a choisi un moyen radical d'y remédier.

– Ah ? Et comment compte-t-il s'y prendre ?

– En vous supprimant. Cette nuit.

Thibaud perdit une nouvelle fois le rythme. Il chancela un peu sous le coup de la nouvelle puis se ressaisit.

– Vous me paraissez bien informée. Comment avez-vous… ?

– Les hasards de la soirée. Vos domestiques ne sont ni sourds ni aveugles. Ni muets.

– Je vois.

– Et, s'ils savent que vous envisagez de vous enfuir avec la mariée, vous pouvez vous douter que votre oncle est évidemment, lui aussi, au courant de ce projet.

Il acquiesça en silence, puis reprit avec un soupçon de méfiance dans la voix :

– Mais pourquoi me dites-vous tout cela ? Je doute que ce soit uniquement pour payer votre dette à mon père. Si tant est que cela soit vrai.

– Je crois que, vous aussi, vous pouvez m'aider.

– Moi ? Que voulez-vous ?

– Je cherche un document que votre père cacha, jadis, dans un petit cabinet lui appartenant.

– Le cabinet de nacre ?

– Je… Je l'ignore. Je n'ai pas d'autre information.

– Me direz-vous à la fin qui vous êtes ?

– Ce document devrait me l'apprendre à moi aussi.

– Vous êtes décidément une personne bien secrète…

– Comme je vous l'ai dit, le temps presse. Êtes-vous disposé à m'aider ?

Bertaud d'Estafier parcourait les salons à la recherche de la femme en jaune. Comme toujours lorsqu'il se mettait en chasse, il effleurait du bout des doigts la longue balafre qui ourlait sa joue d'un sillage blanc. Lorsqu'il revint dans la salle de bal, il remarqua aussitôt le couple qu'elle formait avec le jeune Thibaud. Qui pouvait être cette jeune fille ? Il se rapprocha discrètement. Suivant le mouvement de la danse, le couple se tourna et, soudain, la cavalière lui fit face. Et là, sur sa poitrine, il le vit. Sans ambiguïté, sans le moindre doute. Le bijou qu'elle portait, avec sa forme si particulière, était l'indice que ses hommes cherchaient depuis des années dans tout le royaume, celui pour lequel son maître était prêt à donner une fortune. La perle noire. Sa propriétaire était là, devant lui, en compagnie de Thibaud.

Impossible de s'en emparer ici, au milieu de l'aristocratie en pleine représentation. Il fallait agir avec souplesse. Le comte. Prévenir le comte. Ici, chez lui, il saurait comment procéder en toute discrétion. Aussitôt, l'homme à la balafre s'éloigna à la recherche de son hôte, tandis que la musique entraînait les danseurs à l'autre extrémité de la pièce.

Il tomba sur Alexandre de Mandeterre dans le salon voisin, donnant des ordres pour le repas à venir. Il lui saisit le bras sans cérémonie et lui glissa deux mots à l'oreille. En l'entendant, le comte pâlit et regagna la salle de bal à la hâte. Les deux hommes fouillèrent l'assemblée du regard. Mais la jeune fille en jaune avait disparu.

– En fait, c'est un des rares meubles de mon père que j'ai pu conserver, confia Thibaud.

Ils se trouvaient au deuxième étage du château, dans la chambre du jeune homme. Devant eux, un cabinet appuyé contre un mur. Le meuble, porté par des pieds massifs, tout d'ébène sculpté, s'avérait plus impressionnant que Zinia ne s'y attendait. De part et d'autre, deux séries de cinq tiroirs ornementés encadraient ses portes centrales. Thibaud les ouvrit avec soin l'un après l'autre, les sortant de leur emplacement pour les donner à Zinia. Mais ils ne découvrirent de lettre sous aucun d'eux. Le jeune homme ouvrit alors les portes de la partie centrale. Zinia en eut le souffle coupé : l'intérieur figurait, en un magnifique décor de théâtre, une sorte de grotte en rocaille avec sculptures, plafond peint, colonnes, miroirs, balustrade… Les couleurs, les matières contrastaient vivement avec l'austérité du meuble fermé. Mais de tiroirs, point. Thibaud fit alors glisser un ensemble de colonnes situé sur la droite pour mettre au jour quatre nouveaux tiroirs que l'on pouvait tirer au moyen de rubans de soie. Sous le troisième d'entre eux, ils découvrirent enfin un fin papier glissé dans une fente du bois.

Zinia le déplia avec soin et put y lire : «*Jacob Trousseau, notaire, rue de la Cossonnerie, près les Halles, au-dessus du cabaret de la Truie-qui-file.*» C'était tout, mais pour elle c'était beaucoup. Cela confirmait ce qu'évoquait la lettre de Philippe de Mandeterre : à cette adresse, quelqu'un connaissait l'identité de son véritable père et pourrait percer le mystère qui planait sur sa naissance.

Thibaud refermait avec soin le meuble noir lorsque la porte de sa chambre s'ouvrit brutalement. Une servante. Zinia reconnut immédiatement Smeraldina, travestie en fille de cuisine.

– Ils arrivent. Le comte et un homme à lui !

Alexandre de Mandeterre avait tardé à se lancer aux trousses de cette femme inconnue que lui avait signalée Bertaud d'Estafier. Il lui avait fallu, auparavant, raccompagner son gendre qui s'impatientait de quitter Mandeterre avec sa nouvelle épouse plus tôt que prévu. Après des adieux écourtés, on avait assis d'autorité dans le carrosse de son mari une Tiphaine effondrée de voir son beau projet de fuite envolé. Le cocher avait fouetté son attelage et le maître des lieux était retourné à sa quête.

Lorsqu'ils arrivèrent dans la chambre de Thibaud, ils découvrirent l'inconnue seule, étendue sur le sol, immobile, le visage noyé dans son opulente chevelure noire. L'homme à la balafre se pencha sur elle.

– Où suis-je ? fit-elle, l'air égaré.

– Ce n'est pas elle, monsieur le comte. Cette fille se moque de nous.

– Qui êtes-vous, madame ? demanda le maître des lieux, désappointé.

– Je la reconnais, c'est une des comédiennes de la troupe.

– Elle ne porte pas le bijou…

– Elle a pris la place de l'autre en revêtant sa robe. Cette fille se joue de nous, je vous dis !

– Savez-vous où est mon neveu ? insista le comte.

– Votre neveu ? Je… Non, je ne sais pas, répondit en hésitant Smeraldina.

– Et la jeune femme qui l'accompagnait ?

– Elle ne nous dira rien, Votre Grâce, intervint d'Estafier. Mieux vaut nous hâter de donner des ordres avant que la fille nous échappe.

– Je m'en charge, dit Alexandre de Mandeterre.

Comme il allait sortir, un laquais apparut. Il sortait du petit boudoir attenant à la chambre. Il glissa quelques mots à l'oreille du comte puis le suivit sans un regard pour les autres.

Un dîner sous les étoiles

Le marquis de Charmelay avait été agacé par son beau-père. Ce freluquet, qui se donnait des airs d'importance, n'était pas même capable de se faire obéir par sa fille sans devoir hausser le ton. Heureusement, le comte avait vite compris où se trouvait son intérêt et, s'il avait fallu attendre encore quelques instants pour partir, tout était désormais rentré dans l'ordre. La jeune mariée avait pris place dans la voiture nuptiale, le teint défait, certes, mais sans oser faire de difficulté. Aussitôt les bagages arrimés, le marquis avait donné l'ordre du départ alors que, au loin, les échos de la fête résonnaient encore.

Au portail principal pourtant, ils furent arrêtés par les hommes du comte.

– Nous avons reçu des ordres de M. le comte, nous ne devons laisser passer personne !

Le marquis se pencha à la portière.

– Savez-vous qui je suis ?

Dès qu'il l'aperçut, le laquais s'inclina et fit signe au portier d'ouvrir la voie.

– Ces ordres ne vous concernent pas, Votre Grâce, cela va sans dire.

Le cocher fouetta l'attelage et la voiture quitta le domaine où la jeune Tiphaine, devenue marquise de Charmelay, avait passé son enfance. Dans la voiture cahotante, le marquis regarda le profil boudeur de son épousée. Il se réjouissait de ce mariage destiné à égayer ses dernières années. Certes, sa jeune femme ne se montrait guère ravie de leur union, mais, avec le confort dont il allait l'entourer, elle saurait bien vite faire la part des choses entre les affaires de cœur et les plaisirs du luxe. Il prit ses aises sur les coussins, heureux de laisser derrière lui Mandeterre, sa fête ridicule, son spectacle niais et ces hôtes bien trop agités à son goût.

Ils roulèrent encore pendant près d'une demi-heure. Le laquais cramponné à l'arrière du véhicule devait être transi de froid, mais c'était là sa charge, il n'y avait pas de quoi s'en soucier. Le marquis était heureux d'avoir acquis cette luxueuse voiture dont les portières étaient dotées de vitres, à la place des traditionnels rideaux, pour se protéger des intempéries.

Soudain, l'attelage parut ralentir, puis, finalement, s'arrêta. Inquiet, le marquis mit une nouvelle fois la tête à la fenêtre. Ils se trouvaient devant une masure dont la silhouette se détachait à peine de la masse noire des arbres.

– Que se passe-t-il Guillaume ? Pourquoi cette halte ?

Mais le cocher ne lui répondit pas.

La troupe du Soleil de France avait rangé malles et décors sur le chariot fatigué avec lequel ils arpentaient les routes du royaume. On ne parlait pas. Chacun était à ses rêves enfuis : ils ne toucheraient pas la bourse promise pour leur représentation, ils ne passeraient pas la nuit à l'abri de la grange du domaine de Mandeterre et encore moins dans une chambre des communs, au chaud. Ils ne pourraient pas profiter des reliefs du banquet que l'on servait déjà aux invités de la noce… Et tout cela pour une obscure affaire concernant cette… ce Scaramouche, qui avait entraîné Smeraldina à sa suite, déclenchant ainsi la colère du comte.

Pourtant, ils n'arrivaient pas à lui en vouloir tout à fait. Pour un soir, cette jeune fille avait fait partie de la troupe. Ils avaient même, à la demande de Smeraldina, accepté de jouer une dernière mascarade pour lui laisser le temps de disparaître. Et puis, leur mésaventure tenait aux aléas de la vie des comédiens itinérants. Ils pourraient toujours réutiliser cette histoire, s'ils venaient à manquer d'inspiration. Et ce n'était d'ailleurs pas la première fois qu'ils travaillaient sans être payés ! Ils se mirent bientôt en route. À la grille d'entrée du domaine, on les arrêta.

Des hommes en armes s'étaient mêlés aux laquais pour contrôler les sorties du château. Ils firent descendre les comédiennes du chariot et les alignèrent aux côtés de leurs compagnons, puis deux hommes se mirent à fouiller les bagages. Parmi les gardes se tenait Bertaud d'Estafier. Il dévisageait les saltimbanques un à un, lorsqu'il aperçut au bout du rang un homme pas très grand, qui cherchait apparemment à se faire discret. Il portait encore son costume : un large chapeau, une grande cape et, surtout, un masque au long nez doté d'une fausse moustache qui lui cachait tout le visage. Il s'approcha de lui, le détailla un instant. Dans la nuit, ses yeux n'étaient que deux trous dans un masque.

– Qui êtes-vous ? demanda-t-il.

– C'est… C'est Scaramouche, intervint Fabritio.

– Il peut le dire lui-même, n'est-ce pas ? Ôtez ce masque, s'il vous plaît.

Le comédien semblait hésiter. Il regardait ses compagnons, attendant un signe d'eux.

– Eh bien ? s'impatienta l'homme à la balafre. Faut-il que je me répète ?

Fabritio lui fit signe de céder. Scaramouche défit alors lentement le ruban qui tenait son masque et le fit glisser sur son visage. Un homme au regard inquiet apparut. D'Estafier l'empoigna par le revers de son manteau.

– Votre nom ?

– F… Fagotin, monsieur.

– Vous aimez bien vous moquer, n'est-ce pas ? Mais je ne suis pas dupe de votre turlupinerie. Où est la jeune fille aux cheveux rouges qui était avec vous, celle qui portait ce masque tout à l'heure ?

– Une jeune fille ? intervint encore Fabritio. Mais la voici.

Il fit avancer la blonde Isabelle.

– Ou peut-être Votre Excellence veut-elle parler de celle-là ?

Et il poussa Smeraldina devant lui. Bertaud d'Estafier recula de deux pas, les toisa tous avec rage et mépris et lâcha :

– Je pense que nous nous reverrons. Et, ce jour-là, vous regretterez de vous être moqués.

Il partit aussitôt en direction du château alors que, dans son dos, la troupe le saluait de la manière la plus révérencieuse et la plus irrévérencieuse qui soit.

La voiture du marquis était toujours immobile devant la masure, cernée par le froid de la nuit.

– Si monseigneur veut bien se donner la peine…

Le laquais était venu ouvrir la porte en s'inclinant tellement que le marquis de Charmelay perçut toute l'insolence que son domestique avait voulu y mettre.

– M'expliquerez-vous ?…

Le cocher, à son tour, sauta à terre et se découvrit. Le vieillard le reconnut immédiatement :

– Thibaud de Mandeterre ! Que… ?

– Monsieur le marquis, insista le laquais.

Celui-ci se découvrit également. Une jeune femme à la belle chevelure rouge apparut alors sous les yeux ébahis du vieil homme.

– Je vois, dit-il. Un enlèvement. Vous me voulez…

– Nous ne vous voulons rien, monseigneur, dit Zinia. Ces jeunes gens ont seulement besoin d'être ensemble. Quant à moi, je me contenterai de votre voiture…

– Ce méfait vous vaudra la corde !

– Ce n'est qu'un emprunt, monseigneur…

– Et nous vous avons fait la grâce de ne pas vous abandonner en pleine nature, intervint Thibaud.

– Pour vous, jeune homme, reprit le vieux, ce sera la hache du bourreau !

– Cela vaut mieux que les poignards des sbires de mon oncle !

– Allez frapper là, poursuivit Zinia en désignant la masure. Quand ils sauront qui vous êtes, ces gens seront ravis de vous venir en aide. Ils ont certainement autant besoin de vos louis que nous de votre voiture.

– Je...

– Partons maintenant, le coupa la jeune fille avec autorité.

Ignorant le marquis, Thibaud rejoignit sa belle dans la voiture tandis que Zinia sautait sur le siège du cocher. Elle lança les chevaux au galop, abandonnant dans la nuit froide le vieil homme qui rageait contre ses détrousseurs, contre sa femme perfide, contre les Mandeterre doués de la hardiesse qu'il n'avait jamais eue et, plus que tout, contre le temps qui l'avait rendu sans force, incapable de défendre son mariage, ses biens et son honneur.

La troupe du Soleil de France venait d'arriver dans une de ces clairières où, plus souvent qu'elle ne l'aurait voulu, elle se voyait obligée de finir ses nuits. Il était trop tard pour demander à un paysan l'abri de sa grange. Sans un mot, les comédiens avaient arrangé leur chariot, se servant de leurs décors pour se protéger, déroulant les toiles qui servaient de rideau et de coulisses pour améliorer leur couche. Le plateau de la carriole, trop étroit pour sept personnes, obligeait à une promiscuité qui procurait un peu de chaleur. Ils s'allongèrent comme ils l'avaient fait depuis toujours : Smeraldina au centre, entourée de Guillemette et d'Isabelle, chacune au côté de son mari – Fabritio pour l'une, Fagotin pour l'autre. Aux extrémités, Léandre et Truffaldin faisaient le dos rond contre le froid. Ils fermèrent les yeux, résolus à s'endormir le plus vite possible, afin d'effacer cette journée peu glorieuse et d'oublier la faim. Mais le sommeil tardait.

– Vous entendez ? murmura soudain Léandre.

– Chut !

– Quoi ? demanda Fagotin.

– Là-bas, au loin…

– Non… Ah, si. Oui… Des chevaux.

– Plus de deux. Ils galopent.

Sans attendre, Truffaldin et Léandre se levèrent, un brigadier à la main, prêts à défendre la troupe. Un attelage surgit dans la clairière. Ses chevaux, fumant, soufflant, s'immobilisèrent à proximité du chariot. Tous se réveillèrent, sauf Smeraldina qui dormait déjà voluptueusement.

Le cocher se dressa alors, ôta son chapeau et s'écria :

– À table !

Au même instant, un rayon de lune vint illuminer la scène et les comédiens reconnurent, ébahis, cette silhouette.

– Scaramouche !

La porte de la voiture s'ouvrit aussitôt et un couple chargé d'une malle en sortit.

– Voici le repas, dit la jeune femme.

– Et la boisson ! ajouta l'homme.

– M… Monseigneur ! Madame ! balbutia Fabritio qui venait d'identifier les nobles passagers.

Mais, déjà, la troupe s'était assemblée autour de la malle et en extrayait les provisions. On tendit un drap en guise de nappe, on brandit les pâtés, rompit les pains, puis on ouvrit les bouteilles.

– Si je rêve, clama Léandre, surtout, qu'on ne me réveille pas !

– Du rôti, un gâteau, un fromage de Comté !

Retenez-moi, sinon je pleure comme un bébé !

– Truffaldin…

– Mais comment avez-vous… ? commença Fabritio, une cuisse de poulet à la bouche.

– J'ai appris de mon père que les Mandeterre devaient payer leurs dettes, lâcha Thibaud qui, avec Tiphaine, se joignait au repas. Alors, voilà !

– Et pour payer la représentation, le marquis de Charmelay m'a priée de vous remettre cela, dit Zinia en brandissant une bourse.

– Le marquis ? s'étonna Fabritio.

– Disons que nous l'avons un peu forcé.

– Mais… alors… c'est de l'argent volé ! Nous ne pouvons…

– Vous pouvez peut-être l'accepter de la marquise de Charmelay ? intervint Tiphaine avec un beau sourire.

– Eh bien, ma foi…

On entendit soudain un cri terrible derrière eux.

– De quoi ? On dîne ! Et sans me le dire ?

Smeraldina venait de se réveiller. À la hâte, elle rejoignit ses compagnons et se jeta sur un morceau de fromage.

– Che n'est pas que j'avais chi faim… mais jil n'est pas correct de délaicher che qu'on vous joffre…

Pour compléter la fête et bouter le froid hors de la clairière, on alluma un feu autour duquel les convives se groupèrent, faisant passer les bouteilles et des gâteaux. Les pâtés avaient réchauffé les corps, les vins enflammaient les cœurs et déliaient les langues.

– Eh bien, mes enfants, déclara un Fabritio un peu pompeux, ce festin impromptu clôt avec faste une journée qui… que…

– Oui, profitons-en, le coupa sa femme. On ne sait pas de quoi demain sera fait !

– Surtout que le carême arrive…, dit Léandre.

– Il va falloir faire maigre, lâcha Smeraldina avec une grimace.

– Quand tous les bons chrétiens s'en vont prier leur Dieu,
Les pauvres comédiens doivent faire leurs adieux !

Léandre ne put s'empêcher de lever les yeux au ciel en entendant la sentence de Truffaldin.

– Mais pourquoi vous arrêter ? demanda Tiphaine.

– Parce que l'Église ne tolère pas le théâtre pendant le carême, répondit Fabritio. Déjà qu'en temps normal, ils trouvent mille raisons de nous interdire de jouer…

– Alors qu'allez-vous faire ?

– Comme chaque année, nous allons à Paris, dit Isabelle avec un éclair de joie dans le regard.

– C'est là que la plupart des troupes itinérantes se retrouvent, on y renégocie les contrats des compagnies, on engage de nouveaux comédiens…

– Et c'est là qu'on peut voir, sur les plus belles scènes,
Les plus grands répertoires, les nouvelles Chimènes.
C'est là qu'on peut entendre la Béjart, femme exquise,

Ou encor admirer la si jolie Marquise.
Qu'on peut pleurer un soir sur les vers de Racine
Voyant se déchirer Andromaque, Agrippine,
Et puis le lendemain, pour trois sols, au parterre,
On est plié en deux, à voir jouer Molière.

Truffaldin s'était redressé, l'air extasié. Léandre crut utile de faire un commentaire :

— Il ne rêve que de théâtre moderne. Et en vers.

— Pourtant, la comédie italienne, dit Fabritio, convaincu, il n'y a que ça de vrai ! Toutes tes tragédies, jouées dans nos campagnes, ne valent pas les rires entendus à Mortagne !

Léandre, Truffaldin et Fagotin regardèrent Fabritio avec étonnement.

— Pourquoi me regardez-vous ainsi ? Oui-da ! Je le maintiens, je préfère la prose à tes alexandrins qui cherchent un peu la pose. Faire rire, faire rire ! Il ne demande que ça, notre public. Pour oublier ses soucis, les duretés de la vie…

— Il est vrai que j'aimerais bien, moi aussi, pouvoir faire pleurer mon public, dit Smeraldina, rêveuse.

— … Les émouvoir d'une belle histoire d'amour, enchaîna Isabelle.

— … Leur raconter les vies de rois et les champs de bataille, continua Fagotin.

Fabritio les dévisagea l'un après l'autre.

— Ah çà ! Mais vous vous êtes donné le mot ! Vous voulez donc crever de faim !

— On ne peut pas dire que nous roulons sur l'or, dit en aparté dame Guillemette.

– Mais comment allez-vous faire pour manger à Paris si vous ne pouvez pas jouer ? demanda à nouveau Tiphaine, soucieuse du devenir de la troupe.

– On peut toujours faire les pitres sur le Pont-Neuf, donner une courte farce à la foire Saint-Germain, ou jouer un soir chez un bourgeois qui veut se donner des airs de noblesse… Mais, et vous ? Qu'allez-vous faire maintenant ? Où comptez-vous aller ?

– Un frère de ma mère est prêt à nous recevoir, dit Thibaud.

– Et cet homme, il habite où ?

– À Paris.

Pour la première fois depuis plusieurs jours, Zinia se sentait bien. Elle grignotait une pomme en silence, à l'écoute de ceux qui l'entouraient. Elle avait l'étrange impression de se trouver avec de vieux amis alors qu'elle n'en connaissait pas un seul moins de douze heures auparavant ! Était-ce le fait de s'être risquée avec eux sur une scène face au public ? Ou de partager ce moment de répit après les dangers du jour ? Elle jouissait de cet instant avec un plaisir enfantin. La mort de son père lui paraissait déjà ancienne et, pourtant, elle n'avait pas vraiment éclairci les mystères qui l'entouraient. Mais elle se savait sur la bonne piste : le notaire qui pourrait lui dire qui étaient ses véritables parents existait bel et bien. Peut-être pourrait-il aussi lui apprendre pourquoi l'ancien comte de Mandeterre s'était trouvé impliqué dans son histoire. Sur ce point, Thibaud n'avait pu la renseigner. Il gardait le souvenir d'une femme venue au domaine dans des circonstances troubles alors qu'il n'était âgé que de six ou sept ans. Une enfant qui n'avait pas plus de quatre ans l'accompagnait, une fillette aux magnifiques cheveux rouges. Cette femme, malade sans doute, était morte peu après. Et puis, on avait mis Thibaud à l'écart, et il ne savait rien de la suite. Zinia essaya de se faire une image de cette mère inconnue qui, à peine évoquée, s'effaçait déjà de son histoire. Saurait-elle jamais à quoi elle avait ressemblé ? Elle ne parvenait pas à se sentir réellement triste de sa mort et elle en éprouva une trouble culpabilité.

Autour du feu, Fagotin et Léandre avaient pris guitare et mandoline pour bercer l'assemblée d'une musique allègre et mélancolique. Smeraldina se glissa à côté de Zinia, une part de gâteau dans la main.

– Ça va ?

Zinia lui sourit en acquiesçant. La comédienne poursuivit :

– Le comte et cet homme balafré, ils s'intéressent à ton bijou, là.

– Ma perle ?

– Oui. Et ce n'est pas tant le bijou qui les fascine que la personne qui le porte. Toi. Pour eux, cela semble très important… Comme s'ils attendaient ça depuis longtemps.

Puis elle ajouta, comme une mise en garde :

– Et ils ont l'air prêts à tout pour te retrouver. À tout.

Zinia sortit le bijou de sa chemise et l'examina avec un regard neuf. En forme de goutte, magnifique, la perle noire laissait apparaître des reflets bleutés. C'était là tout ce qui lui restait de sa mère, enfin, de celle qui l'avait élevée. Jean Rousselières avait insisté pour qu'elle le garde toujours sur elle... Qu'est-ce que tout cela signifiait ? Quel était le rapport avec la conversation qu'elle avait surprise entre le comte et le balafré ? Ils recherchaient une fille de son âge... Elle ne possédait pourtant rien, n'était détentrice d'aucun secret, et ignorait même jusqu'à ses origines. Que pouvaient-ils lui vouloir ?

— Et toi, Scaramouche, lui demanda tout à coup Fabritio, que vas-tu faire maintenant ? Tu sais qu'il y a toujours une place pour toi dans notre troupe !

— Eh bien, je dois me rendre... à Paris.

— Comme nous tous alors !

À ces mots, les uns après les autres, les membres de la troupe, les amants en fuite et Zinia se levèrent, tendirent leurs verres au-dessus des braises et, en chœur, lancèrent, le sourire aux lèvres :

— À Paris !

Deuxième partie

La perle noire

Le marquis
de Villarmesseaux

– Elle, dit l'homme.

Et il répéta :

– Elle, enfin. Après toutes ces années, je n'y croyais plus.

Il se frotta machinalement l'arête du nez, les yeux fixés sur son bureau sans le voir. Puis il releva la tête vers ses deux interlocuteurs.

– Vous êtes certains de ce que vous avancez ?

– Oui, monseigneur.

– Sans ambiguïté, ajouta le second qui cherchait à marquer moins de déférence que son voisin.

– Ses cheveux sont rouges et elle porte une perle noire ?

– Tout à fait, monseigneur.

– Hum… Deux indices… Et l'âge correspond…

Prenant appui sur son bureau, il se leva lentement. À quarante-quatre ans, le marquis de Villarmesseaux se voyait gagné par l'embonpoint de celui à qui la fortune a souri, mais il en avait aussi le souffle court et la difficulté à se mouvoir, ce qui, souvent, l'exaspérait. Il marcha jusqu'à la fenêtre puis se retourna.

– Ce bijou… ?

– C'est celui que nous recherchions, sans aucun doute, répondit l'homme sombrement vêtu.

Il portait sur la joue droite la trace d'une vie âpre et aventureuse, une balafre qui signait d'un trait blanc sa courte barbe. Le marquis de Villarmesseaux semblait avoir toute confiance en lui.

– L'avez-vous vue également, Alexandre ?

Son second visiteur leva brusquement la tête, comme si la question l'avait fait sortir de sa rêverie.

– Hélas, non. À chaque fois, elle avait disparu avant que je le puisse…

– La perle noire, l'interrompit le marquis, pensif, voici qu'elle surgit alors que je commençais à croire que jamais…

Il s'absorba dans la contemplation du paysage qui se déployait sous ses yeux. En ce début avril, Paris hésitait encore à sortir de sa gangue hivernale ; toutefois, les rues se remplissaient à nouveau. Sous le soleil pâle, le ciel se colorait de jaune.

– Et quand je pense que c'est à mon fils que nous devons de l'avoir retrouvée… C'est bien cela, n'est-ce pas ?

Encore une fois, l'homme en noir répondit aussitôt :

– Oui, sans aucun doute, monseigneur, c'est bien elle qui l'a… assassiné.

– Elle a bien fait, dit le marquis.

Ses deux visiteurs se regardèrent, déconcertés.

Gaëtan de Villarmesseaux poursuivit, comme s'il ne s'était rendu compte de rien :

— Elle a agi comme elle le devait et l'on ne peut que lui reconnaître sa bravoure et sa vaillance. Cependant… Cependant, il n'est pas tolérable qu'un Villarmesseaux se fasse trucider par une fille de rien ! Mais, pour l'instant, laissons cela. Ce malheur aura eu le mérite de faire sortir l'animal de son trou. Mon fils ignorait qu'un jour il me rendrait un si grand service. Paix à son âme.

Le marquis prit le siège voisin du comte de Mandeterre.

— Si je comprends bien, Alexandre, cette diablesse vous a échappé ?

— Cette fille semble guidée par le Malin : elle s'est infiltrée à Mandeterre en se cachant parmi une troupe de saltimbanques, et elle en est sortie…

— … grâce à votre Tiphaine, le coupa le marquis.

— … et à mon neveu, oui. Mais je n'ai pas dit mon dernier mot pour ces deux-là.

— Cette affaire vous regarde. Ce qui m'importe aujourd'hui, c'est la fille… pour qu'enfin elle nous dise…

Le marquis laissa sa phrase en suspens. Le comte de Mandeterre reprit :

— Nous ignorons où elle peut se trouver précisément à l'heure actuelle, mais nous savons en quel lieu elle compte se rendre.

— Vraiment ?

— J'ai, à Mandeterre, du personnel qui m'est très fidèle. Ces gens-là ont des oreilles. Un de mes valets a entendu la jeune fille lire un billet que mon frère avait caché dans un meuble. Il contenait une adresse. Un notaire, à Paris.

– Un notaire ?

– Elle espère trouver chez cet homme des informations à propos de son véritable père.

Gaëtan de Villarmesseaux acquiesça lentement.

– Elle sait donc qu'elle a été adoptée. Et que votre frère a joué un rôle dans cette histoire… Que sait-elle d'autre ?

– Apparemment rien de plus, intervint l'homme à la balafre.

– Vous oubliez le notaire. Pendant toutes ces années, nous n'avons pas été capables de le repérer. Je trouve que, en quelques jours, cette jeune personne a été au contraire très rapide… Au fait, comment la nomme-t-on ?

– On l'appelle Zinia. Zinia Rousselières.

– Voilà qui est amusant, dit le marquis en esquissant un sourire.

Il se leva une fois encore et s'en retourna à la fenêtre contempler Paris.

– Elle est donc ici, quelque part, à portée de main… Nous n'avons plus qu'à la cueillir.

Repartant vers son bureau, il enchaîna avec le ton énergique et autoritaire du militaire qu'il avait, un temps, rêvé d'être :

– Messieurs, nous touchons au but. Il est peu probable que cette jeune personne connaisse le notaire en question.

– En effet, dit Alexandre de Mandeterre.

– Où se trouve-t-il ?

– Rue de la Cossonnerie, au-dessus d'un cabaret.

– Eh bien, nous allons prendre sa place et attendre que la fille veuille bien venir se jeter dans nos rets.

Le notaire de
la rue de la Cossonnerie

Zinia était perdue. Elle n'avait jamais vu de ville aussi grande, aussi animée, aussi puante. Elle était fascinée par ses monuments, ses ponts, ses multiples églises, ses demeures princières et, par-dessus tout, par ce fleuve majestueux qui la traversait. Elle découvrait Paris et l'aimait déjà.

La troupe du Soleil de France avait pris ses quartiers sur la rive gauche, dans un hôtel misérable aux prix exorbitants. Fabritio essayait de dégoter une salle pour donner quelques représentations avant la trêve du carême, mais les salles de jeu de paume étaient déjà louées à des troupes concurrentes et les propriétaires s'amusaient à faire monter les prix en même temps que la demande. Restaient les rues, près de la foire Saint-Germain, du Pont-Neuf ou des Halles.

Ce matin-là, dans ce même quartier des Halles, Zinia, toujours vêtue en garçon, cherchait son chemin. Aux cris des porteurs d'eau répondaient ceux des harengères, des maraîchers, des chaudronniers, des rémouleurs. Leurs voix se couvraient, se mêlaient. Et dans ce brouhaha, la jeune fille était en quête du cabaret de la Truie-qui-file.

Smeraldina lui avait proposé à plusieurs reprises de l'accompagner, mais Zinia avait refusé. Elle voulait s'y rendre seule. Elle atteignit bientôt une place encombrée au centre de laquelle se dressait une sorte de tour. Le pilori. Deux commerçants malhonnêtes y purgeaient leur peine sous les sarcasmes des passants et les jets de fruits pourris des enfants du quartier.

– Holà, mon gars !

Le nez en l'air, Zinia n'avait pas remarqué une vendeuse de rubans et, en reculant, avait renversé une partie de sa marchandise.

– E… excusez-moi, je…

– Regarde-moi ça ! Je vais devoir laver mes rubans ! À moins que tu ne me les achètes pour ta belle… ?

– Je n'ai pas d'argent.

– Quand on n'a pas d'argent, on a des écus. Ou des louis. Ou alors on fait attention où l'on met les pieds ! Pff ! Et tout ce que ça trouve à dire c'est : « Excusez-moi… ». Comment je vais vendre ça, moi, maintenant, hein ?

– Je… je cherche la rue de la Cossonnerie.

– Et alors ? C'est pas ça qui va nettoyer mes rubans !

La marchande continuait de pester pour elle-même en brossant sa marchandise souillée.

– Elle est derrière toi, ta rue, lâcha enfin la femme en lui tournant le dos.

Zinia, confuse, s'éloigna sans insister, se faufilant à travers les étalages.

Comme la plupart des voies de Paris, la rue de la Cossonnerie, étroite et sombre, n'en était pas moins animée. Cependant, au fur et à mesure que l'on s'éloignait des Halles, les marchands laissaient place à des mendiants. Zinia ne tarda pas à atteindre une partie plus calme sans avoir repéré l'enseigne de la Truie-qui-file. Elle passa devant un colosse aveugle, accroupi contre un mur, qui tendait sa sébile, les yeux tournés vers le ciel. Plus loin, un cul-de-jatte discutait avec un pauvre hère soutenu par deux béquilles de fortune. Enfin, elle aperçut une charrette emplie de tonneaux et, au-dessus, l'enseigne gravée dans la pierre. Une truie en train de filer sur un rouet, c'était là. Elle leva la tête. La maison, d'allure modeste, identique à ses voisines, ne laissait rien paraître, mais derrière une de ces fenêtres se tenait l'homme qui pourrait enfin lui révéler l'identité de son père. À côté de la porte qui donnait accès au cabaret s'ouvrait un couloir obscur au fond duquel Zinia devina un escalier. Elle s'y engagea.

Au premier étage, sur l'unique porte, une plaque de métal jaune affichait : « *Maître Jacob Trousseau, notaire* ». La jeune fille frappa du bout des doigts. Elle entendit aussitôt des bruits de pas, puis la porte s'entrebâilla sur un homme grassouillet vêtu de noir. Il la regardait les yeux ronds, la lèvre légèrement tremblotante, les joues rouges.

– Que… Qu'est-ce que c'est ? lança-t-il.

– Je viens voir maître Trousseau.

– Et qui dois-je annoncer, jeune homme ?

Zinia arracha son bonnet d'un geste, laissant sa chevelure rouge tomber sur ses épaules et dit :

– Zinia Rousselières. Mais il ne me connaît pas. Enfin, pas sous ce nom…

Le clerc avait légèrement sursauté. La jeune fille remarqua des traces de transpiration sur son front. Consciente de sa méfiance, elle fut soulagée de le voir s'effacer devant elle pour la prier d'entrer.

– Je vais prévenir maître Trousseau, dit-il. Si vous voulez bien patienter.

Il lui désigna une banquette d'un velours cramoisi un peu râpé et trottina jusqu'au bureau du notaire. Il revint presque aussitôt.

– Maître Trousseau va vous recevoir. Si vous voulez bien…

Il repartit devant elle et introduisit la visiteuse dans le bureau avant de s'effacer discrètement.

L'homme qui se trouvait en face de Zinia était plutôt grand, le teint hâlé, serré dans un costume sombre.

– Madame, je vous en prie, asseyez-vous.

Elle se posa au bord du siège qui lui était désigné. Le notaire enchaîna :

– Que puis-je faire pour vous ?

– Pouvez-vous me dire ce que vous savez à propos de ce document ?

Elle lui tendit la lettre. Il la saisit et la parcourut des yeux.

– Où avez-vous trouvé cela ?

– C'est une longue histoire… mais… je pense être l'enfant dont il est question ici…

– L'enfant ? Hum…

Évidemment, le notaire était sur ses gardes. Zinia s'y était préparée. Après tout, rien ne permettait de savoir comment elle avait obtenu ce document.

– Cette lettre se trouvait dans le bureau de celui qui m'a élevé, précisa-t-elle, comme si cet argument pouvait lui permettre de gagner la confiance de son interlocuteur.

Ce dernier demeura silencieux, les yeux fixés sur le précieux morceau de papier. Elle laissa son regard errer dans le bureau austère. Par la fenêtre entrouverte, on entendait monter les bruits de la rue. Sur le mur, un diplôme encadré. Derrière le notaire, une seconde porte, mal fermée.

– Que pouvez-vous me dire du signataire de cette lettre ? reprit-elle. Et de son ami ?

L'homme tournait et retournait la feuille entre ses grosses mains. Zinia eut soudain l'impression qu'il était mal à l'aise, ce qui lui parut étrange pour un homme de loi. Elle se risqua :

– Êtes-vous au courant de cette guerre d'Italie dont il est question ici ? Savez-vous si le signataire de la lettre y a péri ?

L'homme parcourut encore une fois le document, suivant le texte du bout du doigt :

– Cette guerre d'Italie… Non, je ne vois pas de quelle guerre il s'agit…

Zinia comprit alors que l'homme ne savait pas lire. Elle l'avait dupé : la lettre parlait de la guerre des Flandres, pas d'Italie. Il s'était laissé piéger et ne pouvait en aucun cas être notaire. Un léger bruit de métal derrière la porte mit Zinia en alerte. Un notaire illettré, un clerc apeuré, des hommes derrière une porte, pas de doute, elle était tombée dans un traquenard. Et elle était venue sans son épée ! Elle se releva le plus calmement possible.

– Excusez-moi, j'ai dû faire une erreur, me tromper d'adresse…

Elle recula en direction de l'entrée.

– Non, attendez ! dit le faux notaire.

Déjà, elle avait la main sur la poignée. Elle entrouvrit la porte. Dans le couloir, deux hommes armés s'avançaient. Zinia repoussa le battant et s'enferma d'un tour de clef dans le bureau. Le soi-disant notaire s'était levé et brandissait une dague avec laquelle il semblait bien plus à l'aise qu'avec une plume. Derrière lui, un quatrième larron se glissa dans la pièce par la seconde porte. Le cœur de Zinia fit un bond : une courte barbe noire rayée d'une cicatrice blanche. L'homme à l'estafilade !

– En fait, c'est nous qui avons quelques questions à vous poser, mademoiselle, dit celui-ci.

Zinia ne prit pas le temps de réfléchir. Elle saisit une chaise à deux mains et la lança sur le notaire. Dans le couloir, les deux hommes tentaient d'enfoncer la porte. Le balafré n'avait pas encore contourné le bureau que la jeune fille gagna la fenêtre, enjamba l'appui et sauta. Dans la rue, la charrette aux tonneaux était encore en livraison. Son chargement atteignait presque le premier étage. Zinia se réceptionna maladroitement et rejoignit la rue.

– Elle s'échappe ! entendit-elle crier par la fenêtre.

Déjà, le notaire empruntait le même chemin qu'elle. Tournant le dos aux Halles, Zinia s'élança dans la rue de la Cossonnerie. Mais au premier carrefour, deux hommes armés lui barraient la route. Le piège était bien tendu. Elle prit la direction des Halles. Elle n'avait pas fait dix mètres que le cul-de-jatte et le mendiant à la béquille se dressèrent à leur tour devant elle : de faux mendiants, mais de véritables bretteurs. Cette fois-ci, elle était bel et bien cernée. Derrière elle, les autres se rapprochaient. Seule contre sept hommes, elle était perdue.

C'est alors que l'aveugle qui se tenait quelques mètres plus loin se leva, déployant sa taille impressionnante. Avant que les faux mendiants n'aient eu le temps de réagir, il les balaya d'un revers de bras, les envoyant s'assommer contre le mur.

– Derrière moi, fillette ! lui intima-t-il.

Et aussitôt, il fit face aux autres spadassins. De la fenêtre, Bertaud d'Estafier cria :

– Tuez-le !

Le faux notaire avait déjà brandi sa dague, qu'il lança avec force et adresse contre le géant. Mais celui-ci leva une béquille prise à ses assaillants, et la lame de fer vint s'y planter. Il s'en empara aussitôt et la tendit à Zinia.

– Surveille ces deux-là, lui dit-il en désignant les mendiants inconscients.

D'un moulinet de la béquille, il mit ensuite hors jeu les autres agresseurs, et Zinia ramassa une de leurs épées.

Elle se sentait désormais plus à l'aise. Soudain, jaillissant de la maison, l'homme à la balafre pointa sa rapière sur la nuque du géant ; mais Zinia en dévia aussitôt la pointe, qui ne fit qu'érafler la nuque puissante.

– Merci, fillette, dit le colosse en portant la main à son écorchure.

D'estoc, Zinia tenait le balafré à distance. Ils s'observaient. L'homme n'avait pas l'air de vouloir engager le combat. Avait-il peur ? Ou bien ne voulait-il pas blesser Zinia ? À la vue du colosse qui venait à eux, il se décida à regagner la maison et claqua la porte derrière lui. Zinia voulut s'élancer à sa poursuite. Pour savoir. Pour comprendre. Mais le géant lui mit la main sur l'épaule.

– On reste pas là, fillette. Viens.

Et, sans un mot, il l'entraîna avec lui vers les Halles.

Zinia suivait son sauveur, se demandant qui il pouvait bien être. Devant eux, les chalands s'écartaient, impressionnés par la stature de l'individu. Ils remontèrent la rue Mondétour. La foule s'y dispersait. L'homme avançait en silence, sans hésiter, s'assurant parfois qu'on ne les suivait pas. Ils alternaient ruelles et voies plus larges, de sorte que Zinia n'avait plus aucune idée de l'endroit où ils pouvaient se trouver. Il entraîna bientôt la jeune fille à l'intérieur d'un cabaret qui, visiblement, ne cherchait pas à attirer le client. À leur entrée, trois têtes soupçonneuses se relevèrent. Le colosse n'eut même pas à faire un signe pour que les regards se détournent. Il se savait en pays de connaissance. On ne prêta pas la moindre attention à Zinia, le géant étant son passeport.

Tous les deux s'installèrent à une table isolée et, avant qu'ils aient commandé quoi que ce soit, le patron leur servit d'autorité deux verres de vin avant de s'éloigner sans mot dire. La discrétion semblait être un des atouts de la maison.

– Merci, dit Zinia.

– On les a semés. Pas facile. Surtout pour moi. Suis un peu… voyant. Mais ici, on est tranquilles. Pour un moment.

– Pourquoi m'avez-vous aidée ?

– Une fille seule contre huit hommes, c'est une bonne raison.

Mais Zinia devinait que ce n'était pas la seule. L'homme qui lui faisait face, plus à l'aise dans l'action que dans la conversation, tournait son verre entre ses mains. Si elle voulait en savoir plus, elle devait faire les premiers pas.

– Je… Je suis tombée dans un traquenard, dit-elle.

Il hocha la tête sans quitter son verre des yeux.

– Hon, j'ai vu. Faux notaire, faux mendiants…

– … Et faux aveugle ! fit Zinia avec un demi-sourire.

– Hon. Mais tu risquais rien. Veux dire : y voulaient pas te blesser.

– Comment ça ?

– L'homme à la balafre, l'est venu avant toi dire aux hommes : « Pas la blesser. Faut qu'elle puisse parler. »

Zinia dévisagea le colosse. Qu'est-ce que ça signifiait ? Ne l'attendaient-ils pas pour le duel, pour la mort de ce jeune baron stupide ? De quoi voulaient-ils qu'elle parle ? Elle reprit :

– J'avais rendez-vous avec un notaire et…

– Maître Trousseau.

– Vous le connaissez ?

– Non. Mais…

Il marqua une pause avant de poursuivre :

– Ton père, dit-il.

Zinia sentit son estomac se nouer.

– Mon père ?

Le géant hocha la tête.

– M'a envoyé ici.

– Qui est-il ? demanda-t-elle.

– Ton père, c'est un brigand.

Le roman d'un brigand

Le colosse vida son verre d'un trait, comme s'il cherchait la force de dérouler son récit.

– Ton père, j'l'ai connu sur *La Marquise*, dit-il.

– *La Marquise* ?

– C'est une galère, petite. L'a été enchaîné à mon banc en l'an de grâce 1663. L'an de misère, oui. À Toulon. L'était diablement fatigué : l'avait marché plus de quarante jours avec la chaîne depuis Paris. Mais c'était un costaud. S'est vite remis.

– Son nom ? Vous connaissez son nom ? demanda Zinia.

– Le Renard, qu'on l'appelait. Parce qu'il avait le poil en feu. Comme toi. Mais il se disait Sébastien Leroux.

– Sébastien Leroux, répéta Zinia à mi-voix, comme pour s'en imprégner.

– Hon.

– Et pourquoi avait-il été arrêté ?

– On se disait pas ça sur *La Marquise*. Dans la chiourme, chacun a son histoire. Et ton père, l'était pas un bavard. Mais j'ai su des bouts. L'était un voleur de race, le Renard. Un malin. Pourtant, l'est tombé. Comme nous autres. Une histoire pas claire. L'était sur un coup et l'est tombé sur des argousins. L'a été donné. M'est avis que ça l'a aidé à tenir. Pour faire payer celui qui l'avait envoyé sur *La Marquise*.

– Se venger ?

– Hon.

– De qui ?

– Sais pas.

Le silence s'installa. Zinia scrutait cet homme comme si elle pouvait retrouver dans ses yeux un reflet de son père, Sébastien Leroux. Maintenant elle savait : elle était fille de brigand.

– Comment êtes-vous sûr qu'il s'agit bien de mon père ? demanda-t-elle soudain.

– La perle noire, dit-il en désignant d'un coup de menton le bijou qu'elle avait au cou.

Instinctivement, Zinia posa sa main dessus. Elle avait toujours cru que cette perle venait de sa mère adoptive.

– C'est mon père qui vous en a parlé ?

– Oui. L'était brigand pour payer le notaire. « Pour ma fille », il disait.

Le récit du colosse restait confus. Il se mouvait dans les mots comme dans un costume trop étroit. Mais Zinia voulait en apprendre plus.

– Comment saviez-vous que j'allais venir aujourd'hui ? Connaissez-vous ma mère ? Pourquoi m'ont-ils abandonnée ?

Devant cette salve de questions, l'homme se mit à

rouler des yeux. Il était plus effrayé que s'il avait dû faire face à une escouade du prévôt. Mais Zinia ne s'arrêtait plus.

— Pourquoi faites-vous ça pour moi ? Pourquoi mon père n'est-il pas venu lui-même ?

— Parce qu'il est mort.

Il avait lâché sa réponse brutalement, pour stopper le flux des questions, et maintenant il le regrettait un peu. Il savait pourtant que, tôt ou tard, il lui faudrait le dire. Zinia se tut, les yeux écarquillés. En moins d'un quart d'heure, elle venait de retrouver puis de perdre cet inconnu qu'était son père.

— Mort, répéta-t-elle.

— Hon.

Le colosse n'aimait pas le rôle qu'il devait jouer. Il soupira puis, sans le lui demander, s'empara du verre de vin que Zinia n'avait pas touché et l'avala aussi vite que le premier. Il se tourna ensuite vers le patron en levant son verre et attendit que celui-ci revînt avec un pichet pour reprendre la parole.

— Sur *La Marquise*, il y avait la bastonnade. Souvent. Notre comite[1] en usait. Fort. La bastonnade…

— C'est une punition, c'est ça ?

— Hon. On met le galérien nu au milieu du coursier de la galère, et un Turc le fouette avec une corde trempée dans le goudron ou dans l'eau de mer. Vingt coups, trente. Des fois cinquante. Après, on met du sel et du vinaigre sur les plaies. Beaucoup de prisonniers en

_____
1. Gardien à bord d'une galère.

144

meurent. Et la bastonnade, on l'a pour un rien… Un jour ou l'autre, tous y ont droit.

Il se servit un nouveau verre de vin et le but. L'alcool donnait de l'agilité à sa langue.

– Il y a six ans de ça, ton père, l'était à mon banc depuis quoi ? Deux ans ? Plus ? On ne sait plus le temps sur la galère. Toutes les journées sont longues. Et toutes les nuits sont dures. C'était l'été. Z'étions trois ou quatre navires éloignés de la côte. Je venais de recevoir une bastonnade de trente coups, et, deux jours plus tard, notre comite voulut encore me punir pour un rien. Trente coups encore. Deux bastonnades si proches, c'est la mort. Mais personne n'osait rien dire. Les gardes m'ont mis nu, et le Turc a commencé à frapper. Un coup. Deux coups. Avant le troisième, ton père s'est dressé et a retenu le bras du Turc en disant : « C'est assez ! » Jamais sur *La Marquise* un galérien n'avait osé dire ça. « Très bien, l'a dit notre comite, tu veux jouer les Samaritains ? Tu vas voir ce que c'est. Trente coups pour toi, et les trente coups de La Roquette en plus. »

– La Roquette ?

– C'est moi. Germain Bracieux, dit La Roquette. Aussitôt, z'ont commencé à le frapper. Soixante coups, personne n'en réchappe. Mais on savait que dire quelque chose, c'était prendre la place du puni. Et les coups pleuvaient.

Il se resservit un verre de vin.

– Sont les Barbaresques qui nous ont sauvés. Enfin, certains d'entre nous. Y venaient de Tunis et z'ont attaqué la flottille. Tout le monde a dû reprendre les rames et souquer dur. Les comites, y z'avaient abandonné ton père sur son banc, mais lui, l'avait perdu la parole et le mouvement. Lorsque la caraque barbaresque nous a éperonnés, ça a été le chaos. Les rames éclatées qu'éventraient les hommes, l'eau qui pénétrait dans la galère et noyait les bancs du fond… Très vite, l'équipage a compris que nous étions perdus. Z'ont quitté le navire. Y nous abandonnaient. Enchaînés, on ne pouvait que couler avec le bateau. Tandis que l'eau montait, les galériens tiraient comme des fous sur leurs chaînes pour se dégager. Mais rien n'y faisait. Le bateau avait déjà donné de la gîte. Grâce à la force que le Seigneur m'a donnée, j'ai pu desceller la chaîne de mon banc, puis j'ai fait pareil pour ton père qui reprenait ses esprits. L'eau de la mer lavait ses plaies et le sel le réveillait. Puis, ça été le trou noir.

Lorsque je suis revenu à moi, j'étais en pleine mer, tenu par ton père, accroché à un morceau du bastingage. La bataille se poursuivait, mais personne ne faisait attention à nous. J'avais été assommé par une vergue. Ton père m'avait tiré avec lui dans l'eau. Z'avons dérivé comme ça deux jours. L'était très faible, le Renard. L'avait reçu un éclat de bois dans le flanc. La mer rougissait autour de lui. C'est là, seuls au milieu de nulle part, qu'il m'a dit pour toi.

La Roquette avala son verre. Il paraissait épuisé, mais Zinia n'arrivait pas à savoir si cela était dû à la cruauté de ses souvenirs ou à la difficulté qu'il éprouvait à tenir un si long discours.

— Deux fois y m'a sauvé la vie, et moi, je n'ai pas

pu. L'avait perdu beaucoup de sang. Trop. M'a dit de veiller sur toi. M'a dit qu'y t'aimait, puis l'a glissé dans la mer doucement en regardant le ciel avec un sourire tout doux.

Le lendemain, j'étais repêché par les Barbaresques qui m'ont enchaîné sur leur caraque. Sont allés me vendre de l'autre côté de la mer. Trois ans, m'a fallu pour m'échapper. Puis chuis revenu ici pour payer ma dette à ton père. Pour te retrouver. Et t'aider.

Zinia hocha lentement la tête. Elle était la fille d'un voleur qui avait fini aux galères : un certain Sébastien Leroux. Mais était-ce vraiment tout ? Certains éléments la troublaient dans cette histoire : comment se faisait-il qu'un bandit ait pu traiter avec un notaire ? De quelle façon l'argent de son entretien était-il passé entre les mains d'un aristocrate, ce comte de Mandeterre, maintenant mort lui aussi ? Cela justifiait-il tous les mystères autour de son adoption ?

— Pourquoi mon père ne vous a-t-il pas dit directement où je me trouvais ?

— Y l'savait pas. Voulait pas l'savoir. Pour pas s'trahir.

— Pour ne pas le dire ? Mais à qui ?

— À ceux qui voulaient te retrouver.

— Moi ? Mais, pourquoi ?

— Sais pas.

Non, décidément, les choses n'étaient pas si claires.

— Avant de se faire arrêter, il vivait où, mon père ?

— Ici, à Paris. S'cachait à la cour des Miracles, y m'a dit.

— Où est-ce ?

– N'existe plus. Le lieutenant général de la police a vidé la dernière y a quelques années. Sont partis les capons et les hubains, les malingreux et les drilles, les piètres, les rifodés, les coquillards… Enfin, m'est avis qu'y sont pas loin.

La Roquette avait prononcé ces derniers mots avec une sorte de regret dans la voix. Un monde qu'il avait connu et qui n'était plus. Zinia ne comprenait pas tout ce que le colosse lui débitait sous l'emprise du vin, mais elle espérait lui soutirer d'autres renseignements, un nom, un mot qui lui permette d'en savoir un peu plus.

– Savez-vous avec qui il… travaillait ?

– Non. Pas de nom. C'est la règle. Sauf… Attends… Avant de partir, accroché à notre morceau de bois, y s'est mis à délirer un peu. La fièvre, il avait. L'a parlé d'un oiseau. C'était… attends, attends… l'alouette ! Oui, c'est ça, « Cours, l'alouette ! » qu'y chantait.

– L'alouette…, répéta Zinia, pensive.

Une farce sur le Pont-Neuf

– L'Alouette ? Non, je ne vois pas.

Smeraldina achevait de se maquiller. La troupe du Soleil de France n'ayant pas trouvé de salle pour donner ses représentations, Fabritio avait décidé de s'installer au bout du Pont-Neuf, un des rares ponts de Paris qui n'étaient pas encombrés de maisons. Les Parisiens aimaient s'y promener pour découvrir cette vue unique sur la Seine. Aux côtés de bateleurs, de jongleurs, de vendeurs d'onguents et de tire-laine, la troupe jouait quelques farces avant que ne débutent les cérémonies de Pâques.

Derrière la grande toile blanche qui servait de coulisses, les comédiens s'apprêtaient. Zinia enfilait son déguisement de Scaramouche, dans lequel elle se sentait de plus en plus à l'aise. Mais son esprit n'était pas au théâtre. Elle repensait encore aux événements du matin. À son père, ce brigand inconnu, cet homme qui n'avait pas encore révélé tous ses secrets. Et à la mystérieuse Alouette devenue désormais sa seule piste.

– Toi, ça te dit peut-être quelque chose, Truffaldin ? demanda Smeraldina.

Elle ajouta à l'intention de Zinia :

– De nous tous, c'est lui qui a le plus longtemps vécu ici.

– Je connais à Paris des princes et des poètes,
Des Suzon, des Nini, à qui conter fleurette.
J'ai même connu un jour une certaine Fauvette,
Mais je ne connais pas madame l'Alouette.

– Rien ne dit que ce soit une dame, répondit Zinia.

– Allez, on se dépêche ! les interrompit Fabritio. Il commence à y avoir du monde ! On y va. En scène !

Sur les tréteaux de fortune, Léandre et Fagotin improvisaient des pantomimes pour attirer l'attention des passants, puis lançaient des harangues promettant un spectacle digne des plus belles salles de la capitale : *La Morte amoureuse* ! Une grosse farce. Il fallait bien ça si l'on voulait retenir le public et gagner quelques pièces.

Le spectacle commença. Zinia ne tarda pas à s'apercevoir que, dans la rue, le jeu n'est pas du tout le même que dans une salle, où le public est plus attentif. Là, comme disait Fabritio, il faut mouiller la chemise ! Lancer sa voix, capter le public, le ravir. Tout en jouant, elle aperçut soudain, accoudé de l'autre côté du pont, La Roquette qui ne la quittait pas des yeux. Il restait là, fidèle à ce qu'il avait promis à son compagnon de chaîne : la protéger. Dans la foule, elle remarqua aussi un couple élégamment vêtu. La jeune femme se tenait le ventre légèrement en avant, et l'homme, plus âgé, avait le regard triste. Sans doute de bons bourgeois en promenade. Mais au cours d'une scène où elle se déchaînait contre Léandre et Fabritio, Zinia nota soudain un léger changement d'attitude chez l'homme : son regard s'éclairait. À la fin de la scène, il souriait franchement, et Zinia eut l'impression de ne plus avoir devant elle un quinquagénaire soucieux, mais un petit garçon naïf et heureux de s'amuser sans retenue.

Ils enchaînèrent avec une seconde farce, puis une troisième. Régulièrement, dame Guillemette passait parmi les spectateurs en tendant un large chapeau. Au bout de deux heures, la troupe était épuisée, mais elle avait gagné sa pitance du soir.

Tandis qu'ils soufflaient, Léandre s'approcha de Zinia :

– J'ai entendu dire que tu recherchais une certaine Alouette…

– Les nouvelles vont vite dans la troupe ! Tu la connais ?

– Moi ? Pas le moins du monde ! Mais je peux te donner le nom d'un homme à Paris qui, lui, sait tout. Ou presque.

– Et qui est-ce ?

– Il se présente comme un poète, mais il serait plutôt à ranger dans la catégorie des hommes de l'ombre. Il est parfois journaliste, mais, le plus souvent, il renseigne ceux qui le payent, nobles, police et même, parfois, certains hommes d'État…

– Où peut-on le trouver ?

– Lorsqu'il ne hante pas le secret des cabinets, on le

trouve forcément là où se presse le Tout-Paris, dans les salons à la mode, les fêtes prestigieuses ou… les théâtres.

– Les théâtres ! s'exclama Smeraldina qui écoutait la conversation.

– J'ai ouï dire que M. de Molière donne une nouvelle pièce, poursuivit Léandre, peut-être que…

Truffaldin intervint à son tour :

– J'ai entendu « Molière » ? J'ai entendu « théâtre » ? Du programm' de ce jour, il ne faut plus débattre ! De l'aller écouter, déjà je m'impatiente. Partons ! Courons ! Volons ! entendr' *Les Femmes savantes* !

Léandre feignit de l'ignorer et poursuivit :

– C'est au théâtre du Palais-Royal. Et demain, jour ordinaire, sera sa dernière représentation avant plusieurs semaines. Pâques oblige…

– Il va y avoir du monde, glissa Smeraldina.

– Oui, et il est possible que notre homme y soit.

– Comment se nomme-t-il ? demanda Zinia.

– La dernière fois que j'ai entendu parler de lui, il se faisait appeler Jacques de Seingalt.

Les quatre soleils

Malgré ses dorures, malgré l'abondance de lustres et de chandeliers, et en dépit des œuvres d'art, la salle à manger de l'hôtel de Villarmesseaux suintait la tristesse. Cette tristesse avait envahi la demeure depuis des années, bien avant la mort du fils du marquis, Guillaume. Onze ans plus tôt, Albane, la sœur de celui-ci, avait disparu, et le plaisir de vivre avait alors quitté la demeure. Aussi, dès le dîner pris, les époux avaient-ils l'habitude de se retirer sans tarder. La marquise, femme austère, rejoignait sa dame de compagnie et s'abîmait en prières tandis que son mari gagnait son cabinet pour mener les affaires auxquelles sa femme ne voulait rien entendre.

Le soir de ce lundi 4 avril 1672, le marquis sortit de table plus tôt qu'à l'ordinaire. Il prétexta une importante charge de travail, congédia le valet qui l'avait escorté et pénétra dans son bureau en soufflant : son embonpoint lui rendait chaque jour les escaliers plus pénibles. Bertaud d'Estafier y patientait. Ils n'échangèrent pas un mot. Cet homme de confiance partageait tous les secrets du marquis. Ou presque. Il avait sans fausse honte relaté son échec du matin, l'insolente chance de la jeune fille qu'ils traquaient et le secours inattendu de ce colosse surgi d'on ne savait où. Le marquis réunit quelques papiers, s'enveloppa dans le long manteau noir que lui tendit d'Estafier, et tous deux sortirent du bureau à la hâte. Ils sautèrent dans une berline qui se mit aussitôt en route. Le cocher connaissait leur destination.

La voiture circulait dans les rues désertes du Paris nocturne. Bien que la police de M. de La Reynie ait mis un frein à l'activité des coupe-bourses, des francs-mitoux et des polissons, mieux valait rester prudent. Aussi ne se risquait-on pas trop à circuler le soir tombé dans les rues mal éclairées de la capitale. Les deux passagers ne disaient mot. Seul le claquement des sabots sur les pavés de la ville perturbait le silence de la nuit.

La voiture s'immobilisa devant l'église Saint-Gervais, tout près du port au blé, derrière l'Hôtel de Ville. Le marquis descendit seul de la voiture. Il gravit les marches de l'église et en ressortit par l'arrière. Là, trois hommes vêtus de noir, manteau, chapeau de feutre et loup sur le visage, l'accueillirent devant une seconde voiture. L'un d'eux invita le marquis à y prendre place et s'y engouffra à son tour. Très vite, Villarmesseaux perdit son sens de l'orientation. Volontairement, la voiture tournait à droite, à gauche, s'arrêtait, repartait, de sorte qu'il ne lui était pas possible de savoir où on le conduisait. Enfin, l'équipage fit une halte. Ils se trouvaient devant un immeuble cossu. Le guide du marquis frappa trois coups espacés à la porte et ils n'attendirent pas plus d'une minute avant d'entendre le claquement d'un judas. Un œil les scruta, puis, presque aussitôt, la porte s'ouvrit. Le marquis s'avança, seul.

Il pénétra dans un vestibule lourdement décoré de nymphes et de cupidons. Le valet qui l'avait accueilli lui tendit un loup de soie noire et lui fit signe de le suivre. Ils empruntèrent un escalier et rejoignirent à l'étage un salon où des hommes jouaient aux cartes ou aux dés en compagnie de jolies jeunes femmes. Au fond, un buffet offrait pâtés, fruits et pâtisseries, vins fins et alcools des provinces de France. Le valet introduisit le marquis dans un petit cabinet et referma soigneusement les portes derrière lui. Trois hommes, masqués eux aussi, l'y attendaient.

– Le bonjour, monsieur de Villarmesseaux, fit l'un d'eux sans se lever.

Un léger accent colorait le timbre de sa voix.

– Prenez place, je vous en prie, poursuivit-il en lui désignant un fauteuil. Avez-vous la somme avec vous ?

– Euh… je…

Le visiteur paraissait surpris que les hommes abordent aussi rapidement l'objet de leur rencontre. Il se ressaisit.

– En fait, pas encore…

– Voulez-vous dire que vous n'êtes pas en mesure de nous payer sur-le-champ ? Nos accords étaient pourtant clairs…

– Messieurs, il s'agit de deux millions ! se défendit le marquis.

– Qu'importe le montant, monsieur, vous vous étiez

engagé. Et vous savez ce qu'un manquement de votre part entraîne ?…

Villarmesseaux réprima un mouvement de colère. Il n'avait pas l'habitude qu'on lui parlât sur ce ton. Ordinairement, c'était lui qui menait la discussion. Il choisit de rester debout, mais ses jambes se mirent à trembler légèrement. Son front se perla d'une sueur froide. Il n'ignorait pas qu'il était en faute. Il savait surtout qu'il s'était embarqué à tort dans une de ces parties de cartes, trois mois auparavant, et qu'une fois encore le démon du jeu l'avait mené à sa perte. Ce vice le tenait depuis trop longtemps et lui avait déjà valu quelques soucis par le passé. Mais, en dépit de ses efforts pour s'en affranchir, il retombait sans cesse dans cette passion qui le ruinait année après année. Il revoyait très bien cette soirée au cœur de l'hiver dernier, dans une demeure semblable à celle-ci, où, après un médianoche entre gens de condition, des inconnus l'avaient attiré à une table. On y battait des cartes. La partie de piquet avait bien commencé pour lui, mais le jeu avait vite tourné à son désavantage. Il s'était mis à renchérir à chaque nouvelle donne, espérant ainsi combler ses pertes, mais les avait augmentées chaque fois un peu plus. Alors, il s'était tourné vers la table où l'on pratiquait la bassette, sans plus de chance, et le reversi n'avait fait que précipiter sa chute. Il crut cette nuit-là vingt fois se refaire, vingt fois il perdit des sommes plus que considérables. Au petit matin, le total de sa dette passait les deux millions. Il soupçonna avoir été victime d'un stratagème, car les vainqueurs des différentes tables ne paraissaient pas étrangers les uns aux autres. Mais, pour lui, cela ne changeait rien. Il était trop tard pour dénoncer la manœuvre et c'est ensemble qu'ils lui réclamèrent la somme due. Il devait payer.

– Monsieur, trois mois ont été plus que suffisants pour qu'une personne de votre rang rassemblât la somme convenue.

– Hélas ! messieurs, hélas ! J'ai eu des déconvenues, des charges imprévues. Je viens de perdre mon fils et…

– Nous savons tout cela, monsieur, et vous nous en voyez bien chagrins pour vous, mais cela ne saurait changer une virgule à notre affaire. Vous nous devez la somme. Et vous savez qu'un manquement de votre part ne se réglerait pas devant la justice du roi…

Le marquis n'avait pas besoin qu'on lui expliquât ce que ces menaces à peine voilées signifiaient. Il n'y avait plus de lieu sûr, pas de forteresse qui empêchât la loi des joueurs de rendre sa propre justice.

– Peut-être pouvez-vous m'accorder un délai supplémentaire, plaida le marquis. Avec intérêts, évidemment…

– Un délai ? Non. Mais…

– Mais ?…

Villarmesseaux s'accrochait à ce petit « mais », ultime espoir d'un condamné.

– Mais peut-être pouvons-nous nous entendre… différemment.

– C'est-à-dire ?

– Mes amis et moi serions prêts à totalement effacer votre dette en échange de quelques documents, ou plutôt d'un objet auquel ces documents doivent mener.

– De quoi s'agit-il ?

– Des quatre soleils.

M. de Villarmesseaux chercha à tâtons le dossier d'une chaise pour s'y agripper.

– Les… quatre…, balbutia-t-il. Mais comment… ?

– Comment connaissons-nous leur existence ? Oh, vous savez, c'est notre métier d'être attentifs à ce qui se passe, au grand jour comme dans l'ombre.

– Messieurs, je suis désolé, mais je ne possède pas ces quatre soleils.

– Vous en avez déjà trois, nous le savons. Et vous devriez pouvoir vous emparer prochainement du dernier, maintenant que vous avez retrouvé la trace de la jeune personne.

Le marquis se laissa choir sur le siège. Ces hommes étaient au courant de beaucoup de choses. Il se ressaisit.

– Il me semble, messieurs, que si vous êtes si parfaitement instruits de cette affaire, il devrait également vous être possible de vous procurer le dernier soleil et m'aider à clore cette histoire… à votre avantage.

– Nous estimons que c'est là votre tâche, monsieur de Villarmesseaux. Vous comprenez que si nous avions pu résoudre l'énigme du quatrième soleil par nous-mêmes, nous n'aurions pas pris la peine de faire appel à vous et d'effacer votre dette.

– Puis-je vous demander qui vous êtes et pour quelle raison vous désirez cet objet ?

– Vous pouvez, certes, nous le demander. Mais nous ne souhaitons pas vous le dire. Du moins pour l'instant. Lorsque vous nous apporterez l'objet convenu, peut-être pourrons-nous vous en apprendre un peu plus… Ah ! J'oubliais : j'ai l'honneur de vous présenter monsieur…, disons monsieur de Tilbur, votre nouveau secrétaire.

Un des hommes présents et qui, jusqu'alors, n'avait dit mot, ôta son masque. Son visage arborait un sourire figé.

– Mon secrétaire ? s'inquiéta M. de Villarmesseaux qui ne voulait pas comprendre trop vite.

– C'est cela. Il nous a paru nécessaire que M. de Tibur, pardon, de Tilbur, puisse nous tenir informés de l'avancement de votre quête. Vous aurez à cœur de l'accueillir en votre hôtel de sorte que sa présence n'éveille aucun soupçon, n'est-ce pas ?

– Je…

– Ceci n'est pas négociable, monsieur le marquis. Et puis tout cela ne devrait pas durer éternellement. Nous comptons sur votre diligence et sommes impatients de vous revoir avec ce que vous savez. D'ici là, votre vie dépendra de votre discrétion.

Le théâtre du Palais-Royal

Le lendemain, deux heures après midi sonnaient lorsque Zinia et ses compagnons arrivèrent sur la place du Palais-Royal. Devant eux s'étalait la souveraine façade que s'était fait construire le cardinal de Richelieu une quarantaine d'années plus tôt, avant d'en faire don à sa mort au roi Louis XIII. L'édifice abritait un théâtre où Molière et sa troupe s'étaient installés depuis 1661. L'entrée se faisait sur le côté, par la rue des Bons-Enfants. Et là, il y avait foule.

— À quelle heure débute le spectacle ? demanda Zinia.

— Bientôt normalement, mais il est rare que la représentation commence sans retard, répondit Léandre.

Deux mousquetaires bloquaient l'entrée. Ils parlaient bruyamment, effrayant par leurs gestes larges les autres spectateurs et le portier qui se tenait devant eux. Un autre larron ne tarda pas à les rejoindre.

— Que se passe-t-il, camarades ?

— Il se trouve que ce maraud voudrait nous faire payer l'entrée !

Sans attendre, le troisième mousquetaire sortit son épée.

– Comment, faquin, tu suggères que des soldats qui risquent leur vie pour vous protéger donnent le peu de leur solde à des bouffons, à des batteurs d'estrade, à des conteurs de vent ?

– M… mais, c'est la règle…

– La règle ? La règle ? Je vais te l'apprendre la règle ! La règle de ma rapière !

Il recula de deux pas, repoussant la foule derrière lui, et toisa le portier terrorisé.

– Permettez, monsieur ?

Zinia venait de s'approcher du mousquetaire. Après la représentation, elle avait une fois encore choisi la discrétion de ses vêtements de garçon et, aguerrie par sa rencontre du matin, ne sortait plus sans son épée.

– Qu'est-ce que c'est ? fit le mousquetaire. Quel est ce moustique ?

– Ne croyez-vous pas, monsieur, qu'il faut que ces gens-là vivent ?

– « Ces gens-là » ? Des histrions ? Pour quoi faire ?

– Mais pour vous donner le plaisir que vous venez chercher ici !

– Bah ! S'ils veulent manger, qu'ils fassent payer les autres ! Paye-les, toi, moustique ! Que fais-tu pour gagner ta vie ?

– Euh… Je suis comédien, moi aussi.

– Morbleu ! Mais il y en a partout ! Je crois qu'il nous faut en supprimer quelques-uns.

Et à nouveau, il brandit son épée vers le portier. Zinia dégaina alors la sienne.

– Je ne peux laisser faire cela, monsieur !

161

– Oh ! Mais le moustique a un dard ! Où va-t-on si les saltimbanques se mettent à porter l'épée ?

Autour d'eux, les spectateurs s'étaient prudemment écartés. Les deux autres mousquetaires croisaient les bras. La scène semblait les amuser.

– Croyez-vous, monsieur, que le prix d'une place au théâtre vaille la peine de verser le sang ?

– Voilà que le moustique raisonne ! Mais mon pauvre petit, il me suffira d'un peu de citronnelle pour te faire fuir.

Et ce disant, il recula d'un pas pour se mettre en garde. À son tour, Zinia brandit son fer. Mais alors qu'ils allaient engager le combat, un carrosse débola de la place du Palais-Royal et vint s'arrêter devant le théâtre. Un valet sauta de son siège et cria :

– Place à la comtesse de Villotière !

Il déplia les marches du carrosse, ouvrit la porte et, dans le même mouvement, tendit sa main à la comtesse qui parut, indifférente. Zinia admira sa robe de taffetas vieux rose, brodée de fils de soie pistache, ses escarpins, roses également, et le large manteau vert qui l'enveloppait. Le loup assorti à sa tenue ne parvenait pas à masquer totalement ses deux grands yeux bleus. Elle s'avança vers le théâtre et remarqua alors les épées sorties de leurs fourreaux.

– Qu'est-ce là ? demanda-t-elle.

– Un différend entre ces gentilshommes, s'empressa de lâcher le portier. Ils ne sont pas d'accord sur le prix de la place…

– Se battre pour une place de théâtre ? Voilà qui est singulier. Cessez cela, voulez-vous ? Je paye pour tous !

Elle fit un signe à son valet et, sans plus tarder, entra dans le théâtre, laissant derrière elle les remerciements des comédiens, des mousquetaires et des trois ou quatre badauds qui profitaient de l'aubaine.

– Tu pourras lui dire merci à la comtesse, moustique, dit le mousquetaire belliqueux. Elle t'a sauvé la vie !

– Ça, nous ne le saurons jamais, monsieur le mousquetaire-racle-denier !

– Comment as-tu dit ?

– Allons Amos, laissons cela, intervint un de ses camarades. Porthamis est déjà dans la place.

– Tu as raison. Je perds mon temps avec ces insectes !

Lorsqu'elle découvrit la salle, Zinia fut saisie par le bruit des conversations. La foule se pressait pour cette dernière représentation des *Femmes savantes* avant la trêve de Pâques. Truffaldin, tout ébahi d'être là, ne tarissait pas d'éloges :

– Que c'est beau ! Que c'est grand ! Ces couleurs, ces lumières !

Je retrouve tout ému la maison de Molière !

Le parterre s'emplissait déjà de ceux dont les moyens ne leur permettaient pas de s'offrir les gradins du fond et encore moins les loges à l'étage. Plus de mille personnes se retrouvaient là, s'interpellaient, rapportant les nouvelles du moment, s'affligeant de la guerre entamée avec la Hollande, se réjouissant de la belle santé du roi et de la naissance à venir d'un nouvel héritier royal. En circulant parmi les spectateurs, Zinia put surprendre une critique de la dernière pièce de Racine,

Bajazet, un commentaire sur la récente mort du chancelier Séguier, un avis sur la nomination de M. de Louvois, ministre d'État au Conseil d'En-Haut, la prochaine nomination de Lully à la direction de l'Académie royale de musique… et mille potins ou ragots sur des inconnus. Léandre avait raison, c'était certainement l'endroit où l'on devrait pouvoir apprendre ce qu'était devenue cette mystérieuse alouette qu'avait connue son père.

Dans une loge de l'étage, Bertaud d'Estafier s'entretenait avec un homme vêtu d'un austère pourpoint gris sous un manteau plus triste encore. Ils tournaient le dos à la salle.

— C'est trop d'honneur que de faire appel à moi, monsieur d'Estafier !

— Ne faites pas le modeste. Nous connaissons vos contacts. Vos yeux sont partout dans Paris…

— On dit tant de choses !

— Mon maître saura, sur cette affaire, être le plus généreux qui soit.

— M. le marquis n'ignore pas qu'il peut compter sur mon efficacité.

— Et sur votre discrétion, n'est-ce pas ?

— Cela va sans dire.

— Il vaut mieux parfois le dire, monsieur de Seingalt, lâcha l'homme à la balafre.

— Certes, certes. Et cette jeune fille est à Paris, dites-vous ?

— Elle m'a échappé hier matin. Elle doit se terrer quelque part à l'heure qu'il est.

164

– Hum. Pouvez-vous me la décrire ?

– Quatorze ans, quinze peut-être, bien mise, fière allure, le regard droit, le visage bien fait, des yeux verts, une bouche avenante…

– Holà ! vous m'impressionnez, monsieur. Est-ce une aventure amoureuse qui pousse M. le marquis ?

L'homme à la balafre se troubla.

– Pas le moins du monde. Je vous dis ce qui est !

Ses yeux s'étaient durcis. Son interlocuteur comprit qu'il ne convenait pas de plaisanter sur ce sujet. Il enchaîna :

– Quoi d'autre ?

– Ses cheveux. Ils sont rouges.

– Voilà qui simplifiera le travail.

– Ne croyez pas cela. Elle est arrivée à Paris, sans doute en compagnie d'une troupe de saltimbanques dont nous avons perdu la trace.

– Paris est une grande ville !

– Elle aime également circuler vêtue en garçon…

– Ah !

– … Et elle sait manier l'épée aussi bien que nombre de spadassins. Sinon mieux.

– Diable.

– Tenez. J'ai fait faire ce dessin. Il est assez fidèle.

Bertaud d'Estafier déplia un papier qu'il tendit à son interlocuteur. Celui-ci détailla le portrait, qui représentait Zinia sans ambiguïté.

– Ce dessin devrait vous aider, n'est-ce pas ?

– Certes, certes…

L'homme en gris réfléchit un instant en se tournant

vers la salle. Son œil exercé enregistrait mille détails : la présence de l'un, le rapprochement de deux autres, une discussion un peu vive dans un coin, un nouveau costume ou une tenue élimée : tout cela nourrissait son carnet d'informations qu'il ne manquerait pas de vendre au plus offrant. Au-dessus de la scène, le personnel allumait les lustres. Le spectacle allait bientôt commencer, mais cela ne ralentissait en rien les conversations qui emplissaient le théâtre. M. de Seingalt reprit la parole :

— Si je comprends bien, ma mission ne consiste qu'à vous dire où se trouve cette jeune personne. Il ne s'agit pas de vous la livrer, n'est-ce pas ?

— En aucun cas. Contentez-vous de la localiser, et la somme convenue vous sera immédiatement versée.

— L'avez-vous sur vous ?

— De quoi ?

— Cette somme.

— Évidemment, non. Mais le moment venu, nous vous la ferons porter.

— Eh bien, monsieur, je l'attends à partir de cet instant : la jeune personne que vous cherchez se trouve là, à une dizaine de mètres de nous, au centre du parterre.

— Que… ?

Bertaud d'Estafier fit volte-face. Ses yeux fouillèrent un instant la foule et, à son tour, il aperçut le profil de Zinia qui fixait la scène. Le déguisement de la jeune fille ne suffisait pas à cacher la finesse de ses traits ni le feu de son regard.

— Ah çà ! Ne la quittez pas des yeux, ordonna d'Estafier à Seingalt. Je cours chercher mes hommes !

Et aussitôt, il se fondit dans l'ombre de l'escalier, tandis que l'homme en gris souriait : jamais il n'avait gagné si facilement une telle somme d'argent. Méticuleusement, il glissa le dessin replié dans sa manche.

– Alors, ce M. de Seingalt, le vois-tu ? s'enquit Zinia.
– Pas encore, répondit Léandre. Avec tout ce monde… Et puis, il y a longtemps que je ne l'ai vu. Vais-je me souvenir de son visage ?

La jeune fille parcourait des yeux le parterre, mais elle ne connaissait personne. Elle remarqua pourtant la comtesse de Villotière, installée directement sur l'avant-scène aux côtés de trois autres personnes de qualité aux habits luxueux. La noblesse s'octroyait le privilège d'être au plus près des acteurs, en se distinguant du peuple resté debout. Soudain, le grand rideau rouge s'envola dans un bruissement d'étoffe. Deux femmes plutôt jeunes et fortement maquillées entrèrent en scène. Leurs costumes éclataient de couleurs vives, voyantes. La première lança :

– Quoi ! le beau nom de fille est un titre, ma sœur,
Dont vous voulez quitter la charmante douceur ?
Et de vous marier vous osez faire fête ?
Ce vulgaire dessein vous peut monter en tête ?

Elle parlait avec un naturel que Zinia n'avait jamais entendu sur des tréteaux. La seconde lui répondit avec le même ton, simple, d'une grande banalité. C'était très étrange : les deux femmes ne semblaient pas se donner en spectacle mais échanger leurs avis devant la foule rassemblée là. Sans les vers qui rythmaient leur dialogue, on aurait pu se croire dans un salon. L'effet de réel était saisissant. La jeune fille découvrait ce qu'était ce théâtre moderne dont rêvait Truffaldin. Elle se laissa captiver par le dialogue des sœurs. À bien les observer, elle eut l'impression d'avoir déjà vu l'une d'entre elles sans vraiment se rappeler où.

L'acte II s'ouvrait sur la rencontre de deux frères. L'un d'eux était le père des jeunes filles. Zinia le reconnut aussitôt. C'était l'homme du Pont-Neuf, l'homme au regard triste puis au sourire d'enfant ! Elle ne fut pas longue à comprendre que devant elle jouait Molière.

Ce dernier affrontait sa femme, interprétée par un autre homme, et mimait le poltron avec force grimaces, roulements d'yeux et courbettes qui provoquaient le rire du parterre jusqu'aux loges. La jeune fille commençait à comprendre l'enthousiasme de Truffaldin : on pouvait faire rire avec autre chose que des soufflets et des coups de bâton. Elle se tourna vers ses amis. Truffaldin, ému aux larmes, était quasiment en transe à admirer son idole. Smeraldina, en vraie professionnelle, ne perdait pas une miette du jeu des acteurs.

À la fin du deuxième acte, alors que l'on changeait à nouveau les chandelles, Léandre partit à la recherche de son mystérieux informateur. Zinia remarqua alors, au centre du parterre, un inconnu vêtu de gris en discussion avec un homme bien mis. Tous deux semblaient traiter une affaire. Plus loin, un jeune homme se faufilait de groupe en groupe, seul, l'œil aux aguets. Un voleur à l'affût des bourses mal rangées, à n'en pas douter. Il s'approchait des mousquetaires quand l'un d'entre eux le repéra, et il lui suffit d'un regard pour que le voleur battît en retraite, heurtant au passage l'homme en gris. Il n'était pas bon de se faire remarquer lorsqu'on pratiquait le difficile métier de vide-gousset. Lors du choc, un papier s'échappa de la manche de l'homme en gris. Zinia avait assisté à la scène et voulut le prévenir, mais le temps qu'elle ramassât le papier, son propriétaire avait disparu. Les comédiens reprenaient par ailleurs déjà la pièce. Elle glissa donc le papier dans sa poche pour l'examiner plus tard.

À la fin de la représentation, le public applaudit avec un enthousiasme modéré. Seul Truffaldin frappait frénétiquement dans ses mains. Quelques-uns des comédiens lui jetèrent un regard curieux, mais déjà le parterre se vidait. C'était la fin de l'après-dîner, les spectateurs ne voulaient pas se retrouver à errer de nuit dans la ville. Certains s'étaient même éclipsés avant le terme du spectacle. La comtesse, quant à elle, avait quitté son siège dès la tombée du rideau. Soudain, Léandre saisit Zinia par l'épaule.

– Seingalt, il est là !

La jeune fille se retourna. À quelques mètres se tenait l'homme en gris dont elle avait noté la présence tout à l'heure.

– Le bonjour, monsieur, fit Léandre, un peu cérémonieux.

– Monsieur ? répondit Seingalt. Avons-nous le privilège de nous connaître ?

– Euh… Nous avons eu affaire il y a quelques années…

Je me nomme de Laus, Max-André de Laus. Mais au théâtre, on me nomme Léandre.

– Un comédien ! Je crains, monsieur, que vous ne fassiez erreur.

– Auriez-vous la mémoire courte ?

– Monsieur, me chercheriez-vous querelle ?

– Non, monsieur, je ne cherche qu'une information.

Léandre était confus. La rencontre ne s'engageait pas de façon sereine. Il reprit :

– Je sais, monsieur, que vous disposez de nombre de renseignements sur la vie à Paris.

– Vous savez ? Vraiment ?

– Et peut-être vous est-il possible de nous dire…

– Moi ? Je ne sais rien.

– … de nous dire quelque chose sur une certaine Alouette.

– C'est un oiseau.

– Il paraît qu'il s'agit également d'une personne…

– Se peut-il ?

– Avez-vous idée d'où nous pourrions trouver cette personne ?

– Monsieur, si, comme vous le laissez entendre, je faisais profession de vendre des informations, pour quelle raison vous donnerais-je celle-ci pour rien ?

– Parce qu'il y a deux ans de cela, je vous ai tiré d'un mauvais pas.

– Moi ?

– Oui, monsieur. Vous. Dans une rue mal éclairée, des hommes voulaient vous faire payer une indiscrétion que vous commîtes à l'encontre d'une dame.

– Moi ? Assurément, non !

– Et nous finîmes la soirée dans un cabaret où vous m'assurâtes de votre éternelle reconnaissance.

– Je n'ai pas souvenir d'une telle aventure, monsieur, dit Seingalt. Mais si vous avez quelque argent, je serai heureux de vous venir en aide. Sinon… reportez-vous à la nouvelle gazette de M. Donneau de Visé : *Le Mercure galant*. Elle fourmille d'informations. Sans doute y trouverez-vous votre oiseau…

Il fit mine de se retirer, lorsque Zinia se mit en travers de son chemin. Jacques de Seingalt ne put cacher sa surprise. Alors qu'il était censé la surveiller, il n'avait pas remarqué la jeune fille restée en retrait pendant sa conversation.

– Nous n'avons pas de quoi vous payer, monsieur, dit-elle, mais sans doute serez-vous aise de récupérer ceci.

Et elle sortit de sa veste la feuille encore pliée où, sans qu'elle le sût, figurait son propre portrait. Seingalt blêmit.

– D'où tenez-vous ce papier ?

– Vous l'avez laissé tomber tout à l'heure.

– Il m'appartient, vous devez me le rendre.

– J'en conviens, mais reconnaissez qu'un service en vaut un autre. Sans moi, vous ne l'auriez sans doute pas recouvré.

– Le… L'avez-vous ouvert ?

– Monsieur, vous m'offensez.

Seingalt parut se rassurer. Après tout, bien qu'il ne fût pas dans ses principes de donner un renseignement pour rien, il aurait certainement plus à perdre si la jeune fille jetait un coup d'œil à cette feuille.

– Eh bien, soit, reprit l'homme en gris. Il ne sera pas dit que Jacques de Seingalt n'est pas généreux. Remettez-moi la lettre, et je vous dirai ce que je sais sur cette alouette…

Zinia lui tendit le papier, qu'il s'empressa de faire disparaître sous son pourpoint.

– Il s'agit d'une jeune personne qui eut son heure de gloire à la cour des Miracles, il y a quelques années. Elle n'avait pas son pareil pour se glisser dans les riches demeures, ou pour se faufiler dans les foules et délester les bourgeois de leurs bourses encombrantes.

– Une voleuse… Et où peut-on la trouver, maintenant ?

– Vous savez que M. de La Reynie a mis un terme à ce lieu mal famé. Les malandrins se sont évaporés. Certains ont fini aux galères de Sa Majesté, d'autres ont terminé leur carrière sur la roue ou au bout d'une corde. Quelques-uns ont gagné la province ou même les Amériques. Et beaucoup se cachent encore à Paris.

– Mais l'Alouette ?

– Peu ont su se reconvertir, ou profiter d'occasions inespérées. C'est pourtant ce qu'a fait l'Alouette. Elle s'est fait épouser par un beau parti, un homme très âgé, pas vraiment regardant sur le passé de son épouse, indifférent aux ragots, et qui ne cherchait que de la douceur pour accompagner ses derniers jours.

– Cet homme, qui est-il ?

– Là, vous m'en demandez un peu trop. Je pourrai

sans doute me renseigner à ce sujet, mais cela me prendra du temps. Et le temps, vous le savez, c'est de l'argent…

Il fit un pas en arrière et toisa Zinia avec un air de défi. Il n'en dirait pas plus, assurément. La jeune fille cherchait comment le faire parler plus avant. Elle regrettait déjà de lui avoir si vite rendu le papier. Pas question de lui verser la moindre somme.

Seingalt la salua d'un hochement de tête hautain. Il ne tenait pas à être présent lorsque d'Estafier et ses hommes s'empareraient de la fille. Zinia se tournait vers Léandre pour trouver un appui quand elle se retrouva face à… Molière. Celui-ci avait ôté en partie son costume mais il était encore maquillé.

– Vous êtes bien les confrères que j'ai vus hier sur le Pont-Neuf, n'est-ce pas ?

Des confrères ! Léandre mesurait l'hommage que leur faisait le comédien du roi !

– En effet, répondit-il. Mais c'est trop d'honneur de nous comparer…

– Du tout, monsieur. J'ai apprécié votre jeu à tous. La farce, la comédie à l'italienne, voilà ce qui plaît au peuple !

Ils furent vite rejoints par Smeraldina et Truffaldin. Celui-ci, tout ému, tremblait de pouvoir s'adresser directement à son idole.

– Nous sommes, monseigneur, modestes baladins,
À peine savons-nous deux, trois alexandrins…

– Qu'importe les mots si le public ne rit pas ! reprit Molière.

On lisait dans ses yeux la nostalgie du temps où il

jouait sur les routes de France, l'époque où il ne mangeait peut-être pas tous les jours, mais où il apprenait son métier. Quand Madeleine Béjart, son amie de toujours qui venait de mourir, était encore à ses côtés.

Zinia était charmée par cet homme au visage triste où renaissait parfois l'éclat de la jeunesse. Elle aurait aimé mieux le connaître et rester à l'écouter, mais Seingalt s'éloignait. Comment quitter Molière lorsqu'il venait vers vous pour vous féliciter ?

Soudain, une ombre colossale leur masqua la lumière des dernières chandelles.

– La Roquette ! s'étonna Zinia. Que fais-tu là ?

– Pas rester ici, fillette. L'homme à la balafre t'attend. Avec lui, des hommes. Vingt. P'têt' trente. Trop pour moi. Y risquent de t'avoir.

Bien qu'elle ne l'eût pas revu depuis leur rencontre de la veille, Zinia se doutait que le géant la protégeait de loin.

– Des soucis ? intervint Molière.

– Il semble que des hommes armés en aient après nous, dit Zinia.

Puis, après hésitation, elle corrigea :

– En aient après moi.

Molière l'observa avec curiosité, puis, sans faire de commentaire :

– Il y a une autre sortie, en passant par les coulisses. Vous rejoindrez les jardins et, de là, vous pourrez gagner la rue de Richelieu…

– Allons-y !

– La Grange ! appela le maître de la troupe. Ferme les portes du théâtre dans dix minutes.

174

Ensemble ils traversèrent les coulisses où les comédiens achevaient de se démaquiller. Truffaldin avait du mal à cacher son émotion. Il se trouvait dans le lieu où, plus que tout au monde, il eût aimé travailler. Tout en avançant, il se rapprocha de Molière :

– Maître, pensez-vous que, un jour, ici, peut-être,
Je puisse dire vos vers, assis à cette fenêtre ?

Il venait de désigner une ouverture dans le décor.

– Si le temps le permet, pourquoi non, cher monsieur ?
Mais le climat, souvent, se montre capricieux…

Le petit groupe pénétra dans l'autre aile du Palais-Royal avant de rejoindre la rue de Richelieu par une petite porte. Molière jeta dehors un œil prudent.

– La voie est libre, dit-il à mi-voix.

Il avait pris un ton de conspirateur de théâtre. Zinia eut l'impression que la situation ne lui déplaisait pas.

– Merci, monsieur, lui dit-elle, un sourire dans les yeux.

– Je vous en prie, entre confrères…

À son tour, La Roquette scruta les alentours puis s'adressa aux comédiens.

– Mieux que vous sortiez par le théâtre, vous. Ceux qui nous attendent ne sont pas loin. À deux, Zinia et moi, nous serons moins visibles.

– Mais si nous sommes plus nombreux, nous serons plus forts, répondit Léandre.

La Roquette le toisa de la tête aux pieds et lâcha :

– Non.

Sans appel. Truffaldin voulut pourtant insister :

– Je ne voudrais pas, monsieur, vous laisser dans le soir

Et que l'on croie de nous que nous sommes des couards.

– Mieux sans vous, répéta La Roquette.

Puis, sans autres manières, il leur tourna le dos. Molière, alors, intervint :

– Ne désirez-vous pas, vous aussi, monter sur les planches ? Vous pourriez faire un personnage saisissant !

Le géant le dévisagea avec plus d'indifférence que d'enthousiasme.

– Moi ?... Non.

– Ma foi, tant pis. Je vais reconduire vos amis. Si vous avez besoin de moi, vous savez où me trouver. Peut-être un jour travaillerons-nous ensemble ?

Ils se saluèrent, mais, au moment où il allait refermer la porte, Molière demanda à Zinia :

– C'est bien vous qui interprétiez Scaramouche, hier, sur le Pont-Neuf, n'est-ce pas ?

– O... oui.

– Vous devriez rencontrer mon ami qui partage le théâtre avec moi et qui y joue les jours extraordinaires. Il n'est pas là en ce moment, mais vous auriez sans doute des choses à vous dire...

– Votre ami ?

– Oui. Le grand Scaramouche !

Et il referma la porte.

L'hôtel des Miracles

La nuit ne s'était pas encore tout à fait installée, et pourtant les rues étaient étonnamment vides. La Roquette et Zinia avançaient prudemment vers la place du Palais-Royal. Brusquement, des bruits de pas, là-bas, devant eux. Cinq hommes surgirent. Ils barraient la rue sur toute sa largeur.

— File, dit La Roquette, je les retiens.

— Je me bats avec toi, dit Zinia, et, déjà, elle avait sorti son épée.

— Pas question. Sont nombreux, reprit le géant. File !

La Roquette avait participé à suffisamment de rixes, de combats, d'échauffourées, pour juger la situation d'un coup d'œil. Son objectif n'était pas de l'emporter mais de protéger Zinia.

— Veux pas qu'ils te blessent. C'est pas comme hier. File. Te rejoindrai.

Elle savait qu'elle pouvait lui faire confiance. Elle remonta la rue de Richelieu en s'éloignant de la place. Derrière elle, la bataille s'engagea.

Elle atteignait la rue Sainte-Anne et s'en voulait

d'avoir abandonné son compagnon quand, à nouveau, elle perçut le bruit d'une cavalcade. Elle sortit la lame de son fourreau. Comment se comporter, seule contre plusieurs agresseurs ? Zinia se remémora alors les leçons de celui qu'elle continuait d'appeler son père. Ne pas se faire prendre à revers. Dos au mur. Conserver la possibilité de rompre le combat. Diviser les adversaires. Les surprendre. Engager sa lame en premier. Ses poursuivants étaient maintenant sur elle. Trois sur sa gauche, cinq à droite. Ses chances de s'en sortir étaient minces. Ne pas se laisser encercler. Pour les contrer, elle bondit aussitôt sur le groupe de trois, l'épée au clair. D'un battement, elle écarta la lame de l'un d'eux, se fendit, touchant un autre au genou. Elle se dégagea, puis revint sur le troisième. Il pointait son arme vers ses yeux. Elle le contra puis céda. Un saut sur le côté, contre-riposte. Elle esquiva un coup de taille, demi-cercle et elle toucha l'homme à l'épaule.

Elle avait l'avantage du premier assaut, mais ses adversaires n'étaient pas là pour satisfaire au noble art de l'escrime. Pour eux, tous les coups étaient permis. Le sang qu'elle venait de faire couler attisait leur détermination. Les cinq autres s'approchaient en renfort. Contre eux tous, elle ne pouvait plus rien. Pas de passant. Personne pour lui venir en aide. Huit lames brillaient désormais autour d'elle, menaçantes, décidées, sans pitié. Toute la science que lui avait inculquée Jean Rousselières ne suffirait pas pour faire face à l'assaut de ces brigands.

C'est alors qu'elle entendit le galop d'un cheval sur

sa droite. Une voiture remontait la rue. Un bourgeois pressé ? Un aristocrate égaré ? Avant qu'elle ait pu en juger, le fiacre tiré par deux chevaux s'élança droit sur les spadassins, mettant à mal deux de ses adversaires, faisant reculer les autres.

– Montez ! lança le cocher.

Zinia eut un instant d'hésitation. Mais un des agresseurs s'était ressaisi et, déjà, barrait le passage. Cela décida la jeune fille. Sa lame jaillit encore une fois, écarta celle du bretteur, et d'un coup d'estoc, lui perça la gorge. Elle bondit ensuite dans la voiture qui s'envola au galop.

Le fiacre filait dans les rues assombries de Paris. Seule dans la voiture, Zinia reprenait sa respiration. Du sang coulait de son bras. Elle se redressa, souleva le lourd rideau noir et se pencha dehors. Il était difficile d'apercevoir le cocher.

– Merci ! cria-t-elle.

Pas de réponse.

– Je crois que le danger est écarté. Nous pouvons nous arrêter, dit-elle encore.

Silence. Il ne l'entendait pas. Ou alors… Avait-elle échappé aux hommes du balafré pour tomber dans un nouveau piège ? L'attelage allait trop vite pour qu'elle envisageât de sauter en marche. Où filaient-ils ainsi ? Elle ne connaissait pas suffisamment Paris pour le dire. En dépit des cahots, elle parvint à sortir son buste par l'ouverture dans la portière. Sur le toit, elle repéra une barre destinée à fixer les bagages. Si elle réussissait à la saisir, elle pourrait se hisser au sommet. Elle faisait une tentative quand la voiture modéra son allure. Zinia en profita pour se laisser choir sans grand danger sur le pavé à l'instant même où l'attelage s'engouffrait dans la cour d'un hôtel particulier.

La jeune fille demeura dans l'ombre, à regarder le portail se refermer. Venait-elle d'échapper à son ravisseur ou à son sauveur ?

Elle entreprit de contourner la propriété. Vingt mètres plus loin, quelques moellons descellés ouvraient une brèche dans un mur dont Zinia profita.

La lune éclairait les massifs non entretenus, les parterres laissés aux mauvaises herbes, les vasques brisées, les fontaines taries. Le maître négligeait son domaine. Cependant, au bout d'une allée mangée par les buis, la demeure scintillait. Le rez-de-chaussée était vide, alors qu'à l'étage six hautes croisées laissaient deviner des silhouettes allant et venant dans la clarté des chandelles. Zinia décida de tenter sa chance et se glissa à l'intérieur par l'une des portes-fenêtres.

Aucun meuble, peu de tableaux. Une impression d'abandon. Dans un coin, sur le sol, des couvertures roulées. Quelqu'un avait campé là. Elle jeta un coup d'œil discret vers le hall voisin : quatre hommes jouaient aux dés sur le dallage de marbre. Plus haut, dans l'imposant escalier, on discutait en fumant la pipe. La plupart de ces gens portaient de pauvres vêtements élimés, capes trouées et bottes poussiéreuses. Quelques rares chandelles posées sur le sol vacillaient. Où était-elle tombée ?

Sa tenue modeste lui permettrait sans doute de se mêler à ces personnes. Mais la prudence l'incita à trouver un autre moyen pour gagner l'étage. Passant de salon en salon, elle découvrit bientôt un petit secrétaire dont la délicatesse jurait avec le reste du décor. La jeune fille l'explora. Il était vide. Pas de double fond, pas de pied creux, certains tiroirs manquaient. Elle avait espéré y dégoter un indice, une lettre, quelque chose qui lui dît chez qui elle s'était invitée. Mais rien. Ce meuble avait été comme oublié là. Zinia comprit que ce ne pouvait être par hasard et qu'il bloquait l'accès à une porte habilement dissimulée dans un pan du mur. Elle déplaça le secrétaire. Derrière, un escalier dérobé montait vers les étages. Sans hésiter, elle s'y engagea.

Au premier, un grand salon prenait toute la façade sur le jardin. Contre un des murs était dressée une longue table regorgeant de nourritures et de vins. Il y avait foule dans la pièce, trente, quarante invités peut-être. Mais pas de la sorte que l'on pouvait s'attendre à croiser dans un tel lieu : à voir les trognes, les nippes, les poses, Zinia comprit qu'elle se trouvait en présence d'une assemblée de voleurs, de mendiants, de canailles, comme si la cour des Miracles avait pris ses quartiers dans ce mystérieux hôtel très particulier. Puisqu'ils conversaient calmement, elle se risqua parmi eux.

Elle glissa nonchalamment d'un groupe à l'autre, laissant traîner son oreille avec l'espoir de saisir une information utile, mais, si elle s'approchait trop, les bouches se fermaient et on la dévisageait avec suspicion. Elle longeait le buffet lorsqu'elle remarqua un homme qui ne la quittait pas des yeux. L'avait-il vue entrer par la porte dérobée ? Elle lui tourna le dos, feignant l'insouciance, et se saisit d'une cuisse de poulet dans laquelle elle mordit goulûment. Face aux victuailles, elle cherchait à se faire oublier. Mais soudain, le brouhaha des conversations cessa. Elle reposa lentement le morceau de volaille avant de faire volte-face. Une angoisse la saisit au ventre : toute l'assemblée la regardait fixement.

– Approchez, jeune homme, fit une voix au fond du salon.

Zinia découvrit alors, rayonnant au cœur d'une compagnie chichement vêtue, une femme élégante dont elle reconnut aussitôt la robe de taffetas vieux rose. La comtesse de Villotière trônait au milieu d'une cour de brigands. À ses côtés, l'homme dont Zinia avait accroché le regard et que, maintenant, elle reconnaissait. Il s'agissait du valet qui accompagnait sa maîtresse au théâtre et, peut-être, du cocher qui l'avait sauvée de l'embuscade.

– Approchez, répéta encore la comtesse.

Confortablement alanguie sur un sofa vert, accoudée à des coussins vieil or, elle porta à ses lèvres un verre de vin délicieusement ambré.

– Mes amis, voici le jeune garçon qui, chez M. Molière, cet après-dîner, cherchait l'Alouette.

On observa Zinia avec encore plus d'attention.

– Madame, fit la jeune fille dans un salut un peu maladroit, je tiens à vous remercier. Votre cocher m'a sortie d'un mauvais pas.

– J'ai appris cela, en effet. Qui êtes-vous, jeune homme ?

– Je suis un comédien de la troupe du Soleil de France. On me nomme Scaramouche.

– Scaramouche ! Rien que ça ! Et pourquoi Scaramouche cherche-t-il l'Alouette ?

– Ce… c'est une affaire personnelle, madame la comtesse. Mais peut-être pourriez-vous m'aider à la retrouver ?

– Vous êtes un jeune homme bien mystérieux. La connaissez-vous ?

– Personnellement, non. Mais mon père l'a bien connue…

– Votre père ?

La comtesse s'était légèrement redressée.

– Sauriez-vous où je dois m'adresser ? poursuivit Zinia.

– Qui est donc votre père ? insista la comtesse.

– Sébastien Leroux, mais on l'appelait également le Renard.

À ce nom, tous échangèrent des coups d'œil complices. La comtesse Aspasie de Villotière ne quittait plus Zinia des yeux.

– Certains d'entre nous ont peut-être connu l'homme que vous évoquez, mais, à notre connaissance, il n'avait pas de fils…

– Sans doute, dit Zinia, mais…

D'un mouvement brusque elle arracha le bonnet qui lui couvrait la tête. Sa longue chevelure rouge tomba, tel un feu sur ses épaules.

– … il avait une fille !

Rue Neuve-
des-Petits-Champs

Il était près de deux heures du matin lorsqu'un carrosse quitta l'hôtel particulier situé au 6 de la rue Neuve-des-Petits-Champs. Il tourna aussitôt dans la rue Vivienne, qu'il descendit jusqu'au bout. À son bord, le marquis de Villarmesseaux ne décolérait pas. Il sortait d'une désagréable entrevue avec M. Colbert. Le ministre l'avait convoqué en pleine nuit pour avoir des précisions sur cette rixe qui avait troublé le quartier autour du théâtre de M. Molière. Il était remonté aux oreilles du surintendant que des hommes de main, attachés à la maison du marquis, avaient été impliqués dans cette échauffourée.

– Vous savez à quel point Sa Majesté est soucieuse que la paix règne dans sa ville de Paris, avait lâché Colbert d'un ton froid dans lequel planait une menace à peine voilée.

Le marquis avait dû convaincre le ministre de son ignorance des faits, l'assurant qu'il veillerait personnellement à mettre de l'ordre chez ses gens. Les deux hommes s'étaient séparés avec une politesse glaciale. En remontant dans son carrosse, le marquis s'était juré que, une fois l'affaire des quatre soleils résolue, il userait de son crédit afin que le petit ministre ne fît pas long feu et subît le sort qu'on avait réservé à Fouquet plus de dix ans auparavant.

Cependant, pensait-il, Colbert n'avait pas entièrement tort. Bertaud d'Estafier avait agi dans la précipitation et, surtout, avec un manque de discrétion qui pouvait porter un lourd préjudice à toute son entreprise. Et tout cela pour que la fille leur échappe une deuxième fois ! Gaëtan de Villarmesseaux ruminait sa colère. Lui, pourtant rompu aux intrigues, se voyait berné pour la deuxième fois par une gamine de province. Certes, elle avait bénéficié de secours imprévus, mais dans le monde où le marquis évoluait, on ne présentait pas d'excuses. En cas d'échec, on payait. Et cher. Les hommes qu'il côtoyait n'admettaient ni l'erreur, ni l'incompétence. Et il devait s'avouer qu'il avait sous-estimé cette donzelle.

Son carrosse tourna à droite dans la rue des Filles-Saint-Thomas et s'arrêta à hauteur des jardins à l'angle de la rue Notre-Dame-des-Victoires. Là, un homme sortit de l'ombre et s'approcha. Le marquis lui ouvrit la portière.

– Montez, monsieur de Seingalt. J'ai hâte d'avoir des précisions sur votre rencontre de cet après-dîner.

Marie, l'Alouette

– Il est deux heures ! Bonnes gens, dormez ! Le guet veille !

Le cri, répété par la milice bourgeoise, montait de la rue. La nuit était au plus noir. Dans l'hôtel de Villotière, les lumières s'étaient progressivement éteintes ; les invités de la comtesse avaient pris leurs quartiers dans les salons vides, sur les paliers déserts, campant comme ils pouvaient, drapés dans leurs manteaux sur des matelas de fortune. Mais, dans la chambre de la maîtresse des lieux, la lumière jaune d'une chandelle veillait encore. Aspasie de Villotière s'était retirée en demandant à Zinia de la suivre. Ce qu'elle avait à lui dire était confidentiel. Assise sur son lit, elle s'était adossée au baldaquin, et devant elle, la jeune fille aux cheveux rouges attendait qu'elle veuille bien parler.

– Que sais-tu du Renard ? demanda la comtesse. Pourquoi crois-tu qu'il s'agit de ton père ?

– Un de ses amis m'a renseignée. Un compagnon de chaîne…

– Aux galères ?

– Oui.

– Et où est-il, maintenant, ton père ?

– Il est mort.

La comtesse resta un instant immobile, sans voix, puis son regard se tourna vers la flamme et s'y fixa. Ses yeux brillaient. Elle demeura ainsi, silencieuse, de longues minutes, la bouche légèrement entrouverte, comme si respirer lui était devenu difficile. Puis, sans bouger, elle reprit :

– Je n'ai pas toujours été comtesse…

– Vous êtes l'Alouette, n'est-ce pas ? demanda Zinia.

– C'est sous ce nom que ton père m'a connue, oui.

En disant cela, un sourire éclaira son visage.

– Où était-ce ? Quand ?

– Il y a dix ans… Cela me semble hier. Mon véritable prénom est Marie. Je gagnais ma vie… comme je pouvais. Petite, on m'avait appris à tendre la main dans la rue pour manger le soir. J'ai grandi là, à Paris, entre les Halles et les boulevards. Ma famille, c'était les voleurs et les mendiants ; ma maison, la cour des Miracles. Le Grand Coesme m'avait prise sous son aile…

– Qui ?

– Le Grand Coesme. Il était encore le patron, celui qui décidait, qui partageait les bénéfices, qui tranchait lorsque deux brigands s'affrontaient… C'était le maître, le juge et le capitaine élu par tous. Ce jour-là, il avait orchestré un coup de force : l'un des nôtres devait être transféré de la Bastille au Châtelet pour y subir un interrogatoire et nous devions le libérer. Le Grand Coesme voulait ainsi montrer qu'il n'abandonnait pas ses compagnons. Et puis ce gars-là savait des choses qui ne pouvaient, en aucune façon, tomber dans l'oreille des gens d'armes du roi. Renseignements pris, le transfert était programmé à huit heures du matin. Le convoi devait emprunter la rue Saint-Antoine, celle de la Tissanderie puis celle de la Coutellerie… C'est là que nous devions intervenir, avant le carrefour. À cette heure, avec les halles toutes proches, il y avait déjà du monde dans les rues. Le coup fut vite monté : une charrette en travers devant la voiture qui emmenait les prisonniers, une autre derrière pour éviter tout repli, de faux marchands pour semer le désordre, des harengères qui abandonnaient leur étalage, des livreurs qui versaient leur marchandise… Empêtrés dans cette populace, les soldats d'escorte se retrouvèrent dans l'impossibilité d'agir. Très vite, la serrure du fourgon sauta et notre homme fut libéré. Ce que nous ignorions, c'est qu'ils étaient trois à être convoyés ce jour-là. Et l'un d'eux était ton père.

En prononçant ces mots, l'Alouette se tourna vers Zinia.

– Dès que les prisonniers furent dehors, tout le monde se dispersa, poursuivit-elle.

– Vous y étiez ?

– Bien sûr. J'étais juste devant la porte du fourgon lorsque ton père en est sorti.

– Comment était-il ?

– Assez grand, bien mis, les muscles visibles sous la peau et des cheveux… rouges. Comme les tiens. Lorsque la porte du fourgon s'est ouverte, il a eu un instant d'hésitation. Et puis il nous a suivis. Une fois à l'abri, il a fallu décider de ce que nous ferions des deux évadés supplémentaires. Pouvions-nous avoir confiance en eux ? Allaient-ils rester parmi nous ? Ils durent comparaître devant notre assemblée.

Le premier était un faussaire à ce qu'il nous a dit. Un homme qui truquait les poids pour gruger les marchands. Déjà promis aux galères, il n'avait qu'un désir : fuir la capitale et même la France, s'embarquer pour le Nouveau Monde, là où aucun passé ne l'embarrasserait.

Ton père, lui, ne s'est pas livré aussi vite. Il a commencé par nous dire qu'il était innocent, ce qui nous a bien fait rire. « Mais nous sommes tous innocents ici ! a lancé le Grand Coesme. Tu peux garder tes secrets, mais tu dois nous payer ton évasion. As-tu de l'argent caché quelque part ? » Évidemment, il n'avait rien sur lui. « Alors, tu vas devoir travailler pour nous ! » Et il fut ainsi convenu qu'il devrait prendre part à nos trois prochains coups.

– Vous a-t-il donné son nom ? son vrai nom ?

– Fox. Jérémie Fox.

– Jérémie Fox, répéta Zinia.

Après Sébastien Leroux, le Renard, elle découvrait une nouvelle identité pour ce père inconnu. Fox, était-ce là son véritable patronyme ?

– Évidemment, reprit l'Alouette, avec ses cheveux rouges, il est vite devenu le Renard. Et ce nom semblait lui plaire. Il accepta le principe de la dette pour sa libération et participa aux trois coups en question. J'en étais moi aussi, et, comme les autres, j'ai remarqué que le Renard veillait à ne blesser personne. Il faisait le guet, tenait les chevaux et évitait par-dessus tout de se commettre définitivement avec les autres voleurs. C'est d'ailleurs cette réserve qui a agacé le Grand Coesme : il estima, à l'issue des trois équipées, que ton père ne s'était pas suffisamment impliqué et n'avait pas effacé sa dette. Il voulut le contraindre à d'autres coups, plus risqués. Mais ton père refusa et, lorsque les hommes de main du Borgne voulurent s'emparer de lui, il avait déjà disparu. Dès lors, sa tête fut mise à prix par la cour des Miracles. Ton père, déjà recherché par la police du roi, devait maintenant se garder de la colère du Grand Coesme.

Et l'on perdit sa trace. Tout le monde savait qu'il ne pouvait avoir quitté Paris, mais on ignorait où il se terrait. C'est alors qu'un bruit courut à son sujet : au moment de son évasion, il était accusé du pire des crimes, le régicide ! À l'époque, je refusais de le croire, mais de tous côtés en venait la confirmation : oui, Jérémie Fox avait été embastillé pour avoir tenté d'enlever le fils nouveau-né de Sa Majesté Louis le quatorzième. Une folie ! Et les premiers éléments de l'enquête le confirmaient. L'affaire sentait le soufre…

– C'est-à-dire ?

– On parlait de pratiques que l'Église réprouve, de messes dites à l'envers, de complicité avec Satan…

– De sorcellerie ?

– Chhhht ! siffla la comtesse.

Elle tendit l'oreille pour s'assurer que personne alentour n'écoutait leur conversation. On ne parlait pas impunément de Satan. Marie, dite l'Alouette ou Aspasie de Villotière, reprit un ton plus bas :

– On murmure qu'à Paris il existe encore des gens capables de distiller des filtres d'amour et de confectionner des poudres de succession. Ils offrent à Satan des nouveau-nés, et, plus le degré de naissance de l'enfant est élevé, plus la messe est efficace… Tu imagines ce que peut représenter pour ces gens le cœur du fils aîné du roi de France !

Zinia écoutait toute cette histoire avec un mélange d'horreur, de consternation et d'incompréhension. Elle n'arrivait pas à croire que son père pût avoir voulu enlever l'enfant du roi pour le livrer à des sorciers. Pas *son* père. Et pourtant… Qui avait été cet homme, cet inconnu ? Son ignorance laissait la porte ouverte à toutes les possibilités. Était-ce pour ce crime que, à son tour, elle était recherchée ? L'Alouette poursuivit :

– Ces rumeurs expliquent l'acharnement des brigands comme des serviteurs de l'État à retrouver le Renard. Car en quadrillant Paris, les policiers perturbaient les affaires du Grand Cœsme. Aussi, les malandrins questionnaient les mendiants, menaçaient les filles du Pont-Neuf, fouillaient les auberges, hantaient les cabarets, vidaient bouges, caves et souillardes pour mettre fin à cette histoire. Mais ni les uns ni les autres ne parvenaient à mettre la main sur lui. Le Renard apparaissait parfois, reprenant aux voleurs leur larcin du jour, et disparaissait comme il était venu. Certains brigands, trop cruels avec leurs victimes, furent retrouvés raides morts, une étoile au milieu du front. Et des hommes de justice qui appliquaient la loi avec un peu trop de rigueur aux dépens des miséreux se virent bien souvent ridiculisés. Petit à petit donc, la rumeur se répandit : ce personnage insaisissable imposait une justice qui valait mieux que celle du roi. Le peuple, qu'il favorisait, ne voulait pas croire à sa culpabilité, et il est certain que ceux qui bénéficiaient de son aide l'assistaient à leur tour, rendant son arrestation de plus en plus difficile. Il devint une sorte de personnage légendaire. Les semaines passaient, la police s'énervait et le Grand Coesme se sentait chaque jour humilié par cet effronté qui le narguait. Police et brigands décidèrent alors de s'unir pour faire tomber celui qui les gênait tous autant. Un piège lui fut tendu.

Elle fit une pause, comme si elle cherchait ses mots, puis reprit :

– Oui, un piège. Je n'ai pas su vraiment de quoi il s'agissait. On avait remarqué ma... sympathie pour ton père et on me tenait à l'écart. Je savais juste qu'il était prévu de mettre en scène une injustice, d'arrêter un innocent, de sorte que le Renard quitte sa cache pour intervenir. De cette façon, le piège se refermerait sur lui. Mais le destin était encore de son côté. Un jour, vraiment par hasard, alors que je traînais du côté du Pré-aux-Clercs, derrière l'université, je remarquai sa silhouette au milieu d'un groupe d'étudiants. Je crus d'abord m'être trompée : ce n'est guère sur la rive gauche que l'on rencontre habituellement les hommes d'action. Mais, justement, c'est là que se trouvait une de ses caches. Je l'ai donc alerté, pour le piège. Il a d'abord prétendu ne pas être le Renard, puis il a fini par comprendre que je ne cherchais pas à l'abuser.

Tout en l'écoutant, Zinia observait l'Alouette. Elle parlait, le regard fixé sur un passé qui lui paraissait encore proche. Chacun de ses mots laissait voir que le Renard n'avait pas seulement été à ses yeux un simple marginal. À l'évoquer, sa voix vibrait et prenait la teinte douce-amère de la nostalgie.

– Je disposais, moi aussi, de contacts à Paris. Je lui dénichai d'autres cachettes. C'est ainsi qu'il demeurait insaisissable : chaque jour un nouveau repaire ; sans jamais confier à ses hôtes où il s'envolerait le lendemain. Et, dans ce petit jeu, je lui rendais service : j'allais en éclaireur voir si la place était libre, je le prévenais. J'étais ses yeux en son absence, sa voix lorsqu'il devait se taire, ses jambes quand il était fatigué. Mais, dans cette course effrénée, Jérémie n'avait qu'un but : clamer la vérité. S'il aidait les démunis, si parfois il volait les plus nantis, c'était toujours avec la volonté de réunir les preuves qui l'innocenteraient et confondraient les véritables coupables de la tentative de régicide.

– Il volait quand même ? demanda naïvement Zinia.

– Oui. Il fallait bien vivre, même si de cet argent, il redistribuait une partie. Il allait surtout en déposer systématiquement dans un lieu qu'il gardait secret. Un jour, j'ai voulu savoir où, et je l'ai suivi. J'ai découvert qu'il se rendait près des Halles confier son argent à un notaire. Malheureusement pour moi, il me surprit à son retour et crut que je cherchais à le trahir. À nouveau, il disparut. Et je me sentis vide, perdue.

L'Alouette s'interrompit encore une fois. Elle sortit de sa chambre, puis revint avec une carafe d'eau. Elle emplit un verre qu'elle tendit à Zinia avant de se servir. Elle but longuement avant de reprendre la parole :

— Deux semaines plus tard, il refit surface. Blessé. Il ne me donna aucun détail, mais il s'agissait pour moi d'une précieuse marque de confiance. Trois jours durant, nous ne sommes pas sortis. Je le soignais. C'est là, pendant ces quelques moments volés au temps, qu'il me parla. Un peu. Il évoqua sa femme et sa fille, si petite. Les deux choses les plus précieuses pour lui. Et j'en fus jalouse… Oui, il me parla de toi. Avec les menaces qui avaient pesé sur lui, il avait eu la prudence de vous mettre à l'abri. Et le notaire, c'était pour payer votre pension.

— Le notaire de la rue de la Cossonnerie…

— C'est ça.

— Et… les preuves de son innocence… ?

— Le complot était bien ourdi. Les pistes tournaient court. Ceux qui savaient se taisaient. Ou bien ils étaient morts.

— Le complot ? Quel complot ?

— Le Renard disait que toute cette affaire de régicide avait été montée pour le perdre. Pour le faire chanter. Mais que son honneur ne le ferait jamais céder.

L'Alouette se tut. Zinia repassa dans sa tête ce qu'elle venait d'entendre. Le récit laissait plus de zones d'ombre que de lumière. En peu de temps, elle avait découvert que son père n'était pas Jean Rousselières, qu'il avait été galérien, puis voleur, puis criminel, accusé de l'enlèvement du Dauphin… C'était beaucoup. Trop, sans doute, pour un seul homme. Ces mystères devaient cacher une vérité tout autre. Mais laquelle ?

194

– Cette histoire de régicide, continua Zinia, vous avez pu en savoir plus ?

– Peu de chose. Ce que l'on en disait : dans la nuit du 2 au 3 décembre 1661, quatre individus masqués s'introduisirent au château de Saint-Germain-en-Laye, où séjournaient le roi et sa famille. Ils réussirent à se glisser jusqu'à la chambre du Dauphin âgé d'à peine un mois. Alertés de justesse par un noble qui avait eu vent de ce projet, les gardes intervinrent et arrêtèrent les quatre hommes. Ceux-ci passèrent très vite aux aveux et déclarèrent avoir été payés par un aristocrate, le chevalier Jean-Baptiste de Fonziac. Ils décrivirent également en détail les armes de cette famille, brodées sur le tapis de selle du commanditaire de l'enlèvement. Le doute n'était plus permis.

Une troupe fut aussitôt envoyée pour se saisir du chevalier, mais celui-ci n'était pas chez lui. On pensa tout d'abord qu'il avait déjà fui la France. Ce n'était pas le cas. De retour d'une chasse en Sologne, il fut mis au courant de l'affaire et au lieu de fuir, alla se présenter aux autorités afin de laver son honneur. Cependant, la prudence lui fit confier auparavant, à l'un de ses amis, la charge de sa femme et de sa fille. Elles disparurent alors de Paris sans laisser de trace. Le chevalier, lui, fut immédiatement questionné au Châtelet, puis enfermé à la Bastille. Le lendemain de son arrestation, on décida de le confronter aux quatre hommes de main. Mais ceux-ci avaient été assassinés dans la nuit. On soupçonna le chevalier d'en être responsable…

« Le chevalier de Fonziac », chuchota Zinia pour elle-même. Encore un nom… À chaque nouvelle identité de son père, la jeune fille avait l'impression de voir des portes s'ouvrir les unes après les autres, à l'infini, sans jamais révéler ce qu'il y avait dans la pièce. Elle essayait d'imaginer cet homme accusé à tort – de cela, elle était certaine –, libéré par hasard, devenu otage de la cour des Miracles, puis recherché par tous et qui avait fini aux galères. Son père.

– Comment a-t-il fini sur les navires de Sa Majesté ? demanda-t-elle.

– Il avait échappé au Grand Coesme et aux gens d'armes pendant des mois, mais, il le savait, tôt ou tard, il tomberait dans un piège qui lui serait fatal. Alors, il eut une idée. Risquée. Il se fit arrêter sous un faux nom, Sébastien Leroux, pour un petit larcin de rien du tout. Il espérait ainsi rester quelques semaines en prison, le temps de brouiller les pistes. Qui irait chercher le dangereux Jérémie Fox, ou le maudit Jean-Baptiste de Fonziac, dans la geôle où l'on voulait le mettre ? Il ne pouvait anticiper alors que M. Colbert envisageait d'augmenter la puissance navale du royaume en développant le nombre de ses galères… et donc de ses galériens. Dans les prisons, on ratissa large, envoyant naviguer nombre de petits voleurs, de modestes malandrins. Ton père fit partie du lot. Sans doute espéra-t-il qu'il ne s'agissait que d'un mauvais moment à passer. Deux ans de galère, certains en réchappent. Pas lui…

Le ciel commençait à s'éclaircir. La silhouette des toits de Paris se dessinait dans la nuit d'encre bleutée. Bientôt le jour serait là, neuf.

Zinia comprenait que, désormais, lui incombait la tâche de rétablir la vérité sur son père, de laver son honneur et de confondre les véritables auteurs de la tentative d'enlèvement du Dauphin. Pourtant, beaucoup de choses lui échappaient encore et, confusément, elle sentait que cette histoire n'était pas étrangère aux tentatives d'enlèvement qu'elle avait déjouées.

– Que savez-vous des amis du chevalier de Fonziac ? demanda-t-elle à l'Alouette.

– Ses amis ?

– Oui : avant cette affaire, il devait bien avoir des amis, une famille, des gens en qui il avait confiance…

– Selon ses dires, la plupart de ses connaissances lui ont tourné le dos lorsqu'ils ont eu vent des soupçons qui pesaient sur lui.

– Personne qui puisse témoigner en sa faveur ?

– Non, personne. Sauf…

– Sauf ?

– Un assassin.

– Comment cela ?

– L'homme qui a tué les quatre hommes dans leurs cellules de la Bastille. Lui seul sait qui l'a vraiment missionné. Lui seul peut dire s'il s'agit de ton père, d'un complice… ou de quelqu'un d'autre.

– Et cet assassin, demanda-t-elle, sait-on de qui il s'agit ?

– À force d'enquêtes et de recherches, ton père a découvert son identité. Il s'agissait d'un gardien de prison qui disparut peu de temps après le meurtre des ravisseurs. Un homme trouble qui tirait de l'argent d'où il le pouvait, rançonnant les prisonniers pour leur fournir ce qu'ils désiraient, quelqu'un de prêt à tout.

– Quel est son nom ?

– Ribot. Victor Ribot. Après son quadruple meurtre, il comprit qu'il avait mis le doigt dans une histoire qui le dépassait. Un régicide, on ne plaisante pas avec ça ! Et si le véritable commanditaire était prêt à le payer pour faire disparaître toute piste remontant jusqu'à lui, il ne reculerait pas devant une disparition de plus. La sienne. Il s'est donc envolé.

– Où ?

– On ne l'a jamais su. On a longtemps pensé qu'il avait réussi à rejoindre les Amériques. Jusqu'à l'année dernière, où il a réapparu.

– Ici ? à Paris ?

– Oui.

– Et on peut le voir ? Lui parler ?

– Ça va être difficile…

– Et pourquoi ?

– Il doit être pendu dans trois jours.

La langue de Ribot

Le marquis de Villarmesseaux n'aimait pas cet endroit. Ce château mal fichu que l'on transformait à grands coups de millions, ces jardins marécageux infestés de moustiques, ce village inconfortable, sans charme, non, rien de ce lieu ne lui plaisait. Cependant, Sa Majesté, qui daignait l'honorer de sa confiance, l'avait envoyé vérifier l'avancement des travaux de ses appartements. Toutes affaires cessantes, le marquis n'avait pu que se rendre sur les lieux pour faire part à l'architecte, M. D'Orbay, de l'impatience du souverain à voir avancer la décoration de l'appartement qu'il destinait à sa maîtresse, Mme de Montespan. Celle-ci devait accoucher dans quelques semaines d'un nouveau bâtard royal, et Louis XIV désirait organiser prochainement une fête en l'honneur de sa favorite.

Non, le marquis de Villarmesseaux n'aimait pas Versailles, mais il profitait de la confiance du roi. Il avait acquis cet honneur plus de dix ans auparavant, en déjouant le complot qui visait à l'enlèvement du Grand Dauphin. Depuis lors, Sa Majesté confiait régulièrement au marquis des missions personnelles, et le nom de Villarmesseaux brillait à la ville comme à la cour.

Penché sur des plans dont il ne comprenait pas le sens, le marquis entendit soudain le galop d'un cheval. Curieux, il s'approcha de la fenêtre. Encore un coursier venant de Paris ? Ou bien de Saint-Germain ? Ce même jour, mercredi 6 avril, la France venait de déclarer la guerre aux Provinces-Unies. Les nouvelles arrivaient par vagues sur le chantier. Cette situation politique risquait de remettre en cause les festivités prévues.

Pour finir, il ne s'agissait pas d'un messager mais de Bertaud d'Estafier. Que venait faire son homme de l'ombre dans le château du Roi-Soleil ? Gaëtan de Villarmesseaux sortit à la hâte.

— Monsieur d'Estafier ! À Versailles ! Vous manquez singulièrement de discrétion.

— J'ai des informations nouvelles, monsieur le marquis. Et urgentes.

— Dites.

Ils firent quelques pas pour s'éloigner de la façade où œuvraient maçons et charpentiers.

— La personne que vous savez s'est rendue cette nuit chez la comtesse de Villotière...

— Ça, je l'ai appris par M. de Seingalt.

— La comtesse...

— Appelez-la par son nom de fille, qui sied mieux à ce qu'elle est réellement.

— Si vous voulez. L'Alouette, donc, l'a renseignée sur son père... Il se trouve qu'un homme à moi fréquente la petite cour qui hante l'hôtel de Villotière.

– Une cour bien… miraculeuse.

– Un homme qui sait laisser traîner ses oreilles là où il le faut. L'Alouette lui a également parlé de Victor Ribot et de son exécution prochaine.

– Oui, et… ?

– Il est à craindre que celui-ci ne se décide à parler à l'instant de monter sur l'échafaud. Ou même avant : la jeune Zinia va tenter de l'approcher pour en apprendre plus sur son père.

Le marquis fit quelques pas, pensif.

– Il est vrai que le récent retour de ce gêneur m'a posé quelques soucis. Mais nous sommes déjà convenus, certains de ses gardiens et moi, moyennant une indemnité très confortable, qu'il ne s'entretienne avec personne avant de mourir. Et plus : j'ai obtenu du bourreau, contre une somme encore plus considérable, de faire en sorte qu'il ne parle pas au pied de l'échafaud.

– Mais comment ?

– Ribot a eu le tort, pendant ses interrogatoires, de se laisser aller à des jurons et des cris impies qu'une oreille dévote ne peut entendre. Afin d'éviter au bon peuple de Paris d'ouïr de tels blasphèmes, j'ai abandonné quelques louis au bourreau pour qu'il lui coupe la langue lors de la question. C'est une pratique qui a déjà porté ses fruits et qui ne manquera pas de me désigner comme un catholique fervent.

Bertaud d'Estafier ne put empêcher un sourire d'arrondir sa vilaine balafre.

– Je ne pense pas que cela suffise, intervint pourtant ce dernier. Mon informateur a été plus précis :

avec l'Alouette et sa cour, elles ont l'intention de l'enlever.

Le marquis dévisagea son homme de main.

— L'enlever ? Un homme promis à l'échafaud ! Quelle témérité ! Le sang du père semble circuler dans les veines de la fille…

Il réfléchit quelques instants encore.

— Tout cela n'est pas si mal, en définitive. Et peut même nous aider à réaliser mon plan : éliminer cette gêneuse, et découvrir enfin où se cache le quatrième soleil. Mais pour cela, il nous faut regagner Paris sans attendre.

Un plan insensé

– Tu es folle ! Ne l'écoutez pas : cette fille est folle !

Smeraldina tournait en rond dans une des deux pièces où la troupe du Soleil de France avait trouvé refuge pour quelques jours. Devant elle, Zinia, immobile, les bras croisés, attendait que son amie se calmât.

– Smeraldina n'a pas tout à fait tort, dit plus sereinement Léandre. Ce que tu nous proposes là est pour le moins… périlleux.

– Inconscient ! reprit la soubrette.

– Mais je croyais que vous étiez des comédiens, se défendit Zinia.

– Justement ! Nous ne sommes ni des mercenaires, ni des espions, ni des… je ne sais quoi !

– Peut-être faudrait-il nous dire plus clairement À quoi va te servir un tel enlèvement.

– Je vous l'ai dit aussi, Truffaldin : c'est une question de justice. Et d'honneur.

– De justice ? Enlever un assassin des mains du bourreau !

– Cet assassin est la seule personne à pouvoir me

révéler l'identité de celui qui a fait arrêter mon véritable père. Celui qui est coupable d'un régicide…

Depuis son retour au sein de la troupe, en fin de matinée, Zinia leur avait partiellement raconté ce qu'elle avait découvert sur son père. Et maintenant, elle avait besoin d'eux pour réaliser son plan. L'Alouette, quant à elle, mobilisait les troupes parmi les refugiés de son hôtel particulier.

— Ce sera sans moi, poursuivit Smeraldina. Et puis, de toute façon, je n'aurai jamais le courage de faire une chose pareille. C'est trop dangereux.

Le silence s'installa. Zinia se trouvait à court d'arguments pour convaincre ses amis. Bien que déçue, elle comprenait leur position. Elle devrait agir sans eux.

— Moi j'en suis ! fit soudain une voix dans le fond de la salle.

Tout le monde se retourna. C'était Fabritio. Le plus âgé de la compagnie.

— Pour nous qui jouons des farces devant un public venu pour rire, un public qui sait que nous sommes là pour leur mentir pendant une heure ou deux, j'estime passionnant de voir jusqu'à quel point nous serons bons dans une telle improvisation…

Ses compagnons le dévisageaient, les yeux écarquillés, incrédules. Le vieux se leva et enchaîna :

— Oui, quoi ! Nous sommes comédiens, que je sache ! Et pendant les semaines de Pâques, nous n'avons pas le droit de jouer en public. Voilà une occasion rêvée d'exercer notre art, de nous risquer devant une vaste assemblée ! Et quels rôles, mes amis ! Toi, Truffaldin, qui rêves de faire du théâtre contemporain, n'y vois-tu pas la possibilité de t'exprimer avec le langage de tous les jours ? Et toi, Smeraldina, ne souhaites-tu pas exercer tes charmes autrement que pour la farce ? En tout cas, moi je serai ravi de ridiculiser à leur tour les gens d'armes qui ne manquent pas, à chacune de nos haltes, de mettre des bâtons dans les roues du chariot de Thespis !

Il y eut à nouveau un instant de silence, qu'Isabelle brisa :

– Quelle tirade !

– Il va encore me faire de la fièvre, lâcha Guillemette.

– Il est vrai que cela pourrait être plaisant, dit Fagotin, rêveur.

– À force d'exercer notre art sur les tréteaux,
Peut-être oublions-nous ce que c'est qu'être héros ?

– Évidemment…, séduire un sergent…, fit Smeraldina, les yeux brillants.

– C'est dit ! trancha enfin Fabritio, la troupe du Soleil de France est à tes côtés, Scaramouche ! Mais cette fois-ci, c'est toi qui vas nous mettre en scène…

Sur la place de Grève

Ce vendredi 8 avril 1672, trois heures du matin résonnaient encore au clocher de Saint-Jacques-de-la-Boucherie lorsque deux personnes frappèrent à la porte du presbytère. Le guet avait terminé sa ronde depuis vingt minutes et, maintenant, un silence noir et glacé retombait sur le quartier.

En l'absence de réponse, les deux visiteurs actionnèrent de nouveau le heurtoir, plus vigoureusement. On perçut bientôt des pas, puis la porte s'entrouvrit sur une femme âgée. En chemise, drapée dans une couverture élimée, elle brandissait une chandelle pour tenter d'éclairer le visage des importuns. Il s'agissait en fait de deux femmes dont l'une n'était plus très jeune. Elles étaient en larmes.

— Qu'est-ce que c'est ?

— C'est mon père, dit la plus jeune. Il est au plus mal. Sans doute va-t-il rendre l'âme avant le matin. Nous voudrions que M. le curé lui donne les derniers sacrements…

La vieille à ses côtés acquiesçait à chaque parole.

206

– Mais M. le curé dort à cette heure. Êtes-vous certaine que votre père ne passera pas la nuit ?

– Ah, madame ! Plaise à Dieu qu'il soit encore là à l'aube. Mais j'en doute.

– Avez-vous vu un médecin ?

– Ils ne veulent pas se déranger pour un simple artisan.

– Savez-vous l'heure qu'il est ?

– Le guet vient d'annoncer les trois heures…

La servante du curé dévisagea un instant les deux femmes en réfléchissant, puis :

– Où habitez-vous ?

– Rue du Petit-Heuleu.

– Hum. Vous ne dépendez pas de Saint-Nicolas-des-Champs, là-haut ?

– Heu…

– Bon, vous avez de la chance que M. le curé doive se lever tôt ce matin. Je vais le prévenir. Attendez-moi là.

Elle leur claqua la porte au nez. Dix minutes plus tard, le curé apparut. Mal réveillé, la soutane en désordre, il confia les huiles de l'extrême-onction à l'une des femmes en disant :

– Tenez. Je vous suis. Mais faisons vite : j'ai une autre tâche qui m'attend ce matin au Châtelet… Une tâche plus pénible encore.

Aussitôt après leur départ, sortant de l'ombre d'une maison voisine, deux hommes s'arrêtèrent devant le presbytère et prirent la direction des quais. L'un portait un habit de prêtre et l'autre de diacre.

– Guillemette et Isabelle ont été parfaites, dit le prêtre. Maintenant, elles vont le balader le temps qu'il faut. Et le plus loin possible. À nous de jouer. Tu as tout ?

– Voici les huiles et le crucifix.

– Parfait. Allons-y.

Ils prirent la direction du Châtelet.

Au même moment, passant la porte du Temple, un groupe de huit personnages se rendait rue de la Folie-Méricourt, où ils se disséminèrent dans les encoignures de portes, dans l'obscurité des murs environnants, et prirent leur mal en patience.

Bientôt, la porte d'une modeste demeure s'ouvrit, laissant le passage à deux hommes drapés dans de longues capes grises, anonymes. Ils n'avaient pas fait trente mètres que les embusqués les cernèrent, les menaçant de leurs épées. L'un d'entre eux s'approcha un peu plus près :

– Il ne vous sera fait aucun mal… si vous ne vous débattez pas.

– Nous n'avons point de bourse, dit le plus âgé des deux hommes.

– Vos capes nous suffiront.

– Nous avons un rendez-vous important et notre absence sera remarquée. Vous allez avoir les gens d'armes à vos trousses.

– Ne soyez pas inquiets : vous ne manquerez pas votre rendez-vous.

– Vous allez nous relâcher ?

– Pas exactement.

Celui qui faisait office de chef de la petite troupe fit alors signe à deux de ses hommes :

– À vous d'agir, maintenant.

Le premier s'enroula dans l'une des capes avec une révérence.

– Dans cet accoutrement, mais sans ostentation,
Nous allons au Châtelet pour donner la question.

– Truffaldin, tais-toi ! Tu as la… ?

Truffaldin sortit de son manteau un paquet emballé grossièrement et taché de sang, ainsi que deux grosses gourdes soigneusement fermées.

– Le boucher a eu l'air étonné des recettes dont je lui ai parlé : je lui ai vanté la douceur de la langue d'agneau…

Et les deux hommes, faux bourreaux mais véritables comédiens, partirent à leur tour vers le Châtelet où se préparait une sinistre besogne.

Autour du Châtelet, les nuits de Paris se voyaient régulièrement troublées par la venue de soldats qui prenaient position autour de cette prison où s'exerçait la justice des hommes. Les condamnés y subissaient la question avant de se faire conduire sur la place de Grève. Là, devant un public habitué à ce genre de spectacle, ils seraient pendus, roués ou décapités, selon leur faute ou leurs quartiers de noblesse.

Dans sa cellule, Victor Ribot ne dormait pas. Il avait choisi de passer sa dernière nuit sur cette terre à parler avec le garde qui ne le quittait pas des yeux. On lui avait autorisé une pipe et deux verres de mauvais rhum des

Amériques. Le condamné ne s'effrayait pas de sa pendaison. Il avait toujours pensé que, un jour ou l'autre, il finirait ainsi. Sans regret ni remords. Il redoutait uniquement le supplice de la question, censée lui arracher d'ultimes aveux avant de comparaître devant le tribunal de Dieu.

À trois heures et demie, un prêtre et son diacre furent introduits dans le couloir de la cellule. Il ne s'agissait pas du curé que Victor Ribot avait déjà vu venir confesser d'autres prisonniers. Sous leurs soutanes, Fabritio et Fagotin étaient pourtant plus crédibles que bien des prêtres qui officiaient à Paris.

— Le père Bourret est alité, murmura avec gravité son remplaçant. Mais ne craignez rien, mon fils : nous saurons vous entendre en confession et attirer sur votre âme la divine clémence.

Les deux religieux demandèrent ensuite à s'entretenir en privé avec le condamné. Les soldats se retirèrent.

Après la confession, les prêtres appelèrent la garde. Le commissaire prit le curé à part en lui demandant si Ribot n'avait pas avoué quelques autres fautes qui eussent pu éclairer la justice. Le condamné lui semblait plus serein que ces jours derniers. Sans doute le fait d'avoir soulagé sa conscience devant Dieu.

— Hélas, le bougre n'a rien révélé, dit le faux prêtre avec un regard triste.

— Eh bien, il parlera sans doute au bourreau !

Et, presque aussitôt, Victor Ribot fut emmené, pieds entravés, poings liés, dans la chambre de questionnement, parmi les pinces et brodequins, entonnoirs, chaînes et maillets, fers rougis et autres instruments destinés à lui meurtrir la chair.

Deux hommes y attendaient le condamné. Les bourreaux. Du moins en avaient-ils la tenue. L'un d'eux prit aussitôt la parole :

– Il convient maintenant que tous se retirent
Afin que nous sachions ce que Ribot peut dire.

Le commissaire le regarda avec surprise. C'était bien la première fois qu'il entendait un tortionnaire s'exprimer de la sorte. Ces gens qui faisaient métier de faire souffrir ou de donner la mort s'avéraient souvent bizarres. Il jugea donc préférable de les laisser seuls mener leur office et ne tenait d'ailleurs pas spécialement à demeurer dans la pièce. Il savait aussi qu'un influent membre de la noblesse avait obtenu du parlement de Paris qu'on coupât la langue au condamné pour qu'il ne puisse plus blasphémer en public lors de son exécution. Déjà les bourreaux préparaient leur matériel. Il était quatre heures passées.

Une demi-heure plus tard, sur la place de Grève, le bourreau officiel venait d'arriver avec ses deux assistants et, monté sur la petite estrade, il attachait un lourd sac de sable à la potence pour s'assurer que les bois de justice tiendraient le choc et que la mort serait instantanée.

Déjà, les premiers curieux s'approchaient pour occuper les meilleures places lors de la pendaison. Un cabaretier avait même l'habitude de louer les fenêtres situées au-dessus de son estaminet aux curieux capables

211

de payer comptant sa vue imprenable sur le gibet. Cet établissement occupait le rez-de-chaussée d'une maison fermant le fond de la place, à l'angle de la rue du Mouton, et s'ouvrant, de l'autre côté, sur la rue de la Tisseranderie. Un chariot lui livrait le mauvais vin qu'il vendait à prix d'or les jours d'exécution. On venait juste de décharger le dernier tonneau lorsque quatre hommes se présentèrent au cabaretier. Sans un mot, ils lui remirent comme convenu une bourse solidement garnie et gagnèrent le premier étage. Lorsqu'ils gravirent l'escalier, le patron feignit de ne pas remarquer les mousquets cachés sous leurs manteaux, ni la vilaine balafre qui marquait le visage de celui qui les commandait.

Les locataires se firent monter une soupe et du pain, refusèrent le vin, et commencèrent à attendre. À cinq heures précises, une escouade de mousquetaires et deux compagnies d'archers vinrent prendre place au pied du gibet et tout au long du chemin qui mènerait le condamné depuis la prison du Châtelet.

Le commissaire revint dans la chambre des questions bien après que les cris de Ribot eurent cessé. L'un des bourreaux lavait ses instruments, tandis que l'autre tentait de ranimer le condamné. Celui-ci avait le visage en sang et une mare rouge s'étalait sur le sol. L'homme de police mit un mouchoir sur son nez pour réprimer un haut-le-cœur.

— A-t-il parlé ? demanda-t-il.

— Non, hélas, dit un des bourreaux.

Quant à l'autre, il brandit une sorte de bocal et ajouta :

– Et je crois pouvoir dire que, désormais, Ribot

Ne pourra plus jamais prononcer un seul mot !

En s'approchant, le commissaire découvrit que le bocal contenait un liquide rouge dans lequel flottait un morceau de viande : la langue. De nouveau, il se sentit nauséeux, et il se détourna vivement, le mouchoir serré sur la bouche.

À six heures du matin, la place de Grève grouillait de curieux et la foule grossissait encore. Afin de se réchauffer, des marchandes proposaient pour quelques liards une soupe clairette avec un morceau de pain ou des pommes cuites au four. Aux badauds se mêlaient camelots, tire-laine, vide-goussets… Tout près de la potence, plusieurs groupes d'hommes faisant mine de ne pas se connaître jouaient aux dés en plaisantant. Ils portaient des vêtements d'artisans, de bourgeois ou de manœuvres mais tous avaient un point commun : ils se trouvaient là sur ordre de l'Alouette pour faire évader le condamné. Dans les rues avoisinantes, de lourdes charrettes attendaient, certaines prêtes à bloquer le passage et à paralyser les rues du quartier. Au cœur de la foule rôdaient cependant d'autres hommes décidés à intervenir. Bertaud d'Estafier leur avait demandé de s'assurer que personne n'empêche Ribot de rejoindre l'autre monde, au cas où ses mousquets n'atteindraient pas leur cible. Et l'un d'eux, vêtu de brun, bottes noires, avait pour ordre de supprimer une encombrante jeune fille aux cheveux rouges qui, ces derniers jours, circulait dans Paris en habits de garçon…

Or, Zinia se trouvait, elle aussi, sur la place. Portant une simple jupe et un corsage prêtés par Isabelle, elle s'ingéniait à se fondre dans cette foule qu'elle connaissait mal et qui, patientant là pour voir mourir un criminel, l'effrayait un peu. Elle estimait cependant de son devoir de participer au coup de force qui se préparait car, en définitive, c'était pour elle, et pour la mémoire de son père, que tout avait été organisé. L'homme qu'on allait amener à pendre semblait être le seul à pouvoir l'aider.

Pour se réchauffer, elle acheta un bol de soupe, puis s'approcha d'un baladin qui, sur un luth désaccordé, distrayait les badauds en improvisant une mauvaise complainte sur la prétendue vie du condamné. Ce n'était en fait qu'allusions grivoises mais rimées, ne correspondant en rien à la réalité. Le drôle menait sa complainte avec esprit. Il remarqua à son tour la jeune fille et lui lança un clin d'œil. Zinia lui trouva du charme. Beaucoup de charme, même. Ce qu'elle ignorait, c'était que, d'une fenêtre du premier étage au fond de la place, une paire d'yeux ne perdait aucun de ses déplacements.

Bientôt, un bruit commença à courir de bouche à oreille : le condamné venait de quitter le Châtelet. D'ici peu, les réjouissances allaient commencer.

Le convoi s'engageait déjà dans la rue de la Vannerie. La charrette avançait lentement, encadrée par une douzaine d'archers. À son bord, debout, entravé, Victor Ribot, revêtu d'une simple chemise. Les deux prêtres qui se tenaient à ses côtés paraissaient quant à eux moins à leur aise que lui, qui regardait la foule avec arrogance, et même avec un certain amusement.

Lorsque la charrette déboucha sur la place, les mousquetaires durent repousser le public pour dégager le passage jusqu'au crucifix où celui qu'on allait pendre était autorisé à faire une dernière prière.

On le fit descendre et, accompagné des deux religieux, il alla s'agenouiller devant la croix. Quatre archers le maintenaient par des chaînes. Sur l'estrade, le bourreau que l'Alouette n'avait pu ni acheter ni remplacer attendait, massif, serein, menaçant. Sur le pavé, le commissaire et ses hommes veillaient au bon déroulement de l'exécution. Plus loin, aux fenêtres de l'Hôtel de Ville, échevins, conseillers, quartiniers s'étaient installés pour le spectacle.

— Allons, dit enfin le commissaire. Il est temps.

On fit relever Victor Ribot et on l'amena au pied de la potence. Alors, tout en lui laissant les mains liées, on lui libéra les pieds pour qu'il puisse gravir les huit marches qui menaient à la corde.

Au premier étage du cabaret, Bertaud d'Estafier avait mis ses hommes en position.

— Tenez-vous prêts. Dès qu'il sera en haut de l'estrade, faites feu !

Le condamné mit le pied sur la première marche de la potence.

Dans l'angle nord-ouest de la place, un cri de femme se fit soudain entendre :

— Virago ! Largue ! Poissarde ! Elle m'a volé mon homme !

Deux femmes s'étripaient avec violence devant le mari de l'une d'elles qui paraissait tout penaud.

– Cornarde ! Branchoyée !

Elles en vinrent aux mains malgré l'homme qui tentait de les séparer. Smeraldina, Isabelle et Fagotin jouaient leur rôle avec le plus grand sérieux : la plus ronde des deux repoussait son soi-disant mari dans la foule en glapissant de plus belle. Les spectateurs, d'abord amusés, commençaient à s'irriter des coups qu'ils recevaient à leur tour. Le chahut prenait de l'ampleur. Le commissaire dut envoyer des archers pour faire cesser ce tapage, intolérable en cet instant solennel. À cet instant précis, une charrette de foin enflammé fut lancée sur la foule par la rue de la Mortellerie. Le désordre sur la place redoubla.

– Surveillez le condamné ! cria le commissaire.

Craignant de voir échapper celui qui devait être pendu, il donna l'ordre de repousser la charrette vers le fleuve. Ce faisant, il affaiblit la garde autour de la potence. C'est le moment que l'Alouette et ses sbires choisirent pour sortir de leurs manteaux les couteaux et les épées qu'ils y avaient cachés et menacer les gardes qui ne pouvaient pas manœuvrer dans la foule déchaînée. Parmi eux, Zinia et l'Alouette se chargèrent de Victor Ribot. Les hommes de la comtesse leur avaient ouvert le chemin et combattaient archers et mousquetaires sans faiblir.

De sa fenêtre, le balafré, lui, ne pouvait pas voir le condamné, masqué par l'échafaudage de la potence.

– Cherchez le bon angle, cria-t-il, et, dès que vous l'avez en vue, tirez !

Mais Ribot s'était accroupi et restait invisible. Une salve partit quand même. Deux balles se perdirent, l'une dans la tête d'un badaud et l'autre dans le cœur d'un mousquetaire. Mais le condamné était indemne.

Les coups de feu semèrent aussitôt la panique dans la foule. Deux des hommes de l'Alouette repoussèrent les gardes encadrant Ribot, toujours enchaîné, et Zinia, qui se tenait toute proche, s'élança vers lui :

– Par ici !

Ribot dévisagea avec surprise cette jeune fille qui venait à sa rescousse. Derrière, vêtue en harengère, l'Alouette retenait tant bien que mal un assaillant, tandis qu'à l'entrée de la place un complice attendait sur une voiture destinée à bloquer la rue derrière l'évadé. Tout autour, l'agitation était à son comble, entretenue par les hommes de l'hôtel des Miracles.

– Vite, insista Zinia.

Déjà, on leur dégageait le chemin. L'Alouette tirait Victor Ribot vers la voiture, Zinia assurant les arrières. Les mousquetaires, constatant la manœuvre, tentèrent de s'interposer. On sortit les épées. Les badauds refluaient dans la confusion et la terreur. Tous avaient compris qu'une évasion se jouait devant eux. Dans ce tumulte, l'homme en brun avait repéré sa proie : cette fille aux cheveux rouges. Il avait déjà sorti une fine dague de son pourpoint et s'approchait, déterminé, ne se trouvant plus désormais qu'à trois pas. Elle lui tournait le dos. L'Alouette n'avait rien remarqué, et ses complices avaient suffisamment à faire avec les soldats. L'homme allait porter son coup meurtrier quand celui-ci fut dévié par le bois d'un instrument de musique. C'était le baladin au luth désaccordé. Dans le tumulte, il avait assisté à la scène, repéré l'assassin et bondi pour sauver la belle aux cheveux rouges. Il planta alors sa propre arme dans la poitrine de l'homme en brun. Le sang jaillit, ses jambes ployèrent. Il s'effondra.

– M… merci, balbutia Zinia à l'inconnu. Je…

– Pas le moment ! lui lança-t-il. Allons-y !

Il repoussa violemment un archer, rejoignant l'angle de la place et de la rue de l'Épine. Sur un signe de l'Alouette, un complice avança la voiture qui, aussitôt, fut renversée et incendiée. On s'élançait de toutes parts pour rattraper le condamné. Bertaud d'Estafier, lui aussi aux premières loges, les avait devancés et attendait les fuyards au carrefour suivant. Lorsque Ribot apparut dans sa ligne de mire, il fit feu.

Ce fut l'Alouette qui prit la balle en pleine poitrine. Elle tomba dans les bras du baladin en soupirant :

– La voiture, là, rue de la Poterie.

Et elle ferma les yeux.

En effet, un cocher les attendait derrière une barrière de fortune. À bord de la voiture, Truffaldin, qui avait jeté sa défroque de curé, et Léandre qui, lui, avait gardé celle de bourreau. Victor, malgré ses chaînes, porta l'Alouette à l'abri à l'intérieur, tandis que les comédiens aidaient Zinia à s'y hisser à son tour. Le cocher fouetta alors ses chevaux, qui s'envolèrent sous les tirs inefficaces des mousquetaires.

M. de Clinchamps

Dans son bureau sans charme, au deuxième étage du Châtelet, Gabriel Nicolas de La Reynie, lieutenant général de police, venait d'écouter le rapport de ses hommes qui avaient assisté, impuissants, à l'évasion du condamné le matin même. Leur récit s'avérait, en fait, un peu confus. Il semblait que, dans la foule, s'étaient mêlés ceux qui avaient organisé l'évasion et d'autres qui avaient cherché à l'empêcher. Tout cela demeurait bien étrange.

M. de La Reynie s'était depuis fait porter le dossier du condamné. Pour quelle raison avait-on mis tant de moyens pour qu'un être apparemment si médiocre pût échapper à son juste châtiment ? Le lieutenant général parcourut une nouvelle fois les feuilles étalées devant lui. Ce Ribot s'était révélé un gardien de prison à l'honnêteté douteuse avant de disparaître, une dizaine d'années plus tôt, à l'époque de l'affaire Fonziac, ce jeune noble impliqué dans un crime de lèse-majesté et dont on avait également perdu la trace. Troublant. Y avait-il un lien entre ces deux affaires ? Ribot détenait-il des informations utiles à ses libérateurs ? Et pourquoi cette histoire refaisait-elle surface aujourd'hui ? Fallait-il craindre un nouveau complot ourdi contre le roi ou ses proches ? Il importait d'en apprendre plus.

Il rangea ses dossiers et fit appeler Pierre de Clinchamps, homme de confiance chargé d'animer l'indispensable réseau d'indicateurs qui permettait de prévenir les mauvais coups et d'assurer la tranquillité des sujets de Sa Majesté. Clinchamps, dans son habituel costume terne, bénéficiait d'une apparence d'une telle insignifiance que personne ne lui faisait jamais l'aumône de la moindre attention. En outre, l'homme était doté d'un sens de l'observation et d'une mémoire particulièrement développés, et il savait, sans scrupule, manipuler les informateurs de tout poil.

– Je compte sur vous, monsieur de Clinchamps, pour retrouver le condamné, mais il m'importe surtout de connaître les raisons de son évasion. Il y a, là-dessous, quelque chose qui m'échappe. Mettez tout en œuvre.

Clinchamps s'inclina sans un mot. Il ne discutait jamais les ordres. Il sortit du cabinet de travail aussi discrètement qu'il y était entré. M. de La Reynie, quant à lui, sonna pour que l'on préparât sa voiture : son rendez-vous avec M. Colbert approchait. Le ministre d'État lui-même s'inquiétait des événements survenus le matin et voulait disposer de tous les éléments pour en tenir informée Sa Majesté.

Les turpitudes
d'un gardien de prison

On était au milieu des champs. Ou presque. Au cœur des jardins qui s'étendaient entre la rue de Babylone et la rue Blomet, à l'arrière de ce bâtiment imposant, que le roi destinait à l'accueil de ses soldats à la retraite ou que les guerres avaient laissés invalides. Dans ce faubourg que Paris n'avait pas encore marqué de sa griffe, le comte de Villotière avait acheté, bien des années auparavant, une maison toute simple, qu'il avait offerte à l'un de ses plus fidèles serviteurs, André Moreau. Ce dernier s'y était installé avec sa femme malade. En quelques mois de séjour, grâce à l'air pur qu'on y respirait, la dame s'était rétablie et, depuis lors, Moreau se sentait redevable à son bienfaiteur. À la mort de celui-ci, il avait juré fidélité à la jeune comtesse, qui avait continué, par ses largesses, à subvenir aux besoins du vieux ménage.

Lorsque, en début de matinée, une voiture vint se ranger dans la cour qui jouxtait son habitation, Moreau s'alarma : il ne recevait jamais de visite. Les hommes qui en descendirent l'inquiétèrent davantage : l'un d'eux portait des chaînes aux poignets. Mais, lorsqu'il aperçut la comtesse, inconsciente, une large tache rouge auréolant son corsage, il ne posa aucune question. Il alerta sa femme, et tous deux s'employèrent à lui porter secours et à offrir un abri à ses compagnons.

Deux heures après dîner, le soleil avait fait une apparition entre les nuages. La comtesse avait reçu des soins mais était toujours inconsciente. Trois de ses hommes les avaient rejoints. Tout ce monde s'entassait dans l'étroite demeure.

— Son sort est désormais entre les mains de Dieu, dit la mère Moreau, en rassemblant les linges souillés de sang.

— Peut-être vaudrait-il mieux faire venir un chirurgien ? suggéra Zinia.

— J'ai bien peur qu'il ne se mette à poser des questions… indiscrètes, fit remarquer Léandre.

— Quoi qu'il en soit, intervint Moreau, Mme la comtesse peut rester ici le temps qu'il faudra mais je crains que, vous tous, dans un quartier aussi calme…

— Vous avez peur qu'on ne passe pas franchement inaperçu ? demanda Zinia.

— Les bruits courent vite dans la capitale. Ils auront tôt fait de revenir aux oreilles de la police.

— Avant que cett' police nous transforme en lambeaux, Peut-être faudrait-il interroger Ribot ?

— Tu ne te reposes jamais, Truffaldin ? lâcha Léandre, les yeux tournés vers le ciel.

– Il a raison, reprit Zinia. Si nous avons fait tout cela, c'est bien pour l'entendre. Allons-y.

– Et… lui ? demanda Léandre en désignant le baladin.

Dès leur arrivée, tandis que la Moreau soignait la comtesse, le jeune homme s'était isolé dans un coin, caressant son luth dont la caisse avait été marquée d'une longue estafilade. Voyant que, enfin, on s'intéressait à lui, il bondit sur ses jambes et, d'une profonde révérence, se présenta :

– Je me nomme Tortorin,

Marionnettes et tambourin !

Funambule et comédien,

Spadassin ou Scapin,

Danseur près des Gobelins.

Plus souvent baladin

Avec des bons à rien,

Je me nomme Tortorin !

– Un confrère ! s'exclama Léandre.

Truffaldin ne semblait pas du même avis :

– J'ai, moi, le sentiment, de ne voir qu'un pantin

Incapable de dire le moindre alexandrin !

– Totorin… m'a sauvé la vie, intervint Zinia.

– Torrrtorin, la reprit le baladin. Mon vrai nom est Tortorini. Giuseppe Tortorini.

Il les salua d'une nouvelle courbette ironique.

– S'il a été vu nous venant en aide, il n'est peut-être pas conseillé à Giuseppe de circuler dans la capitale, poursuivit la jeune fille.

– Bah ! Ce ne serait pas la première fois que la maréchaussée s'en prendrait à mon luth !

– Elle a raison, garçon, insista Léandre. Pour le moment, mieux vaut que tu restes à l'abri ici. Nous verrons tout à l'heure ce qu'il convient que tu fasses, mais, avant…

Victor Ribot les attendait dans la cave de la maison en compagnie de deux des hommes de l'Alouette. On ne l'avait pas libéré de ses chaînes. Lorsque Zinia, Léandre et Truffaldin les rejoignirent, le condamné les toisa en silence avec un sourire provocant : il était curieux de savoir pourquoi des inconnus avaient pris le risque de le libérer. Qu'attendaient-ils de lui ?

Zinia avança seule et s'assit sur un rondin de bois en face de lui.

– Sans nous, à cette heure-ci, vous seriez mort, commença-t-elle. Pour ce que j'en sais, cela aurait été mérité. Je n'ai pas de sympathie pour vous, Victor Ribot, mais il se trouve que vous avez été mêlé à une histoire qui me concerne.

L'homme ne disait toujours rien. Elle poursuivit :

– Voici ce que j'ai à vous proposer : vous me racontez ce que vous savez à ce sujet, et nous vous laissons libre d'aller vous faire pendre ailleurs. Sinon…

– Sinon ?

– Nous vous remettrons à ceux qui vous détenaient.

Ribot hocha la tête plusieurs fois sans quitter son air sarcastique.

– Et que voulez-vous savoir ?

– Il y a onze ans, vous étiez gardien, à la Bastille. Vous y avez côtoyé le chevalier de Fonziac…

Les yeux de l'homme se plissèrent jusqu'à n'être plus que deux fentes.

– Nous savons également que vous avez supprimé quatre hommes impliqués dans cette même affaire.

– Qui vous a raconté tout cela ?

– Peu importe. Alors ? Que savez-vous d'autre ?

– On a dû mal vous renseigner. Je n'ai rien à voir avec cette histoire.

– Écoutez : je ne vais pas marchander avec vous plus longtemps. Soit vous acceptez de collaborer, soit nous vous renvoyons d'où vous venez.

– Et vous pensez que ce sera aussi simple que ça ?

– Nous avons réussi à vous en sortir, ce qui est bien plus difficile. Et, sachez-le, je n'aurai aucun scrupule à le faire. Notre amie, dans la chambre, là-haut, lutte contre la mort. Je ne voudrais pas qu'elle eût enduré cela pour rien.

– Et pourquoi voulez-vous des informations sur cette affaire ? s'inquiéta Ribot. Qui me dit que vous n'allez pas me faire taire ensuite ?

– Rien ne peut vous l'assurer. C'est un risque à prendre. Mais sachez que mon but est de démasquer le véritable coupable, celui qui a tout intérêt à vous savoir mort et silencieux. Si nous y parvenons, il ne cherchera plus à vous supprimer…

L'homme enchaîné la dévisagea avec plus d'attention. L'argument semblait avoir porté. Il tenta quand même de négocier encore un peu :

– Combien êtes-vous prête à me donner pour entendre ce que j'ai à dire ?

– Rien. La vie, c'est tout. Mais personne ne pourra vous offrir plus que ça, n'est-ce pas ?

Ribot baissa la tête. Ses épaules s'affaissèrent de façon imperceptible.

– Avant de parler, je peux quand même avoir un peu d'eau ?

Léandre lui tendit un gobelet qu'il vida dans un tintement de chaînes avant d'entamer son récit.

– On ne sait pas ce que c'est que d'être gardien à la Bastille. On parle toujours des prisonniers, mais de nous, jamais. Or nous y passons notre vie, ou presque, dans l'humidité, la crasse, sans voir le jour, confrontés à la lie de la société. Et tout cela pour quoi ? Un salaire de misère. À peine de quoi nourrir ses marmots. Quand on en a.

Moi, j'étais comme les autres, ni pire ni meilleur. Pour survivre, nous étions obligés de monnayer nos services aux détenus. Ceux qui avaient les moyens, tant mieux pour eux. Quant aux autres…

Lorsqu'on a amené les quatre hommes coupables de la tentative d'enlèvement du Dauphin, on les a d'abord séparés, et une garde spéciale a été placée devant chaque cellule. Interdiction de les approcher. Moi, j'avais la charge de leur apporter les repas. J'ai tout de suite compris qu'il s'agissait là de pauvres types, qui s'étaient fait manipuler, des seconds couteaux sans le moindre argent pour améliorer leur quotidien à la prison… Rien qui puisse m'intéresser. Sauf que…

Les hommes de police surent vite les faire parler. Ils étaient persuadés que ces bougres n'avaient pas agi seuls.

En tout cas, pas pour leur compte. Ils leur ont fait croire que, s'ils donnaient le nom de leurs commanditaires, on leur laisserait peut-être la vie sauve et que, tout au moins, ils échapperaient à la question. Et ces imbéciles le crurent. Ils déballèrent tout : comment un inconnu les avait contactés, les payant pour enlever le Dauphin et leur indiquant où livrer l'enfant royal, chez une poissarde qui pratiquait des messes noires. Pour ces fous qui font des sacrifices d'enfants nouveau-nés et préparent poudres et onguents grâce à leur sang, le fils d'un roi est doté d'une valeur inestimable. Mais au logis de la sorcière, la police ne trouva personne. Elle, sa fille, son mari, tout ce beau monde s'était envolé. Restait le commanditaire. Les quatre gredins décrivirent l'homme sans que cela soit concluant. Ce n'est que lorsqu'ils dessinèrent les armes et blasons figurant sur le tapis de selle de l'inconnu que les gens de police identifièrent le coupable sans hésiter. Il s'agissait du chevalier de Fonziac. Très vite, ils se lancèrent à sa recherche. Mais ce gentilhomme n'était pas à Paris. On le disait à la chasse, et c'est lui-même qui se présenta afin d'éclaircir la situation. Cependant, avant qu'il ait eu le temps de comprendre ce qu'il lui arrivait, il fut mis au secret dans un des cachots de la Bastille. Face à l'ampleur de l'affaire, les enquêteurs n'avaient en effet pas cherché à mener leurs investigations avec finesse. Il fallait contenter le roi, et vite. La célérité de leur action leur valut des compliments. À Saint-Germain-en-Laye, où Sa Majesté résidait, tout le monde se déclara satisfait de cette enquête rondement menée.

Lorsque j'ai moi-même vu le chevalier dans sa cellule le jour de son emprisonnement, j'ai immédiatement deviné que le pauvre n'était pour rien dans cette affaire. Des filous, des gredins, des aigrefins, des carottiers, des coupeurs de bourses, des écornifleurs, des chiqueurs, des faussaires, des saigneurs et égorgeurs, dans ma vie, j'en ai connu. Et le chevalier de Fonziac n'était pas de ceux-là. Absolument pas.

Ce soir-là, lorsque je sortis de la forteresse, un homme m'aborda. Il faisait des efforts pour rester dans l'ombre et cachait son visage sous un large feutre. Mais mon métier m'a appris à voir les hommes dans l'obscurité de leurs cellules. J'ai remarqué la qualité de ses frusques et, surtout, la sinistre balafre qui creusait son visage.

– Une balafre ! l'interrompit Zinia. Serait-ce… ?

– L'homme qui voulait me tuer place de Grève, oui. C'était le même. Mais à l'époque, il n'était pas question de mort…, enfin, pas de la mienne. Il m'a attiré à l'écart et m'a proposé une somme pour supprimer les quatre misérables. Il prétendait œuvrer pour protéger le chevalier, et, naïvement, je le crus. Et puis cet argent allait me permettre de bâtir une autre vie, plus confortable, ailleurs. Du moins, je l'espérais.

Le balafré était bien renseigné. Il connaissait mes fonctions et m'a fourni, avec une partie de l'argent, une fiole remplie d'un liquide sans goût ni odeur que je devais verser dans la pitance des quatre malheureux. On me remettrait le reste de la prime une fois l'opération terminée.

Je comprenais bien que cette histoire sentait le soufre

et qu'il ne faisait pas bon y être mêlé. Je m'arrangeai alors pour me faire remplacer, laissant un collègue porter les repas aux prisonniers après y avoir versé le poison. Je ne voulais en aucun cas m'exposer à la suspicion de mes supérieurs. Le lendemain, les hommes de main étaient morts.

Évidemment, cela n'innocenta pas le moins du monde le chevalier. Au contraire. La police en conclut qu'il avait commandité ces meurtres, pour ne pas être reconnu. Et, après tout, je ne disposais, moi non plus, d'aucune preuve assurant que le balafré n'agissait pas pour le compte de Fonziac. De toute façon, ce n'était plus mon affaire.

Mais le jour suivant, le héros du moment, celui qui, à Saint-Germain, avait réussi à mettre en déroute les quatre hommes de main, vint, magnanime, rencontrer Fonziac. Ce noble personnage jouissait de toute la confiance du roi. N'était-ce pas grâce à lui que le Dauphin de France était toujours en vie ? L'individu demanda à s'entretenir seul à seul avec le chevalier, dans sa cellule. Il se faisait fort, disait-il, d'obtenir ses aveux pour que le misérable puisse au moins obtenir le pardon de Dieu, à défaut de celui des hommes.

La Bastille offre, pour celui qui la connaît bien, des ressources appréciables. Ses architectes l'ont dotée de boyaux, de soupiraux et de canalisations qui tournent autour des cellules et propagent les sons de manière surprenante et très utile pour quiconque en a compris le parcours. Toute cette affaire n'était pas aussi claire que la police se plaisait à le croire, et, comme j'y étais maintenant mêlé, j'avais tout intérêt à en savoir plus. Je me postai donc à l'endroit adéquat pour surprendre la conversation entre le héros et le coupable supposé. Elle s'avéra bien plus intéressante que ce que j'avais imaginé : les deux hommes étaient cousins.

– Cousins ? l'interrompit Zinia. Mais de qui s'agit-il ? Quel est son nom ?

– Je vais vous le dire, mais permettez-moi de poursuivre. Le visiteur en vint directement aux faits. S'il avait agi en héros, c'est parce qu'il était particulièrement bien placé pour connaître le jour et l'heure de la tentative d'enlèvement : il en était l'instigateur. Il se fichait par ailleurs comme d'une guigne des sorciers et des messes noires et n'avait jamais eu l'intention de retirer le Dauphin à l'affection des siens. Son but n'avait été que d'impliquer son malheureux cousin dans cette sordide histoire. Mais il venait offrir à Fonziac sa libération. Il avait tout prévu : des témoins à sa solde pouvaient innocenter le chevalier. De plus, il avait sous la main un pauvre diable qui avait déjà trempé dans une affaire de sorcellerie, ainsi qu'un ensemble de preuves très convaincantes qui ne manquerait pas de livrer cet innocent au bourreau, à condition de…

Ribot s'était brusquement arrêté.

– À condition de quoi ? demanda Zinia.

– Je peux avoir encore un peu d'eau ?

Tandis qu'on s'affairait à lui remplir un gobelet, la jeune fille devinait que l'homme enchaîné s'amusait à ménager le suspens. Quand il eut étanché sa soif, elle le relança :

– Alors ? Vous alliez nous dire à quelle condition il…

– J'y viens, j'y viens ! « Mon cher cousin, commença le visiteur, vous savez aussi bien que moi ce que je veux. Donnez-moi le quatrième soleil et vous êtes libre. Gardez le silence et, dans quelques semaines, vous grimperez sur l'échafaud. J'ajoute que votre femme et votre fille subiront également les conséquences de votre entêtement… À vous de voir si le jeu en vaut la chandelle… » Cependant, en dépit de ces menaces, Fonziac l'envoya paître vertement. « Le quatrième soleil dans vos mains serait une arme bien trop dangereuse pour nous tous ! » lui lança-t-il.

– Le quatrième soleil ? De quoi s'agit-il ?

– J'avoue que, malgré ma curiosité, je n'ai rien pu apprendre à ce sujet.

– Mais le nom de ce misérable ? Donnez-le-moi !

Ribot la regarda dans les yeux avant de répondre :

– Il s'agit du marquis Gaëtan de Villarmesseaux.

Le roman de
Florentin et Laurette

— Après la visite de ce noble filou, poursuivit Victor Ribot, je compris dans quel guêpier je m'étais jeté. Cet homme ne reculerait devant aucune vilenie pour parvenir à ses fins. Il supprimerait sans vergogne tous ceux qui risqueraient de lui nuire. Et j'en faisais désormais partie. Je décidai donc de disparaître sans demander le solde de mon compte. Je me doutais bien que le balafré m'attendrait avec quelque lame bien affûtée en guise de monnaie, et je pouvais me passer de ce genre de salaire. Toutefois, afin de protéger mes arrières, il me fallait mener une petite enquête. J'allais traîner dans le faubourg où les quatre malfrats avaient reçu commande de leur forfait, sur la route de Bourg-la-Reine. Par ma profession, je parvenais à être au courant de beaucoup de choses. La rencontre avait eu lieu au pied d'un moulin, dans un assommoir assez mal fréquenté. Mais, évidemment, lorsque j'y parvins, l'établissement était fermé. En tournant autour, je finis pourtant par rencontrer un jeune homme au regard méfiant, à qui je donnais seize ou dix-sept ans. Il était assis, désœuvré, à l'écart du cabaret. Sans que je sache pourquoi, il me donna l'impression d'être là à m'attendre. Je me méfiai. S'agissait-il d'un sbire du balafré ? Il paraissait lui aussi sur ses gardes. Nous ne tardâmes pas à nous apprivoiser mutuellement, et je compris bientôt que nous avions le même ennemi, mais pour des raisons différentes. Alors, il me raconta son histoire…

Il se nommait Florentin et avait été élevé par un prêtre qui, chose rare, lui avait enseigné lecture et écriture. À la mort de celui-ci, pour gagner un peu d'argent, il s'était engagé à servir les soiffards dans le cabaret du coin. Mais, plus que l'argent, ce qui le retenait dans ce bouge, c'étaient les yeux violets de la fille du patron, et ce qui allait avec. Elle se nommait Laurette et, pour lui, la vie n'aurait jamais d'autre horizon. Comme je n'étais pas venu entendre le chant d'amour d'un tourtereau, je le pressai un peu de me dire ce qu'il savait des quatre malfrats et de mon histoire. Je vis aussitôt à son regard que j'avais touché là un point sensible. Pour sa chance, et pour son malheur, ce garçon était tombé malade quelques jours avant la venue des hommes de main dans le cabaret. Le patron l'avait congédié afin qu'il ne postillonne pas ses miasmes dans les narines des clients. On a ses délicatesses, même chez les cabaretiers. Il l'avait envoyé ainsi dans une masure de l'autre côté de la route, où il avait accepté que le gamin dorme sur un tas de hardes. Florentin avait passé ses journées moroses à la fenêtre de son refuge avec, pour seule distraction, les allées et venues des clients et les moments où sa

Laurette, toujours vêtue d'une robe du même violet que ses yeux, venait lui porter un peu de soupe. Le jour de l'entrevue, un jour de pluie, il avait bien remarqué l'arrivée des quatre inconnus. Il avait également repéré la présence d'un mystérieux cavalier, chapeau enfoncé sur les yeux, col relevé, long manteau, qui avait remisé son animal dans l'écurie. Le gamin s'était alors faufilé jusque là-bas pour alléger les fontes de l'inconnu des éventuelles richesses dont il saurait mieux avoir l'usage que ce nanti. Mais, avant de commettre son larcin, il avait jeté un coup d'œil dans le mastroquet et aperçu le cavalier en discussion avec les malfrats. L'homme avait gardé chapeau et manteau de telle sorte qu'on ne distinguait pas son visage. Le garçon jugea le moment opportun pour se glisser dans la remise. La selle était marquée aux armes des Fonziac et, s'il en ignorait le nom, Florentin en retint le dessin. La première fonte était vide. Il s'acharnait sur la seconde lorsqu'il entendit des pas. Il se jeta dans le foin. Apparut le cavalier qui venait récupérer des papiers dans la sacoche encore fermée. Au moment de repartir, l'homme remarqua le mousqueton pendant de la première. D'un geste lent, il dégagea son épée du fourreau et resta un instant immobile. Le garçon retenait son souffle. C'est à cet instant qu'il vit, avec précision, les traits de l'homme. Le garçon fut impressionné par la balafre qui lui marquait le visage…

— La balafre, encore, dit Zinia. Ce garçon a donc la preuve de l'innocence de mon… du chevalier !

— Oui, de votre père, la reprit Ribot avec un sourire entendu.

– Ce cabaret, où se trouve-t-il précisément ?

– Oh, je pourrais vous y conduire, cependant je crains que ce ne soit pas très utile. Vous devriez prendre le temps d'écouter la fin de mon histoire…

– Alors dépêchez-vous !

– Le jeune homme n'était pas sot. Il se douta qu'il avait assisté à une scène qu'il n'aurait pas dû voir. Mais il ignorait à quel point. Peu après l'entrevue secrète, le patron du cabaret fut retrouvé mort, dans sa cave, écrasé par un tonneau de la piquette qu'il servait. Lui qui n'en buvait jamais n'aurait pu imaginer que ce vin aurait sa peau. Le même jour, on ramassa un des clients, mort entre ses carottes et ses navets. On parla du mauvais coup d'un brigand errant. Mais, bientôt, Florentin comprit que l'on supprimait tous les témoins qui auraient pu apercevoir le balafré.

– Et… Laurette ? s'inquiéta Zinia.

– On mit un peu plus de temps à découvrir son corps. Elle gisait à deux rues de là sur un tas de fumier, la gorge ouverte, ses beaux yeux violets fixant le ciel sans le voir. Lorsqu'il décide de faire place nette, le balafré s'y emploie sans vergogne.

En me racontant cela, Florentin passa sous silence sa douleur et sa colère, mais son être tout entier n'exprimait qu'un irrépressible désir de vengeance. Cependant le jeune homme ignorait tout, ou presque, de ceux qu'il voulait pourchasser. Depuis bientôt une semaine, caché, il attendait, espérant qu'un des meurtriers revienne sur le lieu des crimes.

À la fin de son récit, il sortit de sa poche un bout de

papier sur lequel il avait tracé les armes des Fonziac. C'était là son seul indice. Il me questionna pour savoir où il pourrait trouver le propriétaire de ce blason afin de le tuer. Je dus le détromper : ce n'était pas là l'homme qu'il devait chercher. En quelques mots, je lui détaillai ensuite les dessous de l'histoire : le complot ourdi par le marquis de Villarmesseaux, les basses œuvres exécutées par son homme de main, Bertaud d'Estafier, le balafré, et l'innocence du chevalier de Fonziac. Devant son désarroi, je lui proposai de nous associer. Il voulait sa vengeance et, de mon côté, je m'intéressais à ces quatre soleils dont j'espérais qu'ils puissent se traduire en monnaie sonnante et trébuchante. Nous nous réfugiâmes donc chez un de ses amis pour y mettre au point notre plan et sceller notre accord. Je lui indiquai la façon de s'introduire chez le marquis. En contrepartie, il devrait y mener une enquête afin de m'apporter quelques informations sur ces mystérieux soleils.

Pendant un temps, je craignis que, une fois en possession du nom de cet homme, il se précipitât aveuglément pour l'envoyer rejoindre le monde des ombres, mais il s'en abstint, il respecta notre accord. Nous réussîmes à le faire engager sans trop de difficulté chez notre ennemi commun comme aide-jardinier. Très vite, il se vit confier la charge d'alimenter chaque jour en fleurs fraîches les vases de la maison, ce qui lui permit d'y fureter à sa guise. Mais il ne trouva rien qui puisse m'éclairer, et notre plan ne se déroula pas exactement comme nous l'avions imaginé…

Le marquis, maître des lieux, grand seigneur et fieffé

filou, avait en effet deux enfants : Guillaume, un fils d'une dizaine d'années, plutôt déplaisant, fat et arrogant, et une fille âgée de dix-sept ans, Albane, qui compensait son physique ingrat par une générosité de cœur qu'elle ne pouvait tenir de son géniteur. Elle tomba très vite sous le charme de Florentin, qui s'en rendit compte. Alors que le feu de la haine brûlait toujours dans ses veines, il choisit pour son ennemi un tourment plus sévère que la mort. Il entretint le penchant d'Albane à son égard par des sourires, des regards, des petites attentions, tant et si bien qu'en peu de temps elle devint folle de lui. Contrairement aux personnes de son rang, peu lui importait la naissance de son bien-aimé si celui-ci était d'un esprit droit et pur, tel que Florentin avait su se montrer. Bientôt, il lui fit croire que ses sentiments étaient partagés et qu'ils ne pourraient vivre heureux que hors de ces murs où jamais son père n'accepterait pour gendre un roturier. Ils décidèrent de fuir. Pour lui, elle se révélait prête à tout.

Dix jours plus tard, la femme de chambre trouva le lit d'Albane vide. Émois dans la maison. On fouilla l'hôtel de fond en comble, on interrogea les domestiques, mais rien. Plus tard, on remarqua l'absence de l'aide-jardinier. On voulut d'abord y voir un hasard, puis on craignit un enlèvement. La famille choisit de garder cette affaire secrète pour ne pas nuire à la réputation de la jeune fille, mais les domestiques avaient des langues et la nouvelle se répandit dans la ville puis dans les salons. Le marquis fit alors appel à la police du roi, qui n'obtint aucun résultat. Il lança donc sur la piste des fuyards l'agent de ses basses œuvres, le balafré. Les jours passèrent, mais pas de trace des disparus. Ni lettre d'adieu, ni demande de rançon, ni message de vengeance. Le silence définitif, terrible et glacé de l'incertitude, et ce durant des mois. Le père se rongeait les sangs.

Le 5 novembre 1662, soit un peu moins d'un an après la disparition d'Albane, un pauvre hère se présenta à la porte de service et fit remettre une lettre au marquis avant de disparaître. Le texte en était bref mais il frappa son destinataire en plein cœur : « Albane de Villarmesseaux, 1645-1662, cimetière de Seyne près de Gap. » Gaëtan de Villarmesseaux décida sur-le-champ d'aller chercher le corps de sa fille pour l'ensevelir dans le caveau familial. L'action calmait sa douleur.

L'hiver avait déjà blanchi les montagnes quand il arriva avec ses hommes dans la vallée Haute. Les premières neiges transformaient le paysage et la terre gelait. Dans l'étroit cimetière, ils trouvèrent la tombe fraîchement creusée, mais le sol, pétrifié par le froid, refusait de rendre le cercueil. Lorsque, enfin, on parvint à l'en extraire, on constata qu'il était vide. Ou presque : il ne contenait qu'un petit coffret ayant appartenu à la jeune fille et, dedans, un autre message : « Ce n'est pas pour cette fois. La prochaine, peut-être ? » Plus bas on avait ajouté : « 5 novembre 1662. Laurette a été assassinée il y a un an et je ne l'oublie pas. » Pas de signature. Le père d'Albane ignorait tout de cette Laurette, mais il comprit que l'inconnu qui avait enlevé sa fille jouait avec lui. Albane était-elle morte ? Le doute subsistait et continuerait à le ronger jusqu'au jour où il apprendrait le fin mot de cette histoire. Lugubre, il regagna la capitale.

Un an plus tard, il reçut une nouvelle lettre, identique à la précédente, mentionnant une ville située à l'autre bout du royaume. Il monta une nouvelle expédition qui se termina comme la première : « Ce n'est pas pour cette fois. La prochaine, peut-être ? 5 novembre 1663. Laurette a été assassinée il y a deux ans et je ne l'oublie pas. »

Ribot marqua une pause et demanda encore un verre d'eau. Tandis qu'il buvait, Zinia demanda :

– Et les quatre soleils ?

– En ce qui les concernait, Florentin ne s'était pas révélé aussi efficace que je l'avais espéré. Alors qu'il était encore aide-jardinier, il m'avait entretenu de ses recherches. Il avait ainsi localisé la pièce où, apparemment, le père d'Albane conservait ses documents les plus secrets. Il réussit un jour à y pénétrer pour y disposer quelques fleurs. Florentin n'était pas un voleur. Il lui fallut donc du temps avant de repérer le discret tiroir où étaient dissimulés les dossiers sensibles. Craignant que, s'il s'en emparait, on découvrît son larcin, ce garçon qui savait à peine lire préféra feuilleter le dossier. Évidemment, cela lui prit du temps. Trop. Bientôt des pas se firent entendre. En toute hâte, il remisa les pages dans leur cachette et se précipita sur les fleurs qu'il feignit d'arranger avec soin. Le majordome qui le surprit le pria de sortir sans traîner. Florentin joua les naïfs, mais il avait bien senti que, désormais, on le regarderait avec méfiance. Deux jours plus tard, il s'enfuyait sans que je l'aie revu. J'appris cette histoire par un billet succinct qu'il me fit adresser avant de disparaître.

Ribot but une nouvelle gorgée d'eau et poursuivit de lui-même son récit : maintenant qu'il avait commencé, il voulait aller jusqu'au bout, comme s'il désirait se débarrasser d'un poids qu'il avait porté durant des années.

– J'étais désormais seul. De crainte que les quatre mystérieux soleils ne m'échappent définitivement, je fis une dernière tentative pour m'introduire chez le père d'Albane. De nuit. Je faillis réussir. Mais, hélas ! alors que, suivant les instructions que m'avait transmises Florentin, je pénétrais dans la pièce aux documents, je me trahis en renversant un vase. Aussitôt, domestiques et spadassins furent alertés. Menés par le balafré, ils me cernèrent, et lorsque ce dernier me reconnut, je lus dans son rictus que j'avais commis une grossière erreur. Pour lui, je n'étais pas un vulgaire cambrioleur, mais un homme qui en savait trop et qu'il fallait faire taire, définitivement. Comme un dément, je me précipitai alors sur la fenêtre, faisant voler le battant en éclats, et me retrouvai par miracle un étage plus bas, passablement tuméfié mais entier. Sans plus attendre, je me perdis dans la capitale. J'y vécus quelques jours la vie d'un homme traqué, redoutant que le balafré et son réseau d'indicateurs ne remontent jusqu'à moi. Et qu'ils me tuent. Je choisis de disparaître. L'exil était pour moi la meilleure solution. Du moins, c'est ce que je crus, mais… ceci est une autre histoire.

Écartant les mains pour faire comprendre qu'il n'avait

plus rien à dire, Ribot se tut. Zinia tenait cependant à lui poser une dernière question :

— Et les fuyards, Florentin et Albane, savez-vous où ils s'étaient cachés ?

— J'eus connaissance de leur premier refuge, oui. Mais après, j'avais moi-même d'autres soucis et j'ignore ce qu'ils sont devenus.

— Où était-ce ?

— À l'hôpital général de la Salpêtrière.

Giuseppe Tortorin

Le commissaire de Clinchamps avait rondement mené son enquête sur l'évasion de Ribot. Il avait retrouvé des témoins, retracé le parcours de la voiture qui avait enlevé le condamné, repéré les lieux où les fuyards avaient, par deux fois, changé d'équipage, et apprécié l'itinéraire compliqué qu'ils avaient emprunté pour venir se réfugier ici, sur la rive gauche, aux confins de la ville. Renseignements pris, ils se cachaient chez un certain Moreau, homme calme d'après ses voisins, mais Clinchamps avait fini par apprendre à qui appartenaient véritablement ces lieux. Le nom de la comtesse de Villotière ne lui était d'ailleurs pas inconnu. Le dossier la concernant dans les archives du Châtelet ne figurait pas parmi les plus minces, même si, pour l'heure, aucune procédure judiciaire ne la menaçait. Elle semblait avoir trempé dans cette affaire en compagnie de bon nombre des personnages peu recommandables qui fréquentaient avec assiduité son hôtel particulier. Le commissaire voulait surprendre tout ce petit monde avant qu'il ne se réveillât. La matinée ne serait pas écoulée qu'il connaîtrait les raisons de cette spectaculaire évasion et qu'il serait en mesure d'aller faire son rapport à M. de La Reynie.

Clinchamps avait profité de la clarté du nouveau jour pour guider ses hommes entre les jardins. Dix d'entre eux bloquaient les rues avoisinantes jusqu'à la rue des Brodeurs, dix autres interdisaient toute sortie en direction de l'hôtel royal des Invalides. Il en restait vingt prêts à donner l'assaut. Aucune échappatoire possible pour ces fripouilles. L'oreille aux aguets, le commissaire goûta le silence qui régnait encore au milieu des jardins maraîchers et que, bientôt, il troublerait. Rien de suspect. Enfin, il leva sa canne, et ses hommes s'élancèrent vers la maison endormie.

– Alors ? N'avais-je point raison ?

Tortorin parlait dans un souffle, articulant sans presque faire sortir le moindre son.

– Si, murmura Zinia.

Allongés sur le sol, entre des potirons et des plants de choux, à quelque distance de l'habitation Moreau, ils prenaient garde que la buée qui s'échappait de leurs bouches ne les trahît pas. Le baladin avait insisté pour ne pas s'attarder dans la maison. Les comédiens, escortés des hommes de la comtesse, avaient quant à eux déjà transporté celle-ci dans leur modeste hôtel aux dernières heures de la nuit. Victor Ribot, enfin, avait été emmené dans une cave de la rue Charlot en attendant que l'attention de la police se relâche et qu'il aille risquer sa vie sous d'autres cieux.

Lorsque les hommes de M. de Clinchamps se ruèrent dans la demeure de Moreau, Zinia et Tortorin fuirent en silence vers le centre de la capitale.

— Eh bien ? demanda Tortorin au bout d'un quart d'heure de marche.

— Eh bien quoi ?

— Tu as obtenu ce que tu voulais ?

Et comme Zinia ne répondait pas, il ajouta :

— Ce condamné, Ribot, il t'a raconté ce que tu cherchais à savoir ?

— Oui. Enfin, non. En partie.

— Voilà qui est bien mystérieux.

La jeune fille dévisagea ce garçon qu'elle connaissait depuis un jour à peine et qui, déjà, l'avait sauvée deux fois. Elle prit alors le temps de détailler sa bouche bien faite, ses yeux rieurs et la fière cambrure de ses reins. Il lui était inconnu et, pourtant, elle se sentait heureuse de l'avoir à ses côtés.

— Puis-je t'aider ?...

— Je ne pense pas, répondit-elle.

— ... Ou préfères-tu que je te laisse seule ?

— Après tout, peut-être que...

Elle hésita un bref instant puis décida de lui faire confiance. Peut-être pourrait-il lui permettre de voir clair dans tout ce qu'elle avait appris au cours des dernières semaines.

— Voilà : je ne suis pas née à Paris et...

Elle lui raconta alors ce qu'il lui était advenu depuis ce jour funeste où son père adoptif avait été tué en duel, comment sa vie avait basculé et de quelle façon elle courait depuis après une vérité qui lui échappait sans cesse.

– Mazette ! Quelle histoire ! Si je comprends bien, ton véritable père a été victime d'une machination ?

– C'est ce que raconte Ribot : il aurait détenu un secret…

– Un secret qu'il t'a laissé. Ce qui explique que ces hommes aient cherché à t'attraper.

– Le problème est justement que j'ignore tout de cette histoire. S'il m'a transmis quelque chose, je n'ai aucune idée de ce dont il s'agit.

– Si tu me livrais le moindre de tes souvenirs, je démêlerais ça, et peut-être que…

Zinia l'arrêta :

– Non. Il y a mieux à faire pour l'instant : tenter de découvrir ce que sont ces quatre soleils dont Ribot a parlé.

– Et comment comptes-tu t'y prendre ?

– Il nous faut retrouver ce jeune homme, Florentin. Il est peu probable qu'il soit toujours à la Salpêtrière, mais il est possible que quelqu'un, là-bas, l'ait connu et nous mette sur sa piste. Car, en définitive, il semblerait qu'il ait pu lire des documents relatifs à ce secret.

Tout en marchant, ils avaient traversé le quartier Saint-Séverin et remontaient la rue Galande vers la place Maubert, lorsque, soudain, ils aperçurent une escouade de gens d'armes qui barrait la rue devant eux. Nonchalamment, ils feignirent de ne rien remarquer et tournèrent dans la rue des Rats pour rejoindre les berges de la Seine. L'évasion de la veille avait dû mettre la police sur les dents. Sur l'autre rive, le palais de l'Archevêché masquait en partie la cathédrale, majestueuse. Un nouveau groupe d'hommes en armes s'avançait dans leur direction, et Tortorin passa son bras autour des épaules de Zinia. Jouant son jeu, elle se blottit contre lui, feignant d'ignorer les moqueries :

— Eh mignonne, quand tu seras lassée de ton galant, viens me voir ! Je suis plus câlin que lui !

— Tu ne préfères pas un homme, un vrai, comme moi, avec de la barbe au menton ?

Les deux tourtereaux ne répondirent pas et passèrent leur chemin, mais, une fois le danger éloigné, ils restèrent enlacés.

L'Hôpital général

La Salpêtrière était une ville aux portes de la ville. Elle se composait d'un ensemble de bâtiments, d'une chapelle, de potagers s'étageant jusqu'à la Seine, d'un moulin à eau amarré aux berges et de deux moulins à vent situés sur les pentes de la Butte-aux-Cailles. On enfermait là mendiants et filles de joie, invalides et indigents, vagabonds et fous. Une fois entrés, la plupart d'entre eux ne ressortaient jamais, même si certains étaient autorisés à mener une petite activité en ville, à condition de revenir chaque soir se soumettre à la règle de l'hôpital.

Zinia ignorait s'il était facile de pénétrer dans l'institution, et elle avait préparé une fable au cas où on l'interrogerait. Ainsi, aux deux gardes qui contrôlaient l'entrée, elle déclara naïvement qu'elle était à la recherche de son frère qui, paraît-il, avait trouvé refuge entre ces murs. Avant qu'elle ait eu besoin de justifier sa quête par le récit de la mort d'une pauvre mère et la disparition d'un père aux armées, les gardes lui indiquèrent avec indifférence le bâtiment de l'administration où elle pourrait consulter les registres.

— Jusque-là, ça n'a pas été trop difficile, fit remarquer son compagnon.

— Tu tiens vraiment à m'accompagner, Tortorin ?

— Oui, mais à une condition.

— Laquelle ?

— Que tu m'appelles Giuseppe. Je préférerais...

Ils traversèrent une cour où se côtoyaient des pensionnaires vaquant à d'obscures tâches, des religieuses et tout un personnel affairé. Dans le hall, ils durent renouveler leur requête auprès d'un secrétaire qui les guida vers la salle où l'on tenait à peu près à jour la liste des pensionnaires. Là, un petit homme aigre, imbu de l'importance qu'il attribuait à sa charge, les reçut avec dédain. Avoir un membre de sa famille dans l'hôpital ne pouvait, pour lui, n'être qu'une marque infamante. Il consentit toutefois à consulter le registre des entrées de l'année 1661. Zinia avait fait ses calculs : Albane et Florentin, qui n'avaient pas dû donner leurs véritables noms, avaient fui vers la fin novembre, aux alentours du 25. D'ailleurs, si elle connaissait le patronyme de la jeune fille, elle ignorait celui de son amant.

Le mois de novembre 1661 avait été chargé : les premières rigueurs de l'hiver avaient amené de nombreux vagabonds. On avait également noté l'arrivée d'une cargaison de filles des rues et le départ pour la Nouvelle-France de femmes destinées à peupler ce continent que l'on disait vierge. Des entrées ponctuelles s'étaient échelonnées tout au long des semaines. Peu de couples :

le 15, les époux Ramaix, qui avaient cherché à s'ennoblir d'une particule que l'on avait ensuite rayée dans le registre ; un sieur Carlier et sa dame ; d'autres encore… Soudain, Zinia remarqua dans la liste un certain Alban Lauret venu avec sa sœur, le 25 novembre. Les prénoms d'Albane et de Laurette masculinisés : ce ne pouvait être une simple coïncidence. Elle demanda au secrétaire si ces personnes séjournaient encore là. L'homme lui jeta un regard suspicieux.

— Vous ne m'avez pas parlé d'un Florentin et d'une Albane ? Ceux-ci se prénomment Alban et Florence…

— Mais c'est ce que je vous ai dit, mentit Zinia. Vous avez dû inverser.

Peu convaincu, l'homme se pencha sur le registre en maugréant.

— Entrés le 25, mnn, mnn, affectés au bâtiment C. Bonne santé, mnn, mnn, travaillent à la buanderie, puis au potager, mnn, mnn, le garçon efficace mais sa sœur un peu gourde… Mnnn, plus rien de marqué après 1667.

— Ils vivent toujours ici ?

— Sais pas. Je ne peux pas tout noter, moi. Si on ne me prévient pas quand les pensionnaires meurent ou quittent l'établissement, je n'inscris rien. Les registres, c'est sérieux !

Il referma le livre violemment et leur tourna le dos. Le petit homme irascible semblait en vouloir à ses visiteurs, comme s'ils l'avaient pris en faute. C'est donc discrètement que Giuseppe et Zinia quittèrent son bureau pour revenir dans la cour principale, où on leur indiqua le bâtiment C. Il y régnait une odeur fade de soupe et de lessive. Des pensionnaires circulaient, les bras chargés de panières à linge, ou nettoyaient le sol. Les jeunes gens ne savaient à qui s'adresser, lorsqu'ils aperçurent une religieuse vêtue de blanc, une grande croix rouge cousue sur la poitrine. Elle glissait vers eux avec un mélange d'autorité et de douceur.

— Puis-je vous aider ? demanda-t-elle aux visiteurs.

Zinia la salua prudemment avant de parler.

— Nous sommes à la recherche d'un couple qui est venu trouver refuge ici il y a un peu plus de dix ans.

— Un couple ? Dix ans ? Vous connaissez leur nom ?

— Leurs prénoms : Albane et Florentin.

La religieuse n'avait manifesté aucune surprise, mais Zinia avait le sentiment qu'elle la regardait avec une intensité accrue. Elle avait peut-être une trentaine d'années, guère plus. Dans son visage sans beauté transparaissait la générosité de quelqu'un qui a connu la douleur et voue sa vie à alléger celle des autres.

— Pourquoi les cherchez-vous ?

À cette femme au regard franc, Zinia choisit de dire la vérité. Ou du moins, une partie.

— Je suis en quête d'informations sur mon père et ces personnes pourraient m'aider, je crois.

— Et ce jeune homme ? demanda la religieuse en désignant Giuseppe du menton.

— Il m'accompagne.

Le baladin s'inclina.

— Giuseppe Tortorin, pour vous servir.

— Venez, leur ordonna-t-elle du ton d'une personne habituée à être obéie.

Aussitôt, elle tourna les talons et s'éloigna dans le couloir. Elle les introduisit dans une pièce étroite, sans air, meublée d'une table et de deux chaises dépareillées. Elle ferma la porte derrière eux et s'assit sans inviter ses visiteurs à faire de même.

– En quoi ces gens pourraient-ils vous aider ?

Elle n'était pas prête à livrer ses pensionnaires à la première demande. Sans doute agissait-elle autant pour les protéger que pour tout contrôler. Zinia lui donna une version simplifiée de son histoire, restant évasive quant à ses sources. La nonne l'écoutait attentivement et ne l'interrompit qu'une fois, pour obtenir une précision sur le marquis de Villarmesseaux. Quand la jeune fille eut terminé, la religieuse garda le silence. Ses yeux perdus fixaient un point bien au-delà de la pièce, au-delà du temps. Elle reprit enfin la parole :

– Si je comprends bien, ce que vous cherchez, ce ne sont pas tant ces personnes que ce qu'elles peuvent vous apprendre sur les quatre soleils, n'est-ce pas ?

– Oui. Sur ce que savait mon père pour être ainsi menacé et, peut-être enfin, rétablir la vérité.

La sœur acquiesça, puis d'une voix sans timbre :

– Florentin est bien venu ici à l'époque que vous évoquez. Mais il est parti pour les Amériques il y a six ans, maintenant.

– Et Albane ?

– Il n'y a plus d'Albane non plus. Mlle de Villarmesseaux a choisi de se consacrer aux déshérités. Elle a pris le voile…

Zinia et son interlocutrice se dévisagèrent un instant,

silencieuses. Un accord tacite s'établit entre elles pour ne pas approfondir cette question.

— Et... les quatre soleils ? demanda la jeune fille.

— Florentin n'avait eu le temps que d'apprendre peu de chose à ce sujet. Il s'agissait de phrases mystérieuses, codées et incompréhensibles. Il tenta également plusieurs fois de reproduire le dessin qui se trouvait sur la première page du dossier qu'il avait consulté, mais, insatisfait, il le déchirait à chaque fois. Il finit par se désintéresser de cette histoire qui, en définitive, n'était pas la sienne.

— Après le départ de Florentin, Albane n'a pas cherché à rassurer son père en lui faisant savoir qu'elle vivait encore ?

— Non. Elle n'ignorait pas que ce garçon en avait aimé une autre et qu'il s'était servi d'elle pour se venger. Elle eût été en droit d'en concevoir de la rancœur ; cependant, il lui avait ouvert les yeux sur la véritable personnalité de son père. Il avait par ailleurs toujours été très doux et respectueux avec elle ; elle lui resta donc fidèle.

À ces mots, la religieuse se leva, faisant comprendre que l'entretien était terminé. Dans le couloir, pourtant, elle se retourna.

— Il se trouve que j'ai vu certains des dessins de Florentin.

— Ceux qui sont censés représenter les soleils ?

— Oui. Et je peux sans doute vous montrer quelque chose qui vous intéresse. Suivez-moi.

Elle les conduisit dans une aile sombre de l'hôpital. Au fond d'un hall, une porte de fer était gardée par une sœur fortement charpentée, à la ceinture de laquelle pendait un trousseau de clefs. Un signe de tête suffit pour qu'elle ouvrît la porte aux trois visiteurs. Derrière, un escalier s'enfonçait dans les profondeurs du sous-sol. Ils l'empruntèrent et atteignirent une galerie mal éclairée par de hauts soupiraux à barreaux. Une odeur épouvantable de crasse, d'urine et de moisissure mêlées les saisit. Ils progressèrent en silence, longeant des portes verrouillées de l'extérieur. Des cellules. Par des guichets ouverts on apercevait parfois le visage hagard d'un pensionnaire. Certains marmonnaient des phrases incompréhensibles, tendaient un bras, pleuraient ou riaient. S'ajoutaient à cela des bruits de chaînes, des cris et des râles indistincts.

– Ici sont les malheureux qui ont perdu toute raison, lâcha la religieuse sans ralentir.

Ils gagnèrent bientôt une grande salle où d'autres pensionnaires végétaient, attachés au mur par de grosses chaînes comme des animaux, vautrés sur de la paille, dans une promiscuité ignoble. Sur leurs visages, des plaies, des croûtes qu'ils ne cherchaient plus à dissimuler. Au sol, de pauvres restes de repas se perdaient dans l'humidité qui nappait tout. À la vue des visiteurs, quelques malades tentèrent de se ruer sur eux mais, retenus par leurs liens, ne purent les atteindre. D'autres, au contraire, se réfugièrent en geignant sous leur litière, terrorisés par ces nouvelles têtes qui bouleversaient l'immuable cours de leur vie.

Zinia découvrait là un monde sans espoir. Puis la religieuse poussa une nouvelle porte. Avant de s'engager au-delà, elle marqua une pause et décocha un simple regard aux deux visiteurs, comme un dernier avertissement. Ce qu'ils allaient trouver derrière s'avérerait pire encore.

Ce n'était plus un hôpital ni une prison, mais le bout d'un monde, un caveau ignoble où de pauvres individus démunis étaient enterrés vivants. La lumière y était encore plus chiche, le silence total. Ils durent attendre que leurs yeux s'acclimatent à l'obscurité pour deviner les êtres abandonnés là et qui, semble-t-il, avaient perdu toute humanité. Ils végétaient dans cette ancienne cave voûtée, compartimentée en plusieurs stalles enduites de chaux. Sur le sol, une paille qu'on ne devait jamais changer. Dans chaque renfoncement, à peine couverts de haillons, oubliés de tous, quelques-uns attendaient la mort comme seul espoir de libération.

La sœur avança jusqu'à la dernière stalle. Un homme sans âge y était agenouillé, immobile, le visage tendu vers l'unique meurtrière, par laquelle un pinceau de clarté esquissait le contour de son visage. Zinia remarqua alors sur le côté de son crâne une longue estafilade blanche, chair boursouflée autour d'une vieille blessure qui avait dû laisser cet homme privé de son passé. Puis, en regardant plus avant, elle découvrit, gravé sur les murs lépreux, un dessin cent fois reproduit, toujours le même, figurant quatre cercles reliés par deux axes ondulant verticalement et horizontalement. La jeune fille se tourna, intriguée, vers la religieuse.

– Oui, dit celle-ci à voix basse. C'est le même dessin que Florentin reproduisait sur ses feuilles.

– Les quatre soleils, murmura Zinia pour elle-même. Puis elle ajouta : Cet homme, qui est-il ?

– Je l'ignore, il semble être ici depuis toujours. Dans les registres, il est répertorié comme « inconnu ». On lui a donné le nom du mois où il fut recueilli : « Février ». Je l'ai toujours vu ici. Cela fait dix ans.

Zinia s'approcha prudemment du malheureux et se plaça devant lui, mais il ne parut pas la voir. Ses yeux semblaient tournés vers une autre réalité.

– Les quatre soleils, dit-elle, que savez-vous des quatre soleils ?

Pas une de ses rides, pas un de ses cils ne bougea. C'était comme si elle n'existait pas.

– Aucune des personnes qui travaillent ici ne se souvient avoir entendu un mot sortir de cette bouche, confia la religieuse.

Zinia cherchait cependant quelque chose à dire qui fît réagir l'homme.

– Villarmesseaux, ce nom vous évoque-t-il quelque chose ? Et Fonziac, Jean-Baptiste de Fonziac ? Philippe de Mandeterre ? Florentin ? Marie l'Alouette ?

Elle essaya encore une fois :

– Les quatre soleils ? Que signifient-ils ? Pourquoi ces dessins ?

Elle alla même jusqu'à creuser à son tour dans le mur, effaçant en partie un des symboles sans que son geste eût aucun effet.

– Je vous l'ai dit : c'est inutile. Je me demande même s'il nous voit, s'il nous entend…

La jeune fille ne voulait pourtant pas baisser les bras

si rapidement. Elle avait espéré obtenir une réponse entre ces murs. Elle fixa une dernière fois l'homme dans les yeux. Que dissimulait ce cerveau ? Elle avait l'impression de se trouver devant une bibliothèque dont on avait perdu la clef.

— Venez, dit la religieuse, il n'y a rien de plus à faire ici.

À regret, Zinia rebroussa chemin, précédée de Giuseppe et de la nonne. Soudain, au moment où ils allaient refermer la porte, la jeune fille entendit comme un râle. Elle se retourna. L'homme n'avait pas bougé. Était-ce lui ou une autre de ces épaves en fin de vie qui avait émis cette plainte ? À nouveau ce bruit. Un son inarticulé. Mais humain. Elle revint sur ses pas. Les lèvres de l'inconnu prostré s'étaient entrouvertes. Il cherchait à former des mots, mais seuls des fragments de sons parvenaient à franchir ses lèvres. Sa mâchoire tremblotait.

— ... Iaac... Zaac... Onn... On...

— Fonziac ? c'est ça ?

— On... iac... Fon...

— Fonziac, oui, répétait Zinia. Fonziac, Jean-Baptiste.

Il semblait qu'un barrage avait cédé dans ce cerveau malade et que ses paroles, par un fantastique effort, cherchaient à retrouver leur chemin pour résonner à nouveau dans une bouche restée longtemps muette.

— F... fon... iac.

— De l'eau, intervint la religieuse qui s'était rapprochée, la cruche, là !

Giuseppe la lui tendit. On fit boire l'homme. L'eau lui coulait sur le menton et mouillait ses hardes sans qu'il s'en rende compte.

– Fonziac, articula-t-il cette fois-ci, et il en fut épuisé.

Son corps se laissa aller en arrière. Il ferma les yeux longuement. L'humain reprenait possession d'une carcasse vide. Il bascula lentement sur le côté, le visage grimaçant, perdu dans la paille. Des mots venaient, incompréhensibles, comme une fièvre. Il se mit ensuite en boule, protégeant son crâne de ses deux mains, gémissant, puis se détendit brutalement deux fois avant de se relâcher, victime d'une mortelle fatigue. Alors, il ouvrit les yeux et c'était comme s'il voyait pour la première fois. Très précautionneusement, il chercha à s'asseoir mais il dut accepter l'aide de Giuseppe pour s'adosser au mur de sa prison. Il se tenait toujours le côté droit du crâne, où sa blessure était si visible. Il regarda tour à tour les trois personnes qui l'entouraient, puis ses yeux se fixèrent sur Zinia.

– Fonziac, répéta-t-il, Jean… Baptiste.

En parlant, l'homme hochait la tête, conscient du chemin qu'il lui fallait parcourir. Il retrouvait le monde et se retrouvait lui-même.

– Ce… c'est vous ? osa Zinia, prise d'un fol espoir.

L'homme secoua la tête pour signifier que non.

– Mais vous le connaissiez ?

Il acquiesça.

– Il y a… si longtemps.

– Où ? Quand ? Vous pouvez m'en parler ?

Il ne répondit pas immédiatement, fronça les sourcils et regarda autour de lui comme s'il découvrait l'endroit où il était. Il contempla ses mains, ses hardes, la paille et les murs lépreux.

— Depuis quand suis-je ici ?

— Nous l'ignorons, intervint la religieuse.

— Et les quatre soleils, insista Zinia, que pouvez-vous nous en dire ?

— Les quatre soleils… oui… oui…

Il bascula sa tête en arrière, ferma les yeux et commença son récit.

Un secret de Richelieu

Nous étions quatre. Quatre amis qui partageaient le bon goût d'être fidèles au roi alors que Paris se soulevait et qu'une partie de la noblesse se perdait dans la Fronde. Nous n'avions pas vingt ans et, nous engageant dans ces journées violentes, nous avions l'impression de participer à un jeu où notre ardeur, notre bravoure et notre loyauté pourraient s'exprimer pleinement. Comme nos aînés, nous avions rêvé de nous distinguer chez les mousquetaires du roi, mais leur compagnie avait été dissoute par M. Mazarin quelques années plus tôt. Il aurait fallu attendre une dizaine d'années pour que ce corps d'élite fût reconstitué. Or, à vingt ans, on n'attend pas : on se bat.

Lorsque le métier des armes nous en laissait le loisir, nous courions les cabarets de la capitale et les réceptions des hôtels particuliers. Les lieux mal famés comme les salons les plus huppés n'avaient pas de secrets pour nous. On pouvait nous voir le matin à Saint-Germain au lever de Sa Majesté, le soir à un bal de barrière ou faisant la claque devant les comédiens de l'hôtel de Bourgogne, pour finir la nuit entre les bras d'une duchesse ou d'une blanchisseuse. En outre, nous avions une passion commune pour l'occultisme, les énigmes et les mystères du monde. Nous étions jeunes, nous étions riches, nous étions nobles, cultivés et aussi, je crois pouvoir le dire, nous étions beaux. Et nous mangions la vie par les deux bouts. Jusqu'au mois de décembre 1652.

Ce jour-là, le 4 précisément, fut organisée, dans l'ancien Palais-Cardinal, une cérémonie pour célébrer les dix ans de la disparition d'Armand Jean Du Plessis, duc et pair de France, que l'histoire retint sous le nom du cardinal de Richelieu. Bien sûr, cette cérémonie n'était pas innocente : la Fronde venait de prendre fin et l'entourage de notre jeune roi voulait souligner l'importance de la loyauté à son égard. Richelieu en demeurait le parfait exemple. C'était également, de la part de la reine mère, une façon discrète de rappeler que le défunt homme d'État avait lui-même désigné pour lui succéder un certain Jules Mazarin, alors en exil, mais dont on préparait activement le retour. Les célébrations, qui avaient commencé par une grande messe solennelle, se déroulaient avec faste, réunissant les plus grandes familles du royaume qui avaient su choisir le camp du roi lors des émeutes.

Nous nous étions retrouvés là tous les quatre : le comte Sigisbert Moreau de Maupertuis, le plus jeune d'entre nous ; les deux cousins : le marquis Gaëtan de Villarmesseaux et le chevalier Jean-Baptiste de Fonziac ; et moi-même, à l'époque où je me nommais encore Valdemar de Grignan, comte de Ventadour. Pour tromper notre ennui lors des cérémonies qui rassemblaient nos parents et les personnes d'un autre âge, nous choisîmes d'explorer ce gigantesque palais à la recherche d'une distraction. Le hasard, le destin, ou Satan lui-même sans doute, mena nos pas dans une galerie qui conduisait à la prestigieuse bibliothèque que M. de Richelieu, amoureux des lettres et qui se piquait d'écriture, avait constituée. Elle se déployait dans plusieurs salles sombres et désertes à cette heure de la nuit. Les étagères dressaient des murailles brunes d'où émanaient des parfums de cuir, de papier et de poussière. On trouvait là des ouvrages de toutes sortes, soigneusement classés, écrits politiques, théologiques, historiques… Une grande part de la pensée française, latine et grecque dormait aussi sur ces rayonnages, préservée des ravages du temps par une escouade de bibliothécaires qui entretenaient ces livres avec amour.

C'est Sigisbert, je crois, qui remarqua qu'une étagère consacrée entièrement aux anciennes éditions de la Bible pouvait pivoter sur elle-même, découvrant ainsi un réduit secret. Ce mystère raviva notre intérêt. À l'intérieur, nous découvrîmes de nouveaux manuscrits aux reliures fatiguées, essentiellement des ouvrages d'occultisme, de magie, de satanisme, toutes choses qu'il n'était pas de mise de trouver dans la bibliothèque d'un cardinal, pair de France. Nous en choisîmes quelques-uns au hasard pour les feuilleter. Ce n'était que billevesées, bave de crapaud et amulettes, recettes de philtres d'amour et sortilèges, bonnes à retenir l'attention d'un naïf. L'ensemble se révélait, en fait, bien décevant. Nous allions repartir lorsque Gaëtan repéra, caché derrière une pile de livres trop bien rangés, un ouvrage visiblement ancien. Par curiosité, il s'en saisit. Il s'agissait des *Métamorphoses* d'Ovide, traduites en français dans un manuscrit du XVe siècle orné de miniatures raffinées. Un bel ouvrage, certes, mais dont on pouvait se demander pourquoi on l'avait dissimulé avec tant de soin. Gaëtan le feuilleta avec précaution. Le vélin craquait sous ses doigts. Il tomba bientôt sur plusieurs feuillets en papier souple et plus blanc que le reste de l'ouvrage, dont le texte s'accompagnait de cinq modestes gravures en guise d'illustrations. Ces feuillets étaient enchâssés au cœur d'un passage concernant les quatre métamorphoses du monde. Assurément, il s'agissait là de quelque chose de particulier. Nous déposâmes donc avec soin l'ouvrage sur un guéridon et entreprîmes de l'étudier. Sans nous en rendre vraiment compte, nous nous laissions déjà absorber par son mystère…

La première gravure se distinguait des autres. Elle portait en sous-titre : « La métamorphose de l'homme ». On y voyait, dans un paysage imaginaire, un homme nu, une cicatrice au côté, debout au centre d'un losange légèrement irrégulier. À chacun des angles de cette figure, on trouvait successivement un gros poisson en haut, un âne à gauche, un dragon en bas et un aigle à droite. Les quatre gravures suivantes se ressemblaient ; chacune d'elles figurait un des fleuves du paradis : Pischon, Guihon, Hiddékel et Euphrate, et, aux sources de ces fleuves, on retrouvait chacun des animaux de la première image ainsi que des personnages inactifs. Qu'est-ce que tout cela avait à voir avec *Les Métamorphoses* ? Jean-Baptiste nous fit alors remarquer que le chiffre quatre revenait à plusieurs reprises dans notre découverte : les feuillets étaient insérés dans un passage du texte d'Ovide sur les quatre métamorphoses du monde, sur la première gravure figurait un quadrilatère, et sur les autres, les quatre fleuves du paradis. Pouvait-il s'agir d'une coïncidence ?

– Et nous, nous sommes quatre également, ajouta Sigisbert avec un sourire mal assuré.

Nous avions déjà l'impression de tenir quelque chose.

Gaëtan tenta alors de déchiffrer la fine écriture ampoulée qui couvrait les pages en question. Le début en était illisible, en partie effacé par l'usure du papier :

« [...] l'a montré Arthéphius et l'ont confirmé les autres chercheurs, Paracelse le premier. Vous connaîtrez aisément que rien ne croît ou s'augmente sans le secours des quatre Éléments. Et par conséquent tout ce qui est élémenté, doit avoir été fait par la vertu des quatre Éléments, en la même manière que l'origine de toutes choses naissantes ou croissantes se fait par le moyen de l'eau. Or, j'ai uni l'antimoine et le mercure, et par un moyen de longue peine, j'y ai mêlé la Quintessence, le végétal et l'animal, le mâle et la femelle, le soleil et la lune, l'homme rouge et la femme blanche quatre fois, et... » Un passage était à nouveau effacé, puis le texte reprenait ainsi : « [...] était en fait le Grand Œuvre et qu'il ne s'agit pas tant de transmuter les métaux que de changer l'homme. Et, dès lors, par l'effet de cette pierre des philosophes, la conversion des corps sera, car Dieu a permis

que ses élus choisissent la forme de leur destin, et l'Homme
pourra être l'animal et il pourra être autre, Homme à l'image
de son choix et Femme tout aussi bien et redevenir Homme
selon son désir. Ce sera la seconde étape de la mutation du
philosophe. Mais, pour cela, il lui faudra faire se rencontrer
le dragon du sud avec l'aigle de l'est, et aussi bien le mar-
souin et l'âne pour unir les quatre éléments. »

Gaëtan arrêta sa lecture et nous nous regardâmes, intrigués.

– Quel est ce galimatias ? finit par lâcher Sigisbert.

– Cela m'a l'air d'un ouvrage d'alchimie, dit Jean-Baptiste.

J'intervins alors :

– Ce qui est étrange, c'est qu'il soit inséré dans un autre livre…

– Ce n'est pas étrange, murmura alors Gaëtan qui paraissait troublé par notre découverte. C'est un signe.

– Que voulez-vous dire ?

– Voyons, que nous dit ce texte ? Que les élus peuvent choisir la forme de leur destin, et que l'homme peut être autre à l'image de son choix. Et où trouvons-nous cela ? Dans le livre des *Métamorphoses* ! Que vous faut-il de plus pour comprendre ?

– J'avoue que cela reste pour moi bien obscur, déclara Sigisbert.

– Mais il ne s'agit ni plus ni moins que de la possibilité de se métamorphoser, selon notre désir, en ce que nous voulons !

– Gaëtan, vous perdez le sens commun !

– En aucune façon. Je suis persuadé que nous avons mis la main sur un document où il est question du pouvoir de changer de forme.

Nous nous dévisageâmes en silence puis nos yeux se portèrent à nouveau sur le livre. Cela paraissait incroyable et, pourtant, nous avions envie d'y croire. Le lieu où ce livre avait été entreposé, la façon dont on l'avait dissimulé, tout cela rendait crédible l'hypothèse de Gaëtan.

– Mais à quoi peut bien servir un tel pouvoir ? reprit avec naïveté Sigisbert. Je me trouve suffisamment bien tel que je suis.

– Vous qui ne parvenez pas à vous approcher de votre Marianne, en prenant le physique de son frère vous pourriez passer le barrage de ses parents et de leurs laquais pour vous introduire sans problème chez elle.

– Ma foi…, acquiesça notre jeune ami.

En fait, nous ne parvenions pas réellement à concevoir une pareille folie qui, telle une fable persane, nous faisait rêver. Toutefois, en examinant le livre, en en parcourant le texte une fois encore, l'hypothèse de Gaëtan nous sembla de plus en plus crédible. Terriblement crédible. Avec soin, nous déposâmes l'ouvrage sur un guéridon sans le quitter des yeux et reculâmes d'un pas circonspect. Comme si cette reliure risquait de nous brûler tout entiers. Chacun d'entre nous chercha à dissimuler son émotion en s'enfermant dans un silence tendu. Nous entrevoyions les possibilités ainsi offertes et, au-delà de la seule satisfaction de faire aboutir une intrigue amoureuse, nous imaginions les mille autres options, mesurant à quel point ce pouvoir, s'il existait vraiment, pouvait se révéler fabuleux et, mis au service d'une mauvaise cause, terriblement dangereux.

— Je crois que nous devrions refermer ce livre et le replacer là où nous l'avons trouvé, dit le sage Jean-Baptiste.

— Croyez-vous ? répondit Sigisbert qui s'était mis à espérer des conquêtes faciles.

Si alors j'avais pu connaître les conséquences de cette découverte et savoir que j'y laisserais une part de ma vie, j'aurais suivi l'avis du chevalier de Fonziac et me serais enfui aussi vite et aussi loin que possible. Mais je me sentais tellement excité, si enthousiaste, que toute mesure m'avait abandonné. Gaëtan, lui, ne soufflait mot. De nous quatre, il paraissait le plus fasciné par tout cela. Pas un doute ne l'effleurait et l'on comprenait qu'il était résolu à aller jusqu'au bout.

— Et si…

Sigisbert hésitait à poursuivre. Il finit par demander :

— Et si cette métamorphose se révélait irréversible ?

— Je ne vois pas pourquoi. S'il est possible de changer dans un sens, on doit pouvoir le faire dans un autre. Regarde là, dans le texte : « […] *et redevenir Homme selon son désir.* » Il nous faut, de toute façon, en savoir plus. Après tout, le risque fait partie du jeu.

— Et vous pensez que le secret de cette métamorphose se trouve dans ce texte ? demandai-je à ceux qui étaient encore mes amis à l'époque. S'agit-il d'une potion à prendre ? d'une formule à réciter ? d'un onguent ?

Jean-Baptiste saisit les fameux feuillets et, tout en les parcourant des yeux plus avant, me répondit :

– Il me semble plutôt qu'il s'agit là d'un message censé nous mener jusqu'au lieu où cette formule, cette potion ou ce que vous voulez, est caché…

– Comment cela ?

– Écoutez ce qu'on peut lire un peu plus loin :

« *Ici est le chemin pour trouver la Pierre du Philosophe.*

À chacun son Cardinal
Pour les figures cornières
Et le premier d'entre nous
Qui commence où commence la lumière
À la première saison,
En dessous de l'Isle
Au-dessus des deux jumeaux.

Mille fois mille fois la figure
Pour dire le premier
Par les quatre éléments.

Dans Sa maison
Entre l'Évangile et le cavalier,
Le nom de la saison en pas.
Puis, va vers ton cardinal
Jusqu'à ta couleur d'Apocalypse
Qui est la source.

Et encore cent fois ton fleuve
Par le métal de ton âge.
Là se trouve le premier soleil,

Celui qui ne parlera que par ton image,
Derrière le regard des hommes.

Unis, ils ouvriront
La porte des métamorphoses. »

— Bigre ! s'exclama Sigisbert. Nous voilà bien avancés… C'est incompréhensible.

— Il nous faut prendre le temps de déchiffrer ce texte, intervint Gaëtan.

— Croyez-vous qu'il recèle vraiment un sens caché ?

— J'en suis certain. À nous d'utiliser notre tête pour le découvrir. Emportons le livre et…

— Comme vous y allez, mon cousin ! dit à son tour Jean-Baptiste. Ce livre est la propriété du roi, ce me semble. La bibliothèque du cardinal n'a-t-elle pas été transmise à Sa Majesté à la mort du ministre ?

— Certes, mais il ne s'agit que d'un emprunt. Et encore d'une partie seulement de l'ouvrage.

Et, joignant le geste à la parole, il détacha avec soin les textes et les gravures qui avaient été insérés dans le livre.

— Vous voyez, ajouta-t-il avec malice, je replace Ovide où il était. Je vais étudier tout cela, et retrouvons-nous dans quelque temps. Je vous ferai part de mes conclusions.

Il s'apprêtait à quitter le réduit secret lorsque je le retins par la manche de son pourpoint.

— Il ne me paraît pas très juste que vous emportiez seul notre découverte commune.

– Qu'entendez-vous par là ?

– N'y voyez aucune méfiance à votre égard, mais il me semble que, si nous voulons que notre amitié reste intacte, nous devrions partager équitablement les pages que vous serrez déjà sous votre pourpoint.

– Me suspecteriez-vous de vouloir garder pour moi…

Il s'interrompit, laissant planer comme un soupçon de menace. Jean-Baptiste entra dans le débat :

– Valdemar n'a pas tort. Répartissons-nous ces feuillets. Puisque le quatre semble y être un chiffre d'importance, ce partage devrait pouvoir se faire en bonne intelligence. Ainsi, nous ne parviendrons au terme de l'énigme qu'unis.

Gaëtan de Villarmesseaux dissimula avec peine son agacement.

– Soit, dit-il, je cède de bonne grâce à votre demande.

Il tendit aussitôt à chacun une des gravures, conservant pour sa part celle où l'on voyait l'homme nu, et partagea ensuite le poème énigmatique en quatre morceaux de six vers chacun.

– Voilà. Êtes-vous satisfaits ? Que chacun étudie sa partie, et revoyons-nous dès que possible.

Sans plus un mot, nous quittâmes le cabinet secret pour rejoindre les fastes de la réception. Cependant, lors du bal qui suivit, nous ne parvînmes pas un instant à oublier cette histoire et à profiter des beautés qui s'offraient à nos yeux. Obsédés par notre découverte, nous avions l'impression que les pages que nous cachions sous nos chemises nous brûlaient la peau.

L'énigme d'Ovide

Six mois plus tard, nous ne nous étions toujours pas revus. Méditant cette histoire, je relisais chaque jour le fragment qui m'était échu jusqu'à le connaître par cœur, sans toutefois parvenir à en deviner le sens. C'est Gaëtan qui, le premier, renoua le contact. Il n'avait pas abandonné le projet de déchiffrer l'énigme. Il nous convia à quelques lieues de Paris, dans une demeure qu'on lui avait prêtée. Il voulait entourer cette affaire de la plus grande discrétion. Nous arrivâmes tous au rendez-vous avec, dans le cœur, la même excitation qu'au premier jour.

– Au cours de ces derniers mois, nous avoua-t-il d'entrée, j'ai essayé de tirer des conclusions des fragments dont je disposais. Mais je n'ai pu formuler que des hypothèses. Confrontons nos réflexions et unissons nos idées pour faire la lumière sur ce mystère.

On nous servit un souper léger, et les domestiques se retirèrent pour nous laisser travailler en paix. Cette soirée du début de l'été s'annonçait douce, le jour se prolongeait, mais nous n'en avions cure tant le problème à

270

résoudre nous accaparait. Une fois le poème reconstitué, Gaëtan fit une première hypothèse :

— Le Cardinal du premier vers serait-il Richelieu ?

— Il s'agit de mon fragment, dit Sigisbert, et je suis arrivé à une autre conclusion : il doit s'agir d'un point cardinal. L'énigme insiste sur le chiffre quatre… comme les quatre horizons. Et cela doit renvoyer à la position des figures situées aux quatre coins de la première gravure.

— Les animaux ?

— Oui.

— Voyons, nous aurions donc l'aigle à l'est, le dragon au sud, l'âne à l'ouest et le poisson au nord.

— Bien, dis-je. Cela éclairerait effectivement les deux premiers vers : « *À chacun son Cardinal / Pour les figures cornières* ». Cela sous-entendrait que ce premier dessin est une sorte de plan.

— Pour « *Le premier d'entre nous* », reprit Sigisbert, il ne peut que s'agir d'Adam. C'est bien lui qui est représenté au centre de la figure. Après, c'est un peu moins clair…

— On dit qu'il commence où commence la lumière, intervint à son tour Jean-Baptiste. Le soleil se lève à l'est. Il doit donc s'agir du point où se trouve l'aigle.

— Peut-être, mais cela ne nous avance pas beaucoup. En quoi Adam commence-t-il à l'est ? Quel rapport avec un aigle ?

— Mon fragment, dit Gaëtan, n'est pas plus évident. Pourtant…

Il lissa son papier qui était le second.

– … Pourtant, ces deux vers, là : « *Mille fois mille fois la figure / Pour dire le premier* », ce pourrait être : Agrandissez mille fois et encore mille fois le dessin.

– Voyons cela.

Sigisbert, qui, de nous tous, maniait les chiffres avec le plus d'aisance, mesura le quadrilatère irrégulier sur la gravure, prit quelques notes, avant de conclure :

– Ma foi, cela se pourrait. Le dessin mesure un peu plus de trois pouces. Multiplié par mille et encore par mille, cela donne plus de vingt et une lieues ! Encore nous faudrait-il savoir sur quel territoire poser cette gigantesque figure.

– C'est simple, intervint à son tour Jean-Baptiste : « *En dessous de l'Isle / Au-dessus des deux jumeaux.* » Voilà où situer le point de l'aigle. À l'est.

– Mais quelle « isle » ? Et qui sont ces jumeaux ?

C'est alors que j'entrai dans la discussion. J'avais passé une partie de mon enfance dans un collège de Meaux, et les pères nous faisaient, de temps à autre, découvrir la nature environnante. Nous avions eu ainsi l'occasion de nous rendre au petit village de Saint-Jean-les-Deux-Jumeaux. Il se trouvait à proximité d'un autre hameau, situé un peu plus au nord, du nom d'Isle-les-Meldeuses. Cette coïncidence devenait extrêmement troublante. Lorsque j'en eus fait part à mes amis, Gaëtan se leva et revint avec une de ces toutes nouvelles cartes auxquelles travaillait déjà M. Sanson d'Abbeville pour son projet d'atlas. Il déroula devant nous la large feuille au centre de laquelle figurait Paris. En effet, à l'est de Meaux, on pouvait voir les deux agglomérations que j'avais évoquées. Celles-ci encadraient un troisième village : Armentières-en-Brie.

– Bien. Et alors ? demanda Gaëtan.

– Voyons, dit Sigisbert.

Il s'employa sans plus tarder à tracer à l'échelle voulue le quadrilatère du dessin. Lorsqu'il eut fini, nous examinâmes la carte. Rien ne ressortait de son travail. Gaëtan ne dissimulait pas son agacement :

– Êtes-vous certain de vos calculs ?

– De mes calculs, oui, mais de l'exactitude de cette carte, beaucoup moins.

L'enthousiasme de nos premières conclusions retomba. Nous aboutissions à une impasse. Chacun se mit à réfléchir, relisant le poème, examinant alternativement les gravures et la carte. C'est Jean-Baptiste qui débloqua la situation :

– « *Pour dire le premier / Par les quatre éléments.* » Nous avons vu que le premier, c'est Adam, n'est-ce pas ? Et pour les quatre éléments, n'avons-nous pas là des animaux qui les symbolisent : la terre pour l'âne, l'air pour l'aigle, l'eau pour le poisson et le feu que crache le dragon ?

– En effet, murmura Gaëtan en se redressant. Et si... si « *dire le premier* » signifiait « dire son nom » ?

– « Adam » comprend quatre lettres, fit remarquer Sigisbert.

– Et la première est un A, comme aigle, dis-je en suivant le dessin du bout du doigt ; la seconde est un D comme dragon, la troisième un A comme âne et la quatrième un M comme...

– Poisson ? suggéra Sigisbert.

– Ça ne marche pas, conclus-je, déçu.

Nous retombâmes dans nos sièges. Mais Jean-Baptiste ne lâchait pas son idée :

– Et si ce gros poisson, c'était… un marsouin ?

Chacun d'entre nous manifesta son étonnement.

– Le dessin n'est pas si précis, intervint Gaëtan… Mais ce n'est pas impossible.

– Je connais mal cet animal, mais il me semble que, en effet, il porte bien une sorte d'aileron, ainsi qu'on le voit sur l'image.

– Admettons que j'y voie juste. Que pouvons-nous en tirer ?

Le chevalier de Fonziac poursuivait son raisonnement :

– Le texte nous dit que, en agrandissant mille fois et mille fois la figure, on « dit » le premier. Ce ne sont donc pas les animaux du dessin qui permettent d'épeler ADAM ; ils ne sont là que pour nous indiquer le raisonnement à suivre. Je pense qu'il nous faut plutôt chercher le nom de villes ou de villages.

Nous nous reportâmes sur la carte et, en effet, à proximité de chacun des angles de la figure tracée par Sigisbert, on découvrait successivement : Dannemois, Anet et Marines. Avec Armentières, nous retrouvions bien nos quatre initiales. À partir de cet instant, la tension monta d'un cran. Nous étions désormais certains d'être sur la bonne piste. Mais l'énigme n'était pas résolue pour autant. Que devions-nous trouver dans chacune de ces villes ? C'est Gaëtan qui avança une nouvelle hypothèse :

– « *Dans Sa maison* », la majuscule laisse à penser qu'il s'agit de la maison de Dieu. L'église, donc.

– Il est bien certain, dis-je, qu'il en existe une dans chacune de ces communes. D'ailleurs, ne parle-t-on pas d'Évangile au vers suivant ?

– Oui, et de cavalier, mais là…

– Là, c'est aussi clair, lança Sigisbert. Il y a bien quatre évangélistes, non ?

– Et quatre cavaliers de l'Apocalypse, oui ! compléta Gaëtan. Un pour chaque ville, j'imagine. Ensuite, tout devient limpide !

– Vraiment ?

– Oui, écoutez : il nous faut repérer les églises de chaque ville et, à l'intérieur, trouver les représentations des cavaliers et des évangélistes, puis aller de l'un à l'autre en comptant nos pas. « *Le nom de la saison en pas* » signifie trois pas pour « été », neuf pour « printemps », etc. Puis se tourner vers son cardinal : est pour Armentières, sud pour Dannemois et ainsi de suite pour les autres !

Il s'enflammait en parlant de telle sorte que la question de Sigisbert le coupa net :

– Et la *couleur d'Apocalypse*, quelle est-elle ?

– Euh, je…

Ce fut à moi d'intervenir :

– Je m'étonne de la faiblesse de votre culture religieuse ! Mes amis, ne connaissez-vous pas le texte de Jean ? Dans l'Apocalypse, chacun des cavaliers surgissant à l'ouverture d'un des sept sceaux chevauche une monture de couleur : blanche pour le premier, rouge feu pour le deuxième, noire pour le troisième et verdâtre pour le quatrième.

— Bien, dit Gaëtan, cela nous donne donc la fameuse « *source* ».

— Encore que « aller jusqu'à sa couleur » reste pour moi bien obscur, lâcha Sigisbert.

— Sans doute comprendrons-nous sur place…

— Une source, c'est de là que partent les fleuves, fis-je remarquer.

— Merci pour l'information, me lança, narquois, le marquis de Villarmesseaux.

— Je veux dire que le point que nous aurons ainsi défini sera un départ pour les fleuves. Une source, donc.

— Expliquez-vous plus clairement, Jean-Baptiste, je vous en conjure !

— Des fleuves, n'est-ce pas ce qu'on voit sur les quatre autres gravures ? Regardez, à la source de chacun d'entre eux, on retrouve l'un des animaux figurant sur le quadrilatère de la première image.

— Et alors ?

— Il est fort probable que le tracé de ces fleuves, agrandi cent fois, à partir de la source trouvée, nous mènera à ces fameux soleils.

— Attendez ! Attendez ! reprit Villarmesseaux, je résume votre hypothèse. La première gravure nous désigne quatre villages. Dans les églises de chacun d'entre eux, nous repérons un évangéliste et un cavalier de l'Apocalypse. C'est bien ça ?

— Oui, poursuivez, dis-je.

— De l'un vers l'autre nous comptons un certain

276

nombre de pas selon notre saison respective. Mais où trouvez-vous la référence à ces saisons ?

– Rappelez-vous le début du texte de l'énigme : « *Et le premier d'entre nous / Qui commence où commence la lumière / À la première saison* ». Les lettres formant ADAM commençaient avec l'initiale d'Armentières, la première ville de notre énigme, donc, à l'est, là où le jour se lève ; à l'est auquel est donc associé le printemps, première saison.

– Ce qui fait que, si j'ai bien compris, le nombre de pas sera de neuf pour l'église d'Armentières, car c'est le nombre de lettres du mot printemps.

– Oui, c'est cela. Et trois pour Dannemois (été), sept pour Anet (automne) et cinq pour Marines (hiver).

– Je poursuis, reprit Villarmesseaux. Nous comptons nos pas, puis nous nous tournons vers l'est, ou le sud, etc., suivant la position de notre ville sur le quadrilatère initial, et nous avançons vers notre couleur, et là, c'est le mystère complet…

– Oui. Tout comme « *le métal de ton âge* », enchaîna Sigisbert. De quoi peut-il s'agir ?

– Eh bien…

Comme chacun d'entre nous, Gaëtan n'avait aucune réponse à proposer pour cette partie de l'énigme.

– Cela aussi, affirma-t-il, nous le comprendrons sur place, sans doute.

– Moi, dis-je, au contraire, j'en doute fort. Il suffit qu'une clef nous manque pour que nous errions dans les églises sans rien trouver.

– Et que proposez-vous ?

– Il nous faut chercher encore. Jusqu'à présent, l'énigme s'est livrée à nous sans trop de difficulté…

– Parce que nous avons uni nos savoirs ! Seul, aucun de nous n'y serait parvenu. N'oubliez pas la fin du texte : « *Unis, ils ouvriront / La porte des métamorphoses.* »

– Eh bien continuons !

Sigisbert nous interrompit :

– Et ceci : « *Celui qui ne parlera que par ton image / Derrière le regard des hommes.* » Que faut-il entendre là ?

– Une fois que nous aurons trouvé dans chaque maison de Dieu ce qui s'y cache, nous serons à même d'éclairer ce passage.

Je doutais que la solution fût si facile, et d'ailleurs, bien qu'elles s'enchaînassent avec une certaine logique, beaucoup de nos hypothèses me paraissaient encore bien fragiles. Nous convînmes donc d'aller explorer chacune des églises et de tenter d'y appliquer ce que nous venions de déchiffrer. Nous nous répartîmes les villes. J'héritai de la première, Armentières, Dannemois échut à Gaëtan, Anet à Sigisbert, et à Jean-Baptiste fut attribuée Marines. Nous nous donnâmes un mois pour mener nos enquêtes respectives. Rendez-vous fut pris dans cette même demeure. L'aube pointait lorsque nous nous séparâmes.

Pour ma part, cette découverte m'enthousiasmait. Cependant, ce matin-là, je m'éloignais de mes compagnons avec le sentiment que tous ne partageaient pas la même disposition d'esprit, et je craignais que, en définitive, cette histoire ne brisât notre belle amitié. Fort de ce raisonnement, je me croyais lucide, mais l'avenir m'apprit combien je n'étais que trop naïf. En effet, les conséquences furent bien plus lourdes que ce que je pouvais alors imaginer. J'avais pourtant bien perçu que Gaëtan envisageait notre découverte avec une sérieuse avidité. Sigisbert, de son côté, paraissait plus détaché. Quant à Jean-Baptiste, il ne faisait pas mystère de sa réticence.

Il me fallut attendre une semaine avant de pouvoir me rendre à Meaux, la ville de ma jeunesse, puis gagner Armentières-en-Brie. Lorsque je gravis les six grandes marches de l'église, je me sentis plus ému que je ne l'avais supposé. Allais-je réellement trouver là quelque chose ? N'étions-nous pas les victimes d'un subtil canular ? Je levai les yeux vers le clocher soutenu par de larges contreforts, espérant sans doute y lire un divin assentiment, puis je pénétrai dans la nef.

Nous étions en plein cœur de l'été, la chaleur extérieure était lourde et je reçus la fraîcheur de l'église comme une bénédiction. Il n'y avait qu'un bedeau en train de s'activer à déplacer des cierges sur l'autel. Lorsqu'il m'entendit, il se retourna et me dévisagea avec une certaine suspicion. L'ignorant, je me mis à genoux dans une attitude de recueillement, avec l'espoir que le bonhomme finirait par vaquer ailleurs. Il continua cependant de farfouiller sur l'autel, faisant mine d'être absorbé par sa tâche, mais ne manquant pas de me jeter des coups d'œil à la dérobée. Puis, peut-être rassuré par mon apparente ferveur, il se dirigea vers la sacristie, me laissant enfin seul. Je regardai alors autour de moi. D'un côté de la nef se dressait une statue et, de l'autre, une peinture déjà ternie par le suif des cierges. La peinture figurait une vision de l'Apocalypse où un cavalier caracolait sur un cheval blanc immaculé. Assurément, j'étais sur la bonne piste. La statue était celle de saint Jean, que je reconnus à l'aigle perché sur son épaule. C'était une représentation étrange, mais en tout point conforme à l'énigme qui m'avait conduit jusquelà. Je m'apprêtais à prendre mes marques pour mesurer les neuf pas qui devaient me rapprocher de la peinture, lorsque le bedeau surgit brusquement, comme s'il voulait me surprendre. Peut-être n'avait-il cessé de m'observer ? Il me demanda alors avec insistance s'il pouvait m'être d'une aide quelconque. Je l'interrogeai aussitôt sur l'origine de cette statue, et cela parut éveiller plus encore son attention. Cette œuvre ainsi que la peinture qui lui faisait face avaient été offertes à l'église il y a plus de cent ans par un donateur généreux et anonyme qui, en retour, avait souhaité faire inhumer un de ses parents sous le dallage de la nef. Je lui fis donc croire que le défunt qui reposait sous ces dalles était pour moi un aïeul et que j'envisageais de faire donner une messe à sa mémoire contre, bien sûr, une coquette somme. Le bedeau en parut à la fois enthousiasmé et effrayé. Il voulut en référer à son curé qui, malheureusement, s'était absenté pour plusieurs jours. Je le rassurai en faisant valoir qu'il n'y avait aucune urgence, mais que, s'il le voulait bien, j'apprécierais de rester un long moment en prière, seul dans l'église. J'accompagnai ma demande d'une petite bourse qui, prestement, disparut sous son vêtement. Cinq minutes plus tard, j'étais tranquille.

Je fis mes neuf pas vers la peinture puis me tournai, suivant le texte, vers l'est, c'est-à-dire vers la porte de l'église. J'avançais dans l'inconnu, à l'affût de cette couleur d'Apocalypse qui, selon moi, devait être le blanc. Mais je ne voyais rien. Je levais les yeux, cherchais parmi les bancs, sur les murs et les colonnes, mais non, rien. Je me trouvais bientôt tout près de la sortie, à proximité du baptistère, lorsque je découvris, serti dans le sol sur une dalle plus claire que les autres, un caillou blanc. Ma couleur, ma source. Quatre petites lames de métal comme les rayons d'un soleil l'entouraient, et, en m'approchant, je constatai qu'il s'agissait d'or, d'argent, de bronze et de fer. « [...] *le métal de ton âge.* » Mais quel était le mien ? Je savais qu'Armentières était identifiée comme le point de départ des quatre villes, mais en quoi cela pouvait-il m'aider ? Je sortis la gravure figurant le fleuve. Aucune indication ne me permettait de trancher. Je m'assis sur un banc, essayant de me remémorer ce que je savais de la religion, de saint Jean, relisant dix fois le texte de l'énigme sans parvenir à rien. Je me demandai si mes compagnons s'étaient heurtés à la même difficulté. Sans doute. Peut-être un indice nous avait-il échappé ? Je me souvins tout à coup avoir parcouru d'un œil distrait l'ouvrage dans lequel les feuillets de l'énigme étaient enchâssés. Assurément, rien n'avait été laissé au hasard. Dans la confusion de mes souvenirs scolaires, l'un d'entre eux me revint en mémoire : les quatre métamorphoses du monde, selon Ovide, correspondaient à quatre âges successifs. Dans l'ordre : l'âge d'or, d'argent, du bronze et du fer. Les quatre métaux insérés dans la pierre devant moi. Voilà, c'était ça ! ce ne pouvait qu'être ça, et, pour moi, la petite lame d'or me montrait la voie que je devais suivre pour tracer mon fleuve agrandi cent fois. Aussitôt, je m'y employai.

Je m'appliquai à dessiner mon fleuve sur le sol avec un charbon et arrivai ainsi juste sous la chaire. Là, comme en écho aux quatre lames de métal, j'aperçus, discrètement gravé sur une pierre du dallage, un petit cercle cerné de rayons. Un soleil ! J'avais réussi ! Je me mis aussitôt à genoux et parvins à faire bouger la pierre, non sans effort.

Elle cachait une niche étroite dans laquelle reposait un coffret très simple, marqué, lui aussi, d'un soleil d'or. Il dormait sans doute là depuis plus d'un siècle. Je m'en emparai avec émotion, remis la dalle en place et quittai l'endroit au plus vite. J'avais trouvé le premier soleil.

Une fois dans ma voiture, je forçai la charnière rouillée. À l'intérieur, un parchemin recouvert de lettres incompréhensibles. L'auteur de ces mystères ne tenait décidément pas à ce que son secret puisse être décrypté sans mal. Seule l'union des quatre soleils ouvrirait la porte à la révélation finale.

Je regagnai Paris en hâte, impatient de retrouver mes trois amis pour confronter nos découvertes mutuelles.

Deux semaines plus tard, je pris la route avec Jean-Baptiste et nous retrouvâmes Gaëtan dans sa demeure discrète. Sigisbert se faisait attendre. Une heure passa, puis une deuxième avant que l'inquiétude commençât à nous tenailler. Qui retenait le plus jeune de nous quatre ? Nous avait-il oubliés au profit de beaux yeux ? Gaëtan proposa que, en l'attendant, nous confrontions nos découvertes respectives :

– Ainsi, fit-il avec une pointe de déception dans la voix, ces fameux soleils ne sont que des morceaux de papier. De nouveaux messages énigmatiques… Je commence à craindre que nous ne soyons les victimes d'un ingénieux fol qui s'amuse à créer des mystères ne menant nulle part.

– Pensez-vous réellement ce que vous dites, Gaëtan ? m'écriai-je. Je trouve au contraire que nous avons affaire à un homme qui ne manque pas de prudence et a multi-plié les obstacles pour ne permettre qu'aux plus résolus d'entre nous de parvenir au terme de cette quête.

– Hum. Je l'espère.

– Que de précautions ! fit Jean-Baptiste.

– Étant donné l'enjeu, elles me semblent justifiées, reprit Gaëtan. Et peut-être qu'en se contentant des trois soleils dont nous disposons, nous pourrions déjà avoir une idée de l'endroit où…

– Il ne pourrait en être question, s'insurgea alors Jean-Baptiste. La découverte se fera à quatre ou ne se fera pas ! D'ailleurs, je vous rappelle ce que disait le mes-sage : « *Unis, ils ouvriront / La porte des métamorphoses.* » Isolés, nous ne pouvons rien.

La nuit passa ainsi dans l'attente et, au petit matin, chacun repartit inquiet.

Dans les jours qui suivirent, nous cherchâmes à contacter Sigisbert, mais son entourage restait sans nou-velles, et ce depuis plusieurs jours déjà. Nous décidâmes donc de nous rendre à Anet, où le curé nous reçut, encore tout ému du sacrilège dont avait été victime son église : un inconnu avait défoncé une partie du sol de la nef. Examen fait, nous constatâmes qu'il ne s'agissait que d'une dalle brisée sous laquelle on découvrait une petite niche… vide. Selon le témoignage d'un fidèle, nous reconnûmes Sigisbert comme le responsable de ce vol. Mais de lui, toujours pas de trace.

Trois jours plus tard, je reçus un message de Gaëtan m'enjoignant d'être très prudent : Sigisbert venait de reparaître, et il avait tenté de le supprimer afin de lui dérober son soleil. Blessé et terrorisé, Gaëtan s'était réfugié dans une chambre meublée, à deux pas du Grand-Arsenal. Il me donnait rendez-vous à la nuit tombée sur l'île Louviers pour que je lui vienne en aide et me suppliait de n'en parler à personne, craignant que Sigisbert n'ait des oreilles partout. En outre, il m'enjoignait de venir avec mon soleil afin, disait-il, que ce précieux document ne reste pas sans surveillance. Il ajoutait que Jean-Baptiste avait, lui aussi, été victime de Sigisbert et qu'il se mourait. J'étais atterré par ce message. Jamais je n'aurais imaginé que notre ami, si cordial et si droit, puisse ainsi basculer dans le crime, uniquement appâté par la perspective de posséder seul l'étrange pouvoir de métamorphose. Le soir même, je me présentai au rendez-vous. L'île Louviers, lieu étrange, fragment de terre au centre de Paris où l'on entreposait du bois, était déserte le soir. Dans la clarté lunaire, je m'avançai entre les piles de rondins. Soudain, Gaëtan surgit de l'ombre, fébrile, et m'attira vers l'autre berge. Aussitôt, il me demanda si j'étais bien en possession du premier soleil. Pour le rassurer, je le lui montrai. Il s'en empara et se mit à parcourir ces lettres incohérentes comme s'il s'agissait d'un texte intelligible. C'est alors qu'il se mit à rire, un rire de dément et, comme je m'enquérais des raisons de son hilarité, il recula de trois pas et sortit de sa chemise deux pistolets qu'il braqua sur moi.

– Désolé, Valdemar, mais ce genre de découverte ne peut se partager.

Le temps que je me rende compte de ce qui se passait, il fit feu une première fois en criant :

– Donne le bonjour pour moi à Sigisbert, en enfer !

Je sentis mon épaule exploser. Il brandit aussitôt son autre arme. Il me fallait fuir, mais, avant que j'aie pu me dérober, il tira une seconde fois. La balle me toucha à la tête. Je perdis conscience alors que je basculai dans l'eau noire de la Seine.

Le silence d'Albane

Dans la cave sordide, le silence se fit. Valdemar de Grignan, jusqu'alors connu sous le seul nom de Février, reprenait son souffle. La religieuse le soutenait, lui versant un peu d'eau sur les tempes et les lèvres. Elle avait l'impression d'avoir assisté à une résurrection, et cela la troublait profondément.

Pour Zinia, l'histoire de son père apparaissait maintenant dans toute sa clarté, ou presque, et ce que l'homme prématurément vieilli ne pouvait lui apprendre, elle le reconstituait : Gaëtan de Villarmesseaux avait voulu garder pour lui seul les quatre soleils en supprimant chacun de leurs propriétaires. Il avait vraisemblablement réussi avec Sigisbert, cru y parvenir avec Valdemar, mais Jean-Baptiste lui avait échappé. Villarmesseaux avait alors monté son infâme piège pour compromettre le chevalier de Fonziac et lui arracher le quatrième soleil contre sa liberté. Jean-Baptiste n'avait pas cédé ; il avait disparu avec son secret. Maintenant, à court d'autre piste, le marquis de Villarmesseaux agissait avec la conviction que c'était elle, Zinia, qui détenait le dernier parchemin. Mais elle n'avait rien reçu de ce père, ni lettre ni message.

Tandis que Giuseppe aidait la religieuse à redresser M. de Grignan, Zinia fit quelques pas, s'appuyant à son tour au mur. Son sang ne fit alors qu'un tour : par une alchimie qu'elle ne comprenait pas vraiment, la colère montait en elle. Elle était désormais certaine que la cupidité d'un homme avait détruit plusieurs vies, celle de ses parents, de certains de leurs amis, et de combien d'autres encore ? À cet instant, la jeune fille ne savait qu'une seule chose : elle était une Fonziac, et elle allait le faire savoir.

Une Fonziac, certes, mais pour le moment, elle était encore Zinia Rousselières, alias Scaramouche, petite comédienne recherchée par la police pour avoir fait évader un condamné à mort. Pour se battre, il lui fallait des preuves, des témoins. La parole d'un Ribot ne compterait certainement pas, et celle de Marie, comtesse de Villotière, était sujette à caution. Restait Valdemar de Grignan, dont les souvenirs pourraient être décisifs. Mais l'homme était-il en état de témoigner ? Où et à qui fallait-il s'adresser ?

Ils sortirent tous les quatre des sous-sols de l'Hôpital général, et la religieuse fit appel à deux solides pensionnaires pour transporter M. de Grignan dans un lit. Vu ce qu'il avait connu, cela lui paraissait le summum du luxe. Très vite, il s'endormit.

– Après ce qu'il a vécu, nous nous devons d'offrir à ce malheureux une nouvelle vie, dit la nonne en lissant ses draps.

– Peut-être a-t-il encore une famille ? suggéra Zinia.

– Il faudra s'en assurer, oui. En tout cas, c'est grâce à vous qu'il est sorti de cet égarement où le destin l'avait conduit.

– Le destin et M. de Villarmesseaux !

– Hélas, oui.

Zinia perçut comme une note d'amertume dans cette réponse. Elle repensa au récit que la religieuse leur avait fait un peu plus tôt. Celle-ci semblait très au courant de la vie de Florentin et de sa compagne d'alors. En désignant l'homme allongé, Zinia reprit :

– Ne court-il aucun risque ici ?

– Que voulez-vous dire ?

– Il y a beaucoup de passage. Les gens parlent. Si la nouvelle de sa réapparition parvenait aux oreilles du marquis…

– Soyez tranquille, je veillerai personnellement aux soins de M. de Grignan.

Zinia hocha la tête. Elle voulait croire à la sécurité de son seul témoin. La religieuse les reconduisit bientôt dans le couloir. Il était entendu que les visiteurs reviendraient et que, dès que l'homme se porterait mieux, on examinerait les possibilités d'un recours en justice. Avant de partir cependant, Zinia eut une dernière hésitation.

– Vous m'avez bien dit que Mlle de Villarmesseaux a pris le voile ?

– En effet.

– Ne courons-nous pas le risque qu'elle soit informée de la situation et qu'elle veuille, par fidélité à son père, empêcher Valdemar de témoigner ?

Son interlocutrice baissa imperceptiblement la tête. Son voile dissimula un instant son regard.

– Il n'y a aucun danger, dit-elle d'une voix sourde. La fille du marquis n'existe plus. Du moins, elle a changé de vie et fait d'autres choix. Elle s'est attelée à réparer ce que son père a détruit, à bien agir quand il faisait mal, et à laver, autant que faire se peut, l'honneur des Villarmesseaux.

Et, sans autre commentaire, elle fit demi-tour et repartit vers les démunis auxquels elle avait consacré son existence.

L'inconnu de
la rue de la Huchette

Le quatrième soleil. Cela semblait à Zinia le seul moyen pour faire pression sur Villarmesseaux, pour l'obliger à se dévoiler, à faire un faux pas peut-être, et ainsi révéler au grand jour sa félonie.

Le quatrième soleil, après lequel le démoniaque marquis courait en vain depuis deux décennies, et dont il espérait tirer ce terrible pouvoir… s'il existait bien.

Le quatrième soleil, dont elle ne savait rien.

Elle avançait aux côtés de Giuseppe sans mot dire. Ils venaient de quitter l'hôpital et longeaient le marché aux chevaux. Ils passèrent bientôt devant le Jardin royal des plantes, puis descendirent vers le couvent des Bernardins. Tout en marchant, le baladin prit la main de Zinia.

– Que puis-je faire pour t'aider ? demanda-t-il.

Elle tourna la tête vers lui et le remercia d'un sourire.

– Me dire où se trouve ce mystérieux quatrième soleil !

– Si je le savais… Tu n'en as vraiment aucune idée ?

– Il y a seulement deux semaines, je n'en avais même jamais entendu parler !

– Mais ce vilain marquis semble croire que tu es la seule à pouvoir mettre la main dessus.

– Il se trompe. Ou alors…

– Ou alors ?

– De mon véritable père, il ne me reste rien. Pas un papier ni une lettre. Je n'ai que cette perle noire, qui, m'a-t-on laissé entendre, viendrait de ma mère.

– Peut-être le chevalier de Fonziac conservait-il le soleil sur lui…

– Aux galères ? Cela me semble peu probable. Et l'Alouette ne le lui a jamais vu entre les mains.

– Il ne lui disait pas tout.

– Sans doute.

– Reste l'hôtel de Fonziac, sa demeure.

– Elle a été remise, ainsi que tous ses autres biens, au marquis de Villarmesseaux par le roi, en remerciement du service rendu à la couronne. Je pense que le marquis en aura visité les moindres recoins, qu'il aura sondé murs et boiseries, vidé tiroirs, armoires et bibliothèques… sans rien trouver.

– On peut tout de même s'y rendre, insista Giuseppe, j'ai ouï dire que M. de Villarmesseaux n'a pas choisi d'y vivre et que l'hôtel est vide.

– Mais pour quoi faire ?

– Peut-être existe-t-il, dans un recoin de ta mémoire, un indice, un mot, une image peut-être, qui ne demanderont qu'à surgir lorsque tu exploreras les lieux où vécurent tes parents ?

Zinia fit une moue dubitative.

– Ça vaut la peine d'essayer, ne crois-tu pas ? répéta Giuseppe. Je t'accompagnerai, évidemment.

Et ce disant, il l'enlaça joyeusement.

Ils se séparèrent devant le Petit-Châtelet. Zinia devait rejoindre la troupe sur leur emplacement du Pont-Neuf pour une dernière représentation avant la trêve de Pâques. Giuseppe lui donna rendez-vous une heure avant minuit pour aller inspecter l'hôtel de Fonziac.

La jeune fille reprit son chemin et, tout à ses pensées, ne remarqua pas immédiatement un homme en noir qui marchait sur ses pas. Au bout de la rue de la Huchette, voulant éviter une chaise à porteurs, elle se retourna et aperçut l'inconnu dont elle avait déjà entrevu la maigre silhouette au sortir de la Salpêtrière. Alertée, elle traversa la place et s'engagea dans l'étroite rue de l'Hirondelle. Imperceptiblement, elle allongea le pas. Elle se maudit alors de ne pas être sortie munie de sa rapière. Heureusement, elle avait glissé par prudence un petit couteau finement aiguisé dans sa botte gauche. À l'entrée de la rue de Savoie, elle saisit l'homme par le col et le plaqua contre le mur, sa dague pointée sur sa gorge.

– Il semble, monsieur, que mon chemin ne vous laisse pas indifférent, lâcha-t-elle, sans un sourire.

Elle cherchait à se faire menaçante.

– Ah mademoiselle ! je…

– En voulez-vous à ma bourse ? Vous serez déçu !

– Que nenni ! Je voudrais seulement…

– Ou travaillez-vous pour le compte de quelqu'un qui manifeste de l'intérêt pour ma personne ?

– Je.. Ou.. oui. Oui ! C'est cela ! Je…

– Et pour qui, monsieur, me suivez-vous depuis tout à l'heure ?

– Je travaille pour… pour…

– Eh bien ?

– Pour le chevalier de Fonziac !

La main de Zinia se mit à trembler. Avant qu'elle eût baissé son arme, et sans l'avoir voulu, elle effleura de sa pointe le cou pâle de l'homme, entaillant la peau flasque. Une goutte de sang perla.

– Qui avez-vous dit ?

– Vous m'avez bien entendu, mademoiselle, je travaille pour le compte du chevalier de Fonziac, votre père.

– Mais comment savez-vous… ? Qui êtes-vous ?

– Pouvons-nous parler plus… calmement ?

Il venait de lui désigner la lame qu'elle brandissait encore. La jeune fille fit un pas en arrière sans lâcher le pourpoint de son interlocuteur. Elle jeta un coup d'œil dans la rue. Un peu plus bas, on devinait une taverne. L'homme suivit son regard.

– Je crois préférable de nous entretenir en marchant. Nous éviterons ainsi les indiscrets.

– Comme vous voulez.

Zinia fit rapidement disparaître le couteau dans sa botte et, prenant le bras de l'inconnu, repartit dans la rue des Augustins.

– Je me nomme Jacob Trousseau et je suis…

– Vous êtes le notaire de la rue de la Cossonnerie !

– C'est cela même, mademoiselle. Un de vos amis m'a indiqué où vous trouver. Un ange gardien oserais-je dire, s'il n'avait pas la carrure d'un colosse…

– Germain Bracieux !

– C'est en effet sous ce nom qu'il s'est présenté à moi. Il avait eu vent, ce me semble, du traquenard qui fut monté dans mon office.

Tout en parlant, il ne cessait de considérer les passants, craignant d'être vu sans doute, dans ce quartier d'étudiants, en compagnie de cette jeune fille aux cheveux rouges.

– Et que pouvez-vous m'apprendre sur mon père, maître ?

– Sachez que j'ai eu l'honneur de le connaître avant cette triste histoire. Je gérais ses biens et j'avais acquis son estime, ce dont, aujourd'hui encore, je tire fierté. Il vint me voir un soir alors que le dernier de mes clercs avait quitté l'office. C'était à la suite de ce sordide complot monté à son encontre. Comme il était vêtu d'une défroque de malandrin, je ne l'identifiai pas sur-le-champ et faillis appeler le guet. Heureusement, son allure fière, son regard franc me le firent reconnaître. Il me dit le piège auquel il était pris. Prudent, il avait, à la première alerte, mis sa femme et sa toute jeune fille à l'abri chez un ami fidèle, le comte Philippe de Mande-terre.

– J'avais déjà compris cela.

– Votre père me demanda d'assurer le lien avec le comte. Et, surtout, il m'enjoignit à la plus extrême prudence. Lorsque, quelques semaines plus tard, je dus lui apprendre la mort de madame votre mère, je crus qu'il allait perdre la raison.

— Ma mère. Comment est-elle morte ?

— Saviez-vous qu'elle attendait un second enfant ?

— Je... je l'ignorais.

— Elle était déjà faible quand cette affaire se déclencha. Sa fuite, la nouvelle des soupçons qui pesaient sur votre père et son embastillement eurent raison du peu de forces qui lui restaient. Une fièvre maligne la saisit un soir, et elle s'éteignit à l'aube comme une chandelle soufflée par la brise. À cette nouvelle, votre père disparut. Je ne le vis plus pendant près de six mois et, lorsqu'il refit surface, il avait vieilli de dix ans. Je lui expliquai alors que ses ennemis n'étaient pas demeurés inactifs : ses biens étaient revenus, par décision de Sa Majesté, au marquis de Villarmesseaux, son cousin. En outre, ce dernier, je devrais dire ce misérable, était entré en contact avec le comte de Mandeterre pour revendiquer votre tutelle. Je vous laisse imaginer comment le marquis se serait servi de vous pour faire pression sur votre père. Celui-ci ne dut la sécurité de sa fille, votre sécurité, qu'à l'intuition de Mandeterre, ce noble cœur. Après la mort de votre mère, il sut vous faire disparaître habilement et votre père refusa de savoir où. Votre vie passait avant son désir de vous serrer sur son cœur. Pour subvenir à vos besoins, il me déposa quelques jours plus tard une forte somme dont je ne voulus pas connaître l'origine. Il s'agissait d'une rente que je versai au comte Philippe, mais, peu de temps après, celui-ci partit mourir à la guerre et je n'eus plus aucun moyen de faire parvenir cet argent à ceux qui vous entretenaient...

Ils débouchèrent de la rue Saint-André-des-Arts sans s'en rendre vraiment compte et poursuivirent leur chemin un peu au hasard. Zinia entendait avec émotion ce nouveau récit. Elle caressa machinalement la perle noire qui ne l'avait jamais quittée.

– Et que savez-vous de... ce bijou ?

– Peu après le décès de votre mère, alors qu'il était déjà en fuite, le chevalier de Fonziac m'a demandé d'en faire l'acquisition chez un orfèvre de ma connaissance. Il me l'emprunta quelques jours puis me demanda de le transmettre au comte Philippe avec la consigne de vous le faire porter chaque jour de votre vie. Sans doute le chevalier espérait-il, par ce biais, vous reconnaître, le jour où il pourrait venir vous chercher.

– Peut-être... Il semble pourtant que c'est cette perle qui m'a trahie en me désignant aux hommes de Villarmesseaux.

– Cela est possible...

Pour Zinia, tout s'éclairait : n'ayant trouvé nulle part le quatrième soleil, qu'il recherchait avec tant d'opiniâtreté, pour lequel il avait tué, renié ses amis et son roi, le marquis de Villarmesseaux avait conclu que seule la fille du chevalier en connaissait la cache. Et pour l'identifier, les années passant, il ne lui restait que ce fragile indice : la perle noire.

Zinia devinait pourtant que, si ce bijou l'avait trahie, il n'en était pas moins un message que son père lui avait envoyé du passé. Mais lequel ? Elle se tourna à nouveau vers le notaire :

— Et… ?

— Oui ?

— Le quatrième soleil, savez-vous où mon père l'a dissimulé ?

— Le quatrième… ? J'en ignore tout. Pas une fois il n'a prononcé ces mots devant moi.

Zinia hocha la tête lentement. Décidément, son père avait choisi d'être très prudent. Elle quitta le notaire en vue du Pont-Neuf, là où la foule des badauds était plus nombreuse. Elle jugea préférable qu'ils ne soient pas vus ensemble. L'homme repartit alors qu'elle rejoignait la troupe pour le spectacle de cette fin d'après-dîner.

— Cinq louis, quarante-trois sols, une poignée de deniers, et deux pistoles espagnoles ! Mes amis, nous mangerons ce soir ! Quant à demain…

Fabritio mit la recette du jour à l'abri dans une bourse de cuir. Chacun autour de lui s'employait à démonter les tréteaux, à plier les costumes, à ranger les instruments de musique, lorsqu'un homme s'approcha de Léandre et lui glissa quelques mots à l'oreille avant de disparaître aussi vite qu'il était venu. Zinia avait pourtant eu le temps de reconnaître en lui un des hommes de l'Alouette qui les avaient aidés lors de l'évasion de Ribot.

— Du nouveau ? demanda-t-elle, inquiète.

— Assurément : Victor Ribot a été trucidé dans sa cache du Marais.

— Mais par qui ?

– Sans doute les hommes que tu fuis, mais je n'en sais pas plus. Ils n'ont pas signé leur crime.

– Comment ont-ils fait pour le retrouver ?

– Il y a des oreilles partout dans la capitale. Et des yeux qui enregistrent ce que nous voudrions cacher. Tout se monnaie. À moins que…

– Que ?

– Qu'il y ait un traître parmi nous.

Ils se dévisagèrent. Il est vrai que, pour monter l'opération, ils avaient dû faire appel aux relations troubles de l'Alouette. Il n'était pas impossible d'imaginer que l'un de ces hommes de main soit allé parler un peu plus qu'il ne le fallait. Par imprudence, par cupidité. Ou par peur.

– En tout cas, reprit Léandre, cela signifie que notre anonymat n'est plus garanti. Il est temps que nous nous fassions un peu oublier : libérer un condamné est un acte peu apprécié de la maréchaussée, et si nos noms parvenaient aux oreilles du lieutenant général de la police, notre avenir se verrait terriblement compromis…

– Je vais aller me dénoncer, dit Zinia. Après tout, c'est moi qui vous ai entraînés dans cette histoire.

– La police sait bien que nous étions plusieurs. Non, le mieux est de faire profil bas.

Puis il ajouta à mi-voix :

– Inutile de raconter tout cela à nos compagnons. Ce souci leur ajouterait un fardeau bien inutile.

Zinia soupa avec la troupe dans un cabaret de la rue des Lombards, et ils revinrent en flânant vers leur hôtel. Giuseppe l'y attendait déjà.

– Oh ! je vois que tu as su te faire très vite de belles relations dans la capitale ! susurra Smeraldina.

– Un rendez-vous galant ? s'étonna Fagotin. Est-ce bien raisonnable ?

– N'est-il rien de plus doux, et de plus adorable
Qu'une idylle naissante, alors qu'on sort de table ?
À Paris, sous la lune, sur les quais de la Seine,
Y a-t-il d'autre lieu pour se dire que l'on s'aime ?

– Qui vous parle d'un rendez-vous amoureux ? protesta Zinia, le rose aux joues.

Elle avait, en effet, reprit ses vêtements de garçon pour son équipée nocturne, ce qui ne préjugeait d'aucune galanterie.

– Je n'ai pas autorité pour te dicter ta conduite, intervint Fabritio, mais sache que les nuits de Paris, contrairement à ce que dit Truffaldin, ne sont pas les plus sûres.

– En tout cas, ne te sépare pas de ceci, souffla Léandre en glissant dans les mains de la jeune fille la vieille rapière qui ne le quittait jamais.

Elle s'éloigna avec Giuseppe après avoir souhaité bonne nuit à ses amis. Ceux-ci restèrent un instant devant l'hôtel, mi-inquiets, mi-envieux. C'est Truffaldin qui résuma leur pensée à tous :

– Avec ce jeune garçon taillé comme une mouche,
Il est bon que Zinia soit aussi Scaramouche…

L'hôtel de Fonziac

— Voilà, c'est ici.

Giuseppe indiqua d'un mouvement du menton la façade sombre, de l'autre côté de la rue. Aucune lumière, aucun bruit n'animait l'hôtel de Fonziac. Le grand porche noir, dont la peinture s'écaillait, était condamné par une chaîne grossière. Cela faisait dix ans que la vie avait quitté cette demeure élégante et, hormis quelques voleurs, personne ne se risquait dans le domicile d'un homme condamné pour régicide.

— Comment entrerons-nous ? demanda Zinia.

— Il y a là un passage réservé aux fournisseurs et dont la porte a été forcée.

— Tu connais bien l'endroit…

— Je suis venu cet après-dîner, en repérage. On y va ?

La jeune fille détailla un instant le bâtiment. Elle hésitait à plonger dans un passé qui n'était pas vraiment le sien mais repoussa ses craintes et dit avec vaillance :

— On y va.

La porte de service s'ouvrit sans problème, et ils

attendirent que leurs yeux s'acclimatent à l'obscurité. Le nuage qui masquait la lune glissa lentement et, bientôt, une lumière d'argent pénétra à travers les fenêtres, révélant une pièce dévastée. Ils empruntèrent alors un passage qui menait dans le hall principal. Le spectacle n'y était guère plus engageant. Les rares meubles qui restaient avaient été brisés, certains ayant servi à allumer des feux au centre du vestibule de marbre. Des fragments de tenture pendaient tristement sur des tringles en partie démontées, une tapisserie représentant une scène de chasse avait subi l'outrage des flammes et mille rebuts jonchaient le sol. Le grand salon qui faisait suite présentait le même état de délabrement. Le parquet en avait été partiellement arraché et ses portes-fenêtres claquaient au vent. Des traces de coups marquaient les murs à espaces réguliers, prouvant qu'ils avaient été soigneusement sondés. On avait espéré trouver ici le document insaisissable. Ils gagnèrent l'étage. Les pièces avaient été fouillées avec la même minutie. Zinia errait d'une chambre à l'autre, émue malgré tout d'arpenter des lieux qu'avaient connus ses parents, et, dans le désastre ambiant, elle devinait le cabinet où son père, peut-être, avait travaillé, le boudoir où sa mère s'était amusée, la chambre où, petite, sans doute, elle avait été aimée. Dans une de ces pièces, elle releva un grand tableau couché sur le sol. Son cadre avait été, comme les autres, creusé, exploré, puis rejeté. Un portrait de femme. Aussitôt, Zinia sut qu'il s'agissait de sa mère. Hormis leurs chevelures, la ressemblance ne laissait aucun doute sur son identité. Elle venait de faire connaissance avec celle qui lui avait donné la vie et qu'elle n'approcherait jamais autrement.

– Fais-toi teindre les cheveux en brun, plaisanta Giuseppe, et tu auras déjà ton portrait !

La jeune fille scrutait le visage de cette inconnue, la robe de brocart, le livre qu'elle tenait à la main, le décor, quand un détail attira soudain son attention. Elle se rapprocha. À l'arrière-plan, sur le mur, on avait représenté une gravure que Zinia reconnut sur-le-champ : un portrait de Scaramouche. Celui qu'elle avait trouvé dans le petit bureau de son père adoptif. S'agissait-il là d'un hasard ou d'un indice ? Son œil glissa alors vers un autre détail : le bijou que sa mère arborait en pendentif.

– La perle noire ! murmura-t-elle.

Zinia les compara. Pas de doute, taille, forme, couleur, il ne pouvait s'agir que du même bijou. Le notaire avait été précis sur ce point : le chevalier de Fonziac en avait fait l'acquisition après la mort de sa femme. Comment se faisait-il qu'il figurât sur son portrait ? Existait-il deux perles semblables ? Ou fallait-il y voir un nouveau signe ?

– Aide-moi, demanda-t-elle au baladin. Approchons-la de la fenêtre.

Dans la pâle lumière de la lune, la jeune fille examina la peinture. Contrairement au reste de la toile, la pâte noire figurant la perle ne brillait pas, comme si le peintre ne l'avait pas vernie ou plutôt… comme si le bijou avait été rajouté. Elle mouilla le bout de son doigt d'un peu de salive, puis, délicatement, frotta le pendentif. Il se délaya vite, ne laissant qu'une légère traînée sur la chair du cou. Giuseppe la regardait faire en silence.

– Peux-tu essayer de trouver de l'eau ? lui demanda-t-elle.

Le garçon s'éloigna et, bientôt, lui en rapporta dans une coupelle ébréchée.

– C'est de l'eau de pluie. La toiture a de grosses fuites…

Zinia déchira un fragment de rideau et s'employa à diluer toute la perle. La gorge de sa mère réapparut dans son état d'origine, nue.

– Bien vu, dit alors Giuseppe. Et maintenant ?

– Je… je n'en sais rien.

– Tu avais l'air d'agir en connaissance de cause…

– Non. Je cherche juste à comprendre pourquoi on a rajouté cette perle avec de la peinture à l'eau.

– Serait-ce un rébus ?

– Je ne vois pas lequel.

Ils savaient tous deux que derrière ce mystère se cachait peut-être le quatrième soleil. Zinia redressa le tableau, l'adossa contre le mur et recula de quelques pas pour le considérer dans son ensemble. Giuseppe se plaça à ses côtés et l'observa de même.

– Ben… je ne vois pas grand-chose.

– Dans le décor, peut-être.

Elle s'approcha de nouveau, mais un nuage masqua la lune. Giuseppe fila aussitôt dans la pièce voisine, d'où il rapporta un bout de chandelle. Il sortit un briquet de sa poche et le battit pour en faire jaillir la flamme.

– Cette lumière risque de nous trahir, fit remarquer Zinia.

– Nous la soufflerons dès que nous n'en aurons plus besoin.

Côte à côte, ils reprirent leur examen minutieux. C'est alors que la flamme, agitée par un courant d'air, éclaira la toile de biais. Aussitôt Zinia le repéra : le livre, dans les mains de sa mère ! Le blanc de sa page avait la même matité que le bijou. De fines lignes grises suggéraient un texte imprimé juste en dessous, mais il n'y avait rien de réellement lisible. Sans attendre, la jeune fille reprit son chiffon, le mouilla encore et entreprit de débarrasser la toile de ce repentir intrigant. La couche de gouache ne résista pas longtemps. Elle laissa apparaître une nouvelle page du livre sur laquelle figurait un texte minuscule et néanmoins lisible :

« *Arthézinia de Fonziac, ma fille, fasse le ciel que tu puisses nous venger en récupérant ce quatrième soleil qui nous a valu tous ces maux et que tu le portes à la justice du roi. Fille pour fille, je l'ai caché là où, je l'espère, Gaëtan n'aura jamais l'idée de l'y chercher. Il ne s'agit que d'un simple papier que j'ai confié à la princesse d'ivoire. Ton père, Jean-Baptiste de Fonziac.* »

Zinia demeura silencieuse. C'était la seule lettre que son père lui eût adressée. Une missive bien particulière, inscrite sur un tableau oublié, le portrait de sa mère. Un message où il la nommait par son véritable nom et où il lui demandait justice.

– Il aurait pu être un peu plus explicite, ne crois-tu pas ? ronchonna le baladin. Nous ne sommes pas plus avancés.

– « *Fille pour fille* », ça ne peut être que là-bas, répondit Zinia d'une voix blanche.

D'un doigt tremblant, elle effleura le texte peint, ne le quittant pas des yeux, comme si elle avait craint de rompre le lien qui, à travers le temps, s'était établi entre elle et le chevalier de Fonziac.

– Là-bas ? Que veux-tu dire ?

– Dans la chambre de la fille de Gaëtan de Villarmesseaux.

Le quatrième soleil

L'hôtel de Villarmesseaux avait été construit par le grand-père de l'actuel marquis, dans le quartier du Marais, en vogue depuis que le bon roi Henri y avait fait édifier une place royale. Il était voisin de l'hôtel d'Angoulême, où demeurait le président au parlement de Paris, et tout proche d'habitations de personnes de qualité qui, à cette heure tardive, devaient dormir. Mais chez les Villarmesseaux, on ne dormait pas. Une réception se terminait et la rue résonnait de la ronde des carrosses venus charger leurs propriétaires. Suisses et valets couraient de l'un à l'autre, flambeaux à la main, interpellant les cochers, retenant les équipages, hélant les voitures à bras.

À une trentaine de mètres, Zinia et Giuseppe contemplaient ce manège.

– Peut-être devrions-nous revenir à un autre moment ? suggéra le garçon. Demain, ou plus tard ? Ce papier a attendu onze ans, il peut bien attendre un jour de plus.

– Non. Il faut en finir avec cette histoire maintenant.

– Et comment comptes-tu t'y prendre ?

– Eh bien je… Profitons de cette cohue pour nous glisser parmi les domestiques de tout ce beau monde. Une fois à l'intérieur, on improvisera.

Le baladin comprit qu'il était inutile d'exhorter sa complice à la prudence. Zinia était résolue, il ne pouvait que la suivre. Elle enfonça son chapeau pour dissimuler sa chevelure et, ignorant postillons et cochers, ils s'avancèrent entre les voitures et les chevaux. Ils franchirent ainsi les grandes portes sans difficulté et se retrouvèrent dans la cour d'honneur. Leurs vêtements ne leur permettant pas de s'aventurer dans les salons sans y être remarqués, ils empruntèrent ensuite la discrète entrée du personnel.

Devant les cuisines, un majordome leur barra le passage :

– Où allez-vous tous les deux ?

Zinia hésita et se tourna vers Giuseppe.

– Nous sommes de la maison de Rohan-Soubise, lança le garçon avec négligence. Notre maîtresse a laissé son mantelet quelque part…

– Des Rohan-Soubise ? s'étonna le majordome, un demi-sourire aux lèvres. Voilà qui est nouveau !

Giuseppe fit un pas en avant et lui saisit fermement le bras. Son visage se ferma avant qu'il ne réponde :

– Il me semble, mon ami, que vous avez d'autres tâches qui vous attendent ici et qu'il conviendrait que vous ne vous occupiez que de ce qui vous regarde…

Instinctivement, l'homme recula, perdant contenance,

puis se détourna pour réprimander une femme de chambre qui passait par là.

– Bravo ! chuchota Zinia. Belle autorité.

Sans attendre, ils poursuivirent leur progression, et, à l'entrée des cuisines, Giuseppe retint Zinia par la manche, lui indiquant un discret escalier réservé au service.

Le premier étage était plus calme. Ils avançaient dans un petit couloir obscur qui longeait les pièces principales organisées en enfilade, et permettait au personnel de circuler d'un endroit à un autre sans gêner les maîtres de maison. Ceux-ci l'utilisaient également pour se déplacer avec discrétion, lors d'une affaire d'honneur ou d'une histoire de cœur.

Zinia entrebâilla la première porte qu'ils rencontrèrent. Ils y risquèrent un œil, découvrant une chambre spacieuse et richement meublée dans laquelle flottait un doux parfum de violette. Sur un petit guéridon, une collection de flacons entourait un bouquet de lilas.

– La chambre de la marquise, murmura Giuseppe. Les chambres des enfants se trouvent dans les ailes du bâtiment.

– Comment sais-tu cela ?

– Euh… C'est courant dans ce type de maison. Les parents se réservent toujours les pièces les plus prestigieuses…

Ils reprirent donc leur exploration, passèrent devant un boudoir puis longèrent un petit cabinet. La pièce suivante était très sombre. De lourds rideaux occultaient les fenêtres de sorte qu'aucune lumière ne permettait de prendre la mesure des lieux. Progressivement, ils devinèrent un lit, quelques meubles, et enfin des tableaux qui ornaient les murs. Sur une banquette, une ribambelle de poupées serrées les unes contre les autres fixaient les intrus avec indifférence.

— Bravo, susurra Zinia. C'est bien la chambre de leur fille.

Elle eut un temps d'hésitation avant de demander :

— Sommes-nous certains que le marquis n'a qu'une seule héritière ?

— Certains. Sans quoi nous en aurions entendu parler...

— Espérons. Où peut se cacher le quatrième soleil ?...

— Nous avons peut-être fait erreur. Ton père n'a pas précisé qu'il l'avait caché ici.

— « *Fille pour fille* » et « *la princesse d'ivoire* »... La demoiselle s'appelait Albane, n'est-ce pas ? C'est bien de blanc qu'il s'agit. C'est en tout cas la seule piste que nous ayons...

Ils firent quelques pas dans la pièce. Sous leurs pieds, le parquet émit une plainte mais le brouhaha du rez-de-chaussée couvrit ce bruit. Au-dessus de la cheminée, le portrait d'une jeune fille dominait la pièce. Zinia l'observa attentivement. Elle y reconnut un visage croisé peu de temps auparavant, mais elle n'en souffla mot. Elle se mit aussitôt à détailler la surface de la peinture pour voir si, là encore, son père se serait ingénié à y introduire un message. Elle ne remarqua rien. De son côté, Giuseppe soulevait les autres cadres, cherchant au dos des petits paysages et des natures mortes l'ombre d'un indice. Zinia déplaça des bibelots, ouvrit des tiroirs sans succès. « Il vaut mieux chercher avec sa tête qu'avec ses yeux », se dit-elle. Si elle devait cacher un document dans cette pièce, où le dissimulerait-elle ? « La princesse d'ivoire », se répéta-t-elle une fois encore. Ce mot résonnait à ses oreilles comme une vieille légende. Soudain, ses yeux tombèrent sur les poupées alignées. Au centre, l'une d'elles, légèrement plus grande que ses voisines, portait un diadème qui paraissait être serti de diamants authentiques. Elle était vêtue d'une ample robe d'un blanc cassé, brodée de perles minuscules. Sur son visage de porcelaine, le rouge des lèvres renforçait sa pâleur de craie. Elle s'en empara.

Giuseppe s'était approché, interrogeant Zinia du regard.

– La princesse d'ivoire, dit-elle simplement.

Elle entreprit de déshabiller la poupée. Elle repéra immédiatement, au dos de son corps de chiffon, une longue ouverture grossièrement recousue. Zinia fit sauter un à un les fils puis fouilla dans la bourre. Ses doigts ne rencontrèrent d'abord qu'un amas de crin et de laine tassée et, soudain, son visage s'illumina :

– Je l'ai.

Elle sortit précautionneusement un morceau de papier qu'elle déplia avec empressement. Une suite de barres incompréhensibles couvrait presque toute la feuille et, en bas, figuraient quatre cercles reliés verticalement et horizontalement par deux lignes ondulantes. Trois d'entre eux étaient blancs, et le quatrième, noir.

– Les quatre soleils, murmura Giuseppe. Fais voir.

Il prit soigneusement le papier, recula d'un pas et le tendit vers la pâle lumière de la fenêtre.

– Le quatrième soleil, reprit-il d'une voix plus forte. Bravo…

– Bravo, en effet, fit une autre voix derrière eux.

Une porte qui communiquait avec le petit cabinet voisin venait de s'ouvrir brutalement. Un homme de forte stature, richement vêtu, se tenait devant eux accompagné de valets armés de gourdins. Derrière se tenait le majordome qu'ils avaient croisé au rez-de-chaussée. Zinia devina aussitôt qu'il s'agissait là du maître des lieux, le marquis de Villarmesseaux.

– Mes félicitations mademoiselle de Fonziac ! lâcha-t-il. Vous avez des talents que votre père n'eût pas désavoués.

Instinctivement, la jeune fille fit un pas en arrière, en direction de la porte dérobée par laquelle ils étaient arrivés, mais, là aussi, trois valets interdisaient tout repli.

– Oui, je vous félicite : vous avez rondement mené une enquête que je n'ai pas su faire aboutir en plus de dix ans de recherches. Quand je pense que ce papier attendait chez moi, dans la chambre de ma pauvre fille… Votre père était des plus adroits pour manier l'ironie.

– Monsieur, répondit Zinia, votre carrière de filou s'arrêtera là. Avec le témoignage de M. de Grignan de Ventadour et cette preuve qui confirmera ses dires, je pense que la police de Sa Majesté verra cette affaire sous un nouveau jour.

– Ah ça, mademoiselle, vous ne manquez pas d'aplomb. Vous, la fille d'un régicide, voleur et galérien, vous qui vous êtes introduite chez moi de façon frauduleuse, vous pensez avoir l'attention de la police. Vous vous égarez !

– Nous verrons si la justice reste sourde à mes arguments. Je suis certaine qu'il existe dans ce royaume des personnes de bien prêtes à écouter mon témoignage.

– Le témoignage d'une jeune personne ayant organisé l'évasion d'un condamné ? J'en doute.

Zinia comprit alors que le marquis était mieux renseigné qu'elle ne l'imaginait.

– Quant à ce témoignage, reprit-il, j'ai le regret de vous apprendre que M. de Grignan a rendu son âme à Dieu hier au soir…

– Comment ?

– Eh oui, hélas. Dès qu'il a eu quitté l'anonymat qui le protégeait sous le nom de Février, le pauvre homme n'a pu vivre plus longtemps. Il est vrai qu'il devenait extrêmement gênant…

– Vous… vous l'avez tué !

– Moi ? Pas du tout ! J'ai des gens pour ces basses besognes. Que voulez-vous, ce sont des choses qui arrivent dans ce genre d'affaire. Mais, si cela peut vous rassurer, je dois vous dire que le vieil homme n'a pas souffert.

– Vous êtes un véritable coquin, monsieur de Villarmesseaux.

– Comme vous y allez ! Je n'ai fait qu'achever un travail commencé il y a des années, voilà tout.

Tout en entretenant la conversation, Zinia mesurait la situation. Fuir. Il fallait fuir. Quatre hommes devant eux, trois derrière. Seule possibilité, la fenêtre. Elle s'en approcha imperceptiblement. Giuseppe allait-il deviner la manœuvre ?

— Maintenant que tout est terminé, poursuivit le marquis, je me demande ce que je vais faire de vous, mademoiselle de Fonziac. Car vous êtes terriblement encombrante, vous aussi. En avez-vous conscience ?

Zinia saisit le plus discrètement possible la manche de Giuseppe pour le tirer vers elle. Tant qu'ils conserveraient le quatrième soleil, le combat ne serait pas terminé.

— La fenêtre, susurra-t-elle.

— Vous ne voudriez pas nous quitter brusquement ? demanda ironiquement le marquis. J'ai ouï dire que vous étiez coutumière des sorties par les fenêtres.

Et tandis qu'il prononçait ces mots, un des valets entrés par la porte dérobée se glissa derrière la jeune fille, lui interdisant toute retraite. Ils étaient pris au piège. Restait une seule solution :

— Monsieur le marquis, au cas où vous caresseriez l'idée de nous retenir ici malgré nous, sachez que nous ne sommes pas attachés autant que vous à ce morceau de papier. Si vous ne nous laissez pas regagner la rue sains et saufs, mon ami, ici présent, n'hésitera pas à détruire le quatrième soleil.

— Ma chère cousine, vous êtes d'une naïveté délicieuse. Me croyez-vous assez simplet pour ne pas avoir tenté de mettre toutes les chances de mon côté ?

— Que voulez-vous dire ?

— Simplement que le quatrième soleil est déjà virtuellement entre mes mains.

– Vous fanfaronnez, monsieur.

– Pas le moins du monde. Il se trouve, voyez-vous, que M. Tortorin travaille pour moi depuis quelque temps déjà. Étant donné les échecs de mes spadassins, j'ai jugé plus judicieux de le placer sur votre route et de laisser faire sa belle mine et son talent de comédien…

En un instant, le monde s'effondra autour de Zinia.

– Giuseppe, ce n'est pas vrai ? Il essaie de…

– Désolé, princesse, lâcha le baladin. Le patron… c'est lui.

Il fit un pas de côté, un pâle sourire aux lèvres, et alla remettre le papier dans les mains avides du marquis.

– Tu m'as menti. Tu m'as… trahie, lâcha-t-elle d'une voix blanche.

Elle ne parvenait pas encore à y croire tout à fait. Mais, déjà, faisant suite à la stupeur, la colère montait en elle. Lentement, elle dirigea sa main vers la garde de son épée.

– Pas de geste inconsidéré, mademoiselle, reprit le marquis. Vous n'êtes pas en position de force. Il est préférable que vous me remettiez votre rapière si vous ne voulez pas être blessée inutilement.

Zinia ne bougea pas. Aux aguets, elle gardait la main sur son arme.

– Que… qu'allez-vous faire de moi ?

– Vraiment, je l'ignore. Vous imaginez bien qu'il ne m'est pas possible de vous laisser arpenter Paris pour y raconter vos fables. J'opterais plutôt pour une disparition discrète et rapide. Ne seriez-vous pas heureuse de rejoindre vos parents ?…

Zinia sentit le découragement l'envahir. Elle regrettait de ne pas avoir l'énergie de son père. Le marquis disposait maintenant de toutes les cartes. Plus de preuve, plus de témoin, et pas d'évasion possible. Elle avait perdu.

Soudain, derrière elle, il y eut un mouvement, un bruit qu'elle n'identifia pas immédiatement. Elle sentit l'air frais de la nuit. À la surprise de tous, un des valets venait de saisir un guéridon qu'il avait envoyé au travers de la fenêtre. Dans le même mouvement, il lui prit le bras et cria :

— Zinia, vite ! On saute !

Cette voix… Elle ne réfléchit pas. Avant que le marquis et ses hommes aient pu réagir, elle enjambait l'appui de la fenêtre et sautait sur le toit d'une voiture qui passait par là. Aussitôt, le valet atterrit à ses côtés. Le cocher était au sol. Dans ce tumulte, les chevaux s'emballèrent. Le valet se saisit des guides, du fouet, et le carrosse s'éloigna, heurtant au passage les autres véhicules en attente, semant la panique parmi les équipages. De l'hôtel de Villarmesseaux, on entendait la voix du marquis qui avait perdu toute son ironie mielleuse pour laisser place à une rage qui se tournait vers ses subalternes :

— Courez ! Sautez à cheval ! Allez ! Allez ! Il me les faut, vous m'entendez, imbéciles ! Il me les faut ! Allez !

Dans la rue, les convives sur le départ et leurs serviteurs, surpris, lançaient ordres et contre-ordres.

— Tiens-toi bien ! lança le valet.

Zinia avait reconnu la voix de son mystérieux sauveur mais elle n'en croyait pas ses oreilles. Les chevaux

315

avaient pris le galop. La perruque du valet ne tarda pas à voler dans le ruisseau.

– Colin ! s'écria Zinia. Colin Terrepot ! Qu'est-ce que tu fais là ?

– Tu m'avais dit qu'on se reverrait un jour. Je n'ai pas voulu te faire mentir.

La farce de
Mme de Montespan

Athénaïs de Rochechouart de Mortemart, marquise de Montespan, s'étira avec volupté. En ce matin du dimanche 10 avril, jour des Rameaux, elle avait plaisir à paresser plus que de coutume au lit. Ses demoiselles de compagnie attendaient dans le cabinet voisin qu'elle voulût bien les accueillir, mais rien ne pressait. La journée s'annonçait calme.

Elle se redressa dans le lit, calant plus confortablement ses oreillers et laissa son regard s'évader par la fenêtre. Le ciel de Saint-Germain était traversé de fins nuages. Un soleil timide caressait le grand vase que Sa Majesté lui avait offert lorsqu'elle avait appris que la belle marquise attendait un troisième enfant, fruit de leurs amours. Athénaïs eût préféré un collier, mais la lumière matinale jouant sur les motifs bleus et blancs de la porcelaine ne pouvait être qu'un bon présage pour ses projets à venir.

Elle décida enfin de se lever. Il serait bientôt l'heure de se rendre à la chapelle pour la messe matinale en compagnie de la reine et de la cour. Le roi, pour sa part, séjournait encore à Fontainebleau, où il avait attiré quelques gentilshommes pour une de ces parties de chasse au cours desquelles il laissait libre cours à sa fougue.

La marquise appela ses servantes. On la vêtit, la coiffa, la poudra, la parfuma. Athénaïs s'examina dans le miroir. À trente-deux ans, son charme, la grâce de sa chevelure et l'éclat de ses yeux bleus ne le cédaient en rien aux autres jeunes femmes de la cour. Toutefois, son septième mois de grossesse ne lui permettait pas d'avoir la silhouette qui l'aurait maintenue au premier rang des beautés de la cour de France. Elle en éprouvait quelque inquiétude. Il ne fallait pas que Louis détournât ses yeux de la favorite qu'elle était pour un tendron de passage qui occuperait inutilement son royal cœur. Elle devait donc redoubler de charme et d'ingéniosité pour retenir la ferveur de Sa Majesté. Pour cela, elle avait un plan.

Aussitôt après la messe, alors que la reine, elle aussi enceinte du roi, s'était déjà retirée dans ses appartements avec sa suite de prêtres, de duègnes et de nains, tous venus d'Espagne, la marquise retrouva une de ses dames de compagnie, Mlle Des Œillets, qui était devenue sa plus proche confidente. Elle s'assura qu'elles se trouvaient bien seules avant de l'entreprendre :

– La petite fête aura bien lieu ce lundi, lui confia la marquise. Et, arguant que le chantier de Versailles n'en finit pas, j'ai obtenu de Sa Majesté qu'elle se déroulât au Trianon de porcelaine !

– Vraiment, madame ?

– Comme je te l'annonce ! N'est-ce pas là une belle victoire ?

– Madame la marquise ne pouvait rêver plus belle reconnaissance de Sa Majesté.

Le Trianon de porcelaine venait d'être achevé sur les ordres du roi. Il se situait au nord-ouest du domaine de Versailles. Louis XIV avait acheté la totalité du village qui s'y trouvait et l'avait fait raser afin qu'on y construisît un lieu de détente et de plaisir qui, disait-il, le distrairait des contraintes rigides qu'il avait imposées à la cour. En réalité, il servait surtout à abriter les rencontres avec sa maîtresse, la marquise. Y organiser une fête était une façon d'afficher leur liaison et, donc, un hommage fait publiquement à la belle Athénaïs.

– Ce sera sans doute la dernière fête organisée par le roi avant son départ à la guerre. Il a souhaité que nous nous y rendions en barque par le Grand Canal. Là, des musiciens accueilleront les invités et un bal précédera le souper. Mais je voudrais lui faire une surprise, et pour cela j'ai besoin de toi.

– Madame la marquise sait que je lui suis tout acquise. Que désirez-vous ?

– Lorsque les invités arriveront au Trianon, j'aimerais qu'un petit spectacle leur soit offert, pour mettre Sa Majesté d'une humeur joyeuse.

– Un spectacle ? Vous voulez que M. de Molière nous propose un de ses impromptus ?

– Non pas. Je connais sa célérité, mais d'ici demain il n'aurait guère la possibilité de nous trousser une farce.

319

– Il en était maître du temps de sa jeunesse.

– Certes, mais je le sais bien fatigué ces jours derniers et plus enclin à des pièces savantes. Non, ce qu'il convient d'offrir au roi, c'est un des petits intermèdes joués sans façon par ces comédiens qui le réjouissaient tant dans ses jeunes années. Une turlupinerie le distrairait un moment des soucis de l'État.

– Et qui pensez-vous convoquer pour cela ? Vous n'êtes pas sans savoir que nous sommes dans la période de carême, les troupes qui sont remontées à Paris se sont mises au repos. Certaines se dispersent…

– C'est justement la raison pour laquelle j'ai fait appel à toi. Tu as bien encore des contacts dans le milieu du théâtre, n'est-ce pas ? Tes parents…

– En effet, madame la marquise, la coupa sa confidente, la lèvre pincée. J'y connais encore quelques gens.

Mlle Des Œillets n'aimait pas qu'on lui rappelât qu'elle était née Claude de Vin, fille de comédiens, qui avaient eux-mêmes choisi comme nom de scène « Des Œillets ».

– Trouve-nous une troupe qui sache distraire Sa Majesté d'une farce joyeuse, reprit la marquise. Je le veux voir enjoué toute la soirée… et toute la nuit.

– Pour demain, cela me semble bien court, madame. Ne pourrions-nous pas repousser cette fête ?

– En aucun cas : le roi l'a décidé ainsi. En outre, mercredi sera le jour des Cendres, et nous nous approchons trop de Pâques pour prétendre organiser une fête plus tard. Fais, s'il te plaît, ainsi que je te l'ai mandé.

La marquise avait conclu du ton capricieux de la

favorite à qui rien n'est impossible et à laquelle tout est dû.

– Bien, madame.

Mlle Des Œillets salua sa maîtresse d'une profonde révérence, prête à se retirer, quand la marquise vint subitement à elle et la retint encore un instant, l'attirant près de la fenêtre.

– Encore un mot, lui glissa-t-elle à l'oreille.

– Madame ?

– Ce… C'est à la confidente que je parle. Que dis-je ? C'est à l'amie que maintenant je fais appel…

– Je vous écoute, madame la marquise.

– Parlons bas. Écoute : tu sais que le roi n'est pas indifférent au beau sexe.

– Qui l'ignore madame ? Vous, plus que toute autre, êtes honorée par cette inclination de Sa Majesté !

– Cependant, dans l'embarras où tu me vois, je sais que mon royal amant ne dédaigne pas d'aller chercher pour un soir la chaleur d'un autre lit que le mien. Du plaisir du corps, il ne faudrait pas qu'il en vînt aux inclinations du cœur.

– Cela s'est déjà vu par le passé…

Claude Des Œillets faisait allusion à la façon dont Louis XIV s'était entiché de la marquise alors qu'il délaissait Melle de La Vallière.

– Précisément. Aussi, ne pourrais-tu pas, mon amie, me procurer une de ces poudres dont tu m'as déjà parlé et qui peuvent m'assurer le cœur du roi tandis qu'il va s'éloigner de la cour et que moi-même ne pourrais plus y paraître avant ma délivrance ?

– Vous voulez dire, madame, que vous souhaitez que je vous fournisse un philtre d'amour ?

– Chut ! ne parle pas si fort. Trouve-moi vite cette médecine de l'âme, avant que je ne sois obligée de me retirer dans un couvent pour laisser la place à une autre. Tu y perdrais, toi aussi, la position que t'offre, à la cour, mon amitié…

C'était une menace à peine voilée.

– C'est que ceux qui fabriquent ces potions ne les laissent pas partir pour quelques liards, ni même pour un écu. Il faut leur parler en louis…

– Ne te fais pas peine de mon argent. Voici une bourse qui, j'en suis certaine, saura couvrir cette dépense. Va. Cours à Paris m'obtenir tout cela, les comédiens et le philtre. Je prendrai tout à l'heure avec la cour la route de Versailles, où Sa Majesté doit nous rejoindre directement.

– La reine vient-elle aussi à Versailles ?

– Justement, non. Le roi sera tout à moi ! Tu m'y retrouveras également une fois tes commissions faites. Ne tarde pas et… sois prudente.

La marquise écourta les adieux en poussant sa confidente vers la porte. Lorsque celle-ci fut refermée, elle se laissa aller dans un fauteuil. Son ventre la fatiguait. Il lui fallait absolument se reposer pour briller lors de la fête et rester, dans l'esprit du roi, la plus belle femme du royaume de France.

Matin heureux, soir pluvieux

Deux heures après dîner sonnaient à peine ce lundi au clocher de Notre-Dame-de-Lorette, à l'entrée du faubourg Montmartre, lorsque, tout près du moulin qui marque l'entrée de la rue de Bellefont, trois gamins remarquèrent un carrosse attelé de quatre chevaux qui semblaient attendre leur cocher le plus calmement du monde. Peut-être était-ce la voiture d'une dame de qualité venant visiter ses pauvres? Il était toutefois étonnant qu'aucun de ses gens ne fût resté pour garder la voiture. D'autant que, dans le quartier, une visite de cette sorte attirait l'attention.

Les gamins s'approchèrent du véhicule et y perçurent le rythme régulier d'une respiration. On dormait là-dedans. Le plus audacieux d'entre eux s'enhardit à soulever le rideau et découvrit deux étranges occupants. Une longue chevelure rouge cachait le visage de l'un d'eux vêtu en spadassin, alors que l'autre portait la livrée d'un laquais de grande maison. Les trois visiteurs cherchèrent aussitôt à grappiller de quoi améliorer l'ordinaire d'un enfant du faubourg, mais la lumière qu'ils avaient fait pénétrer dans le carrosse réveilla le laquais qui les fit détaler avant de secouer son compagnon.

Zinia était aux prises avec un cauchemar qui mêlait des images de Jean Rouselières, du château de Mande-terre et d'un portrait de sa mère où l'on ne voyait qu'une seule et grosse perle noire en guise de visage. Lorsque, ouvrant les yeux, elle aperçut un laquais dont les traits étaient ceux de Colin, il lui fallut un moment avant de comprendre où elle se trouvait.

– On ne peut pas rester ici, lui dit Colin. Nous allons finir par attirer l'attention. Sais-tu où nous pourrions nous cacher ?

– Nous cacher ? Non. Il me faut avant tout prévenir mes amis. M. de Villarmesseaux est désormais en mesure d'envoyer ses coupe-jarrets contre tous ceux qui m'ont aidée. Et, en premier lieu, la troupe du Soleil de France. En outre…

Elle marqua un temps avant de poursuivre :

– … maintenant qu'il a réuni les quatre parchemins et qu'il a fait taire à jamais ceux qui pouvaient porter témoignage de ses crimes, plus rien ne peut l'atteindre. Pour rétablir l'honneur de mon père, le chevalier de Fonziac, il ne me reste plus qu'à en appeler au roi !

– Tu es la fille d'un chevalier ?

Zinia dévisagea Colin. Cela ne faisait pas deux semaines qu'ils s'étaient séparés, et tant d'événements s'étaient succédé qu'il lui paraissait surgir d'une autre vie. Elle avait tout à lui apprendre.

– Viens, je vais te raconter.

Ils descendirent du carrosse, scrutèrent les rues alentour, reprenant à pied le chemin du cœur de la capitale. Zinia narra ses aventures depuis leur dernière entrevue.

– Évidemment, conclut-elle, rencontrer le roi ne va pas être facile…

– Surtout, enchaîna Colin, que si j'ai bien compris, tu es considérée comme la fille d'un homme coupable de lèse-majesté. D'un régicide, presque.

– Oui. Avec cette belle introduction, les portes de Saint-Germain ou de Versailles risquent de m'être définitivement fermées.

– Ou pire : la police de Sa Majesté considérera que tu es plus à ta place derrière les murs de la Bastille que dans un salon à converser avec le roi. En définitive…

Il laissa sa phrase en suspens.

– Oui ?

– Maintenant que tu connais l'identité de ton véritable père, sans doute serait-il plus prudent que nous retournions chez nous. Ici, il n'y a que du danger pour toi…

– Non, je te l'ai dit : il me faut alerter mes amis. Et puis… il n'y aura pas de repos pour moi tant que je n'aurai pas lavé l'honneur des Fonziac !

Colin ne put s'empêcher de sourire : cette jeune roturière qui n'avait jamais caché son antipathie et sa méfiance pour l'aristocratie oisive prétendait maintenant défendre la réputation d'un noble inconnu au prétexte qu'il avait été son géniteur. Cependant, sous cette apparente transformation, le jeune homme devinait la flamme, la passion et l'entêtement qu'il lui avait toujours connus. Fille du peuple ou aristocrate, pour lui elle restait la même Zinia qui avait enchanté son enfance et continuait de le faire vibrer.

Ils marchèrent quelques instants, pensifs, ne sachant comment parvenir à leurs fins. Soudain, Zinia se tourna vers son ami :

– Mais toi ? Comment se fait-il que je t'aie retrouvé laquais chez le marquis de Villarmesseaux ?

– Après ton départ, des hommes désagréables m'ont posé des questions sur toi. J'ai vite compris que tu t'étais fourrée dans une sale affaire et que Colin Terrepot te serait utile. Je me suis mis sur leurs traces, et donc sur la tienne. Malheureusement, à chaque fois que je rejoignais une de tes étapes, tu l'avais quittée la veille.

– Tout cela ne m'explique pas comment tu t'es fait engager comme laquais chez le marquis.

– J'y viens ! Quand je suis arrivé à Paris…

– Attention !

Zinia saisit Colin par la manche et le plaqua contre le mur d'une maison d'angle.

– Là-bas, fit-elle, désignant d'un mouvement de tête une jeune femme discutant avec deux hommes dont les épées saillaient sous le manteau. Smeraldina…

– Qui est-ce ?

– Une des comédiennes de la troupe. Mais les porteurs de rapière qui l'encadrent me sont inconnus !

– Des hommes de Villarmesseaux ?

– Possible. Les aurais-tu vus lorsque tu travaillais chez lui ?

– Euh… je ne crois pas. Mais je côtoyais plus le

personnel de maison que les bélîtres. Que comptes-tu faire ?

– Je dois absolument alerter Fabritio de la situation. Il a demandé à Germain Bracieux de mettre l'Alouette en sécurité. L'hôtel où nous logeons n'était plus sûr.

– L'Alouette, Bracieux, Fabritio... As-tu fait connaissance avec tout Paris en quelques jours à peine ?

– Hum. J'en ai parfois l'impression.

– Et où a-t-il été emmené cet oiseau ?

– Qui ?

– Eh bien l'Alouette !

– Je l'ignore. Mais lorsque Fabritio a donné l'adresse à Germain, Tortorin était avec eux.

– Tu veux dire que Villarmesseaux sait où elle se cache ?

Colin s'efforçait de démêler toutes ces informations.

– Maintenant, oui, répondit-elle.

– Reste ici. Je vais voir si la voie est libre. Après tout, pour ce beau monde, Colin Terrepot n'existe pas. Je ne risque donc pas grand-chose.

Et il s'avança, nez au vent, en direction de Smeraldina et de ses deux galants. Plus étonnée qu'inquiète, Zinia le vit s'approcher de la comédienne, la saluer d'une courbette que le plus expérimenté des laquais du roi n'eût pas désavouée, puis se mettre à l'entreprendre alors que les deux inconnus, s'écartant d'un pas, posaient discrètement la main sur la garde de leur rapière. Colin parlait en faisant de grands gestes sous les yeux ébahis de son interlocutrice, qui ne tarda pas à partir d'un grand éclat de rire. Presque aussitôt, le garçon se retourna et, d'un signe, invita Zinia à se joindre à eux. Tout danger semblait écarté. Lorsqu'elle l'aperçut, Smeraldina la prit par le bras.

– Approche-toi, Scaramouche, que je te présente : voici mes deux frères. Ils viennent d'entrer aux Cadets de Gascogne !

– Scaramouche ? s'étonna, une fois de plus, Colin.

– C'est mon nom de théâtre, fit Zinia avec une moue de fierté.

Bénéficiant maintenant d'une garde rapprochée, ils se dirigèrent tous les cinq vers l'hôtel pour y rejoindre le reste de la troupe. Ils y retrouvèrent leurs amis passablement inquiets : Fabritio semblait s'être volatilisé, et du même coup personne n'était en mesure de dire où l'Alouette avait été mise à l'abri. On partit aussitôt à sa recherche : Léandre et Truffaldin se chargèrent d'explorer les tavernes où se côtoyaient saltimbanques, histrions et baladins en quête de compagnie ; Fagotin et Isabelle arpentèrent les rives du fleuve tout proche ; quant à Smeraldina et ses frères, ils filèrent de l'hôtel de Bourgogne au théâtre du Palais-Royal, puis de la foire Saint-Germain au jeu de paume de la Bouteille. Mais l'après-dîner était bien entamé sans que l'on sût dire ce qu'était devenu Fabritio. Ce n'est qu'en début de soirée, alors que l'on commençait à réellement craindre un funeste événement, qu'il réapparut, le sourire aux lèvres : il avait passé la journée avec un couple de vieux compagnons et s'en revenait légèrement ivre, serrant sous ses basques une bourse bien garnie.

– Mes amis, s'exclama-t-il, indifférent aux angoisses de ses camarades, dès que le carême sera fini, nous pourrons faire bombance ! On vient de me passer commande pour une unique représentation. Et ceci n'est qu'une avance !

Joignant le geste à la parole, il jeta la bourse sur la table.

– Et de qui vient cette commande ? s'inquiéta Guillemette.

– D'une grande dame, ma mie, qui a mandaté la fille de nos vieux amis Alix Faviot et Nicolas de Vin…

– Les Des Œillets ! lâcha sa femme avec une pointe de mépris.

– Oui, et leur fille, Mlle Des Œillets, n'est autre que la dame de compagnie de la marquise de Montespan !

– Cette grande dame ose faire donner une pièce lors de la Semaine sainte ?

– En effet, ma femme. Mais sachez que nous ne risquons pas d'être mis en mauvaise posture, car c'est à Versailles que nous devrons jouer. Devant le roi !

Un silence de stupeur et d'incrédulité s'installa dans la pièce. Le patron de la troupe avait perdu la raison. Ou alors, l'abus du vin de Touraine qu'il affectionnait lui avait fait prendre un de ses vieux rêves pour la réalité. Sauf que… l'argent se trouvait bien là, devant eux, sur la table.

– Ah çà ! c'est une affaire bien nouvelle, ma foi !
La célèbre marquise nous veut devant le roi ?
Mes amis, dès demain, nous allons faire le paon,
En jouant, avec grâce, devant la Montespan !

– Truffaldin, tu crois ? fit Isabelle, ébahie.

– Il a certainement raison, intervint Fagotin.

– Et nous n'avons qu'un pauvre jour pour nous préparer, s'exclama Fabritio, qui, prenant la mesure de l'enjeu, semblait brusquement dégrisé. Va falloir puiser dans notre répertoire une pièce digne de charmer Sa Majesté…

Colin chuchota alors à l'oreille de Zinia :

– Tu te demandais comment approcher le roi pour plaider ton affaire. Voilà l'occasion rêvée !

– Moi ? Jouer devant le roi ? Tu es fou ! Jamais je ne pourrai…

Smeraldina ne put s'empêcher d'intervenir :

– Comment ça ? La chevalière de Fonziac aurait-elle peur de paraître à la cour ?

– Non, lui répondit Zinia, c'est surtout Scaramouche qui craint de ne pas être à la hauteur.

– Tu as entendu : nous avons jusqu'à demain midi pour répéter. C'est largement suffisant. Fabritio reprendra certainement une de nos farces que tu connais déjà…

– Justement, non. Je ne dispose pas de ce temps-là : il me faut avant tout mettre à l'abri celle qui, tout comme vous, m'a aidée.

– L'Alouette ? Elle est protégée par Germain…

Le visage de Zinia se ferma. C'est Colin qui révéla en deux mots la traîtrise de Giuseppe.

– Ne t'inquiète pas, Scaramouche, intervint Fabritio, je vais faire prévenir Germain. Je saurai lui indiquer une autre cache pour l'Alouette. Toi, tu dois te consacrer au spectacle. La chance ne frappe pas deux fois de cette façon à la porte des baladins. Profitons-en, mais, par-dessus tout, sachons nous en montrer dignes. Et tu sais que, désormais, la troupe du Soleil de France est incomplète quand tu n'y es pas.

Zinia appréciait à sa juste valeur cet hommage que, déjà, Fabritio se tournait vers le reste de la compagnie :

– Ce soir, nous aussi, nous changeons d'auberge. Inutile de nous faire trucider par les sbires de M. de Villarmesseaux la veille de notre triomphe. Puis coucher tôt, et demain lever à l'aube. Nous répéterons jusqu'à midi. Alors il sera temps de partir pour Versailles. Nous devons jouer à cinq heures de l'après-dîner.

Aussitôt, chacun s'affaira en silence. On plia bagages, costumes et, par prudence, les comédiens se répartirent dans trois hôtels distincts. Ils soupèrent et se couchèrent sans tarder, épuisés par la nuit précédente et inquiets des jours à venir. Ce n'est que lorsqu'elle se retrouva dans le noir absolu que Zinia revécut la trahison de Giuseppe et la fin brutale de ce qu'elle avait cru être le début d'une belle histoire. Une douleur nouvelle, inconnue, lui déchirait le cœur. S'y mêlait la mort de Jean Rousselières, celle de ses parents, qu'elle n'avait pas connus, et toutes les noirceurs de ce siècle qu'elle découvrait depuis qu'elle avait quitté le nid familial. Alors, dans la solitude de sa chambre, Zinia laissa couler sur ses joues un ruisseau de larmes qui sembla ne jamais vouloir se tarir.

Le complot

À cette même heure de la soirée, un carrosse tiré par quatre chevaux traversait le village de Chatou et franchissait la Seine sur le pont de bois construit un demi-siècle plus tôt. L'un des deux hommes qui s'abritaient derrière les lourds rideaux de velours cramoisi connaissait bien cette route qui menait de Paris à Saint-Germain. Mais ce jour-là, il ne se souciait aucunement du paysage. Son attention était focalisée sur le petit coffret qu'il serrait dans ses mains. Mille fois, il en avait détaillé le bois fissuré, l'étroite serrure qui ne protégeait plus son secret, les renforts de cuivre verdis et rongés par l'humidité de la terre où il avait reposé si longtemps.

Tout en caressant le coffret avec délicatesse, il pensa à l'ironie dont avait fait preuve le chevalier de Fonziac en cachant le dernier indice dans la chambre de sa propre fille. Il rendit ainsi un hommage sarcastique à l'audace de ce cousin. Seule ombre au tableau : la fille de Fonziac avait réussi à s'enfuir. Il leva les yeux vers celui qui l'accompagnait. Comme à son habitude,

Bertaud d'Estafier n'exprimait nul sentiment, ne laissait paraître aucune marque de fatigue. Le marquis savait que, dès leur retour à Paris, cet homme en qui il avait mis toute sa confiance saurait, sur les indications du baladin, retrouver la jeune fille et ses comparses. Il les ferait ensuite disparaître par des moyens dont le marquis ne tenait pas à connaître le détail. Inutile de risquer les révélations tardives d'un témoin gênant.

Le mystère des quatre soleils s'était avéré moins retors que le manuscrit initial. Il avait en effet suffi de superposer les quatre parchemins et de les offrir à la lumière pour que leur contenu se révélât d'emblée et sans ambiguïté : l'objet de sa convoitise se trouvait au chevet de l'église du village de Montesson. « *Sous la licorne* », précisait le message. Ce qui paraissait une énigme de plus se révéla en fait un repère : on distinguait encore très nettement, gravée dans une des plus vieilles pierres de l'édifice religieux, la silhouette d'un trois-mâts que des années de pluies n'avaient pas su faire disparaître. Son beaupré prolongeait une tête de cheval que l'on devinait en figure de proue. L'ensemble formait la licorne. Bertaud et lui-même s'étaient aussitôt mis à creuser (il n'avait pas voulu faire appel à des hommes de main dont la discrétion n'était jamais totalement assurée). Bientôt, sous une pierre plate enterrée à moins d'un mètre, ils avaient découvert un coffret que la lueur des torches rendait encore plus fragile. La serrure n'avait résisté qu'un instant. À l'intérieur, protégé par un morceau de soie, roulé dans un fragment de parchemin, un étui en argent ciselé contenait un caillou minuscule : la pierre.

Ils étaient immédiatement repartis, effaçant grossièrement la trace de leur fouille, éteignant leurs flambeaux trop voyants, puis, dans la nuit noire, avaient regagné le carrosse. Maintenant, ballotté sur les coussins de velours grenat, Gaëtan de Villarmesseaux se laissait aller à imaginer les avantages infinis qu'il pourrait tirer de sa découverte. La métamorphose, quel pouvoir fascinant ! Il allait, à sa guise, se glisser dans la peau de n'importe lequel de ses contemporains et connaître ainsi le secret des demeures les plus fermées, surprendre l'intimité des uns, le commerce des autres, laquais ou ministre, gâte-sauce ou assassin. Des allées du pouvoir à l'ombre des cabinets, du monde de la finance à la fange de la grande truanderie, aucune porte ne lui serait désormais interdite. Il apprendrait ce qu'il voudrait et, plus encore, il pourrait, selon son bon plaisir, peser sur le destin des êtres. Et cette dette de jeu que, malencontreusement, il avait contracté ne signifierait plus rien pour lui. Très vite, il allait pouvoir rembourser ses créanciers, et redevenir libre. Totalement libre. La fortune lui souriait. Plus que cela : le monde entier était à lui !

On venait de dépasser le village de Nanterre et, avant de traverser la Seine une seconde fois pour rallier Paris, la voiture ralentit puis s'arrêta. Le marquis, intrigué, souleva le rideau. Dehors, la nuit d'encre ne révélait rien.

– Que se passe-t-il, Matthieu ? demanda-t-il à son cocher.

Pas de réponse. Villarmesseaux jeta un regard à son homme de main. Celui-ci, les sens en alerte, brandissait déjà le court poignard qu'il gardait en permanence dans sa botte.

– Matthieu ? lança une fois encore le marquis.

Toujours le silence. À son tour, Bertaud d'Estafier observa les environs puis, tel un serpent, se glissa hors de la voiture. Instinctivement, Gaëtan de Villarmes-seaux dissimula le coffret sous ses vêtements et tendit l'oreille. Il perçut les pas de Bertaud qui s'éloignaient, puis s'assourdirent. Le marquis commença à craindre pour sa découverte. Avait-il eu raison de privilégier la discrétion en ne s'entourant pas d'une troupe ? Soudain, des bruits étouffés ; on se battait à quelques dizaines de pas de là. Sans doute Bertaud faisait-il regretter à des malandrins de s'être mesurés à lui. Du moins, c'était à espérer… Bientôt de nouveaux pas se rapprochèrent.

– Bertaud ?

Le marquis dégaina lui aussi son épée, mais il savait que, vu l'étroitesse du carrosse, elle ne lui serait d'aucune utilité. Du siège du cocher, un homme sauta à terre. Ce n'était pas Matthieu mais M. de Tilbur, le secrétaire que son créancier avait placé à ses côtés et à la vigilance duquel il avait cru échapper. Celui-ci ouvrit brusquement la portière et s'effaça devant un homme masqué vêtu de noir. Gaëtan, tout en brandissant son arme, recula au fond de la voiture. À tâtons, il chercha la poignée de l'autre portière, mais, déjà, deux autres personnages masqués lui interdisaient toute retraite.

– Permettez ? fit le premier inconnu en pesant de sa botte sur le marchepied.

Le marquis reconnut immédiatement cette voix

colorée d'un léger accent. Il eut le temps d'apercevoir au loin Bertaud, fermement tenu par trois autres individus, avant que son interlocuteur ne s'installât sur la banquette et ne se permît de tirer les rideaux.

— Faites comme chez vous, lui lança avec ironie Villarmesseaux qui, l'instant de surprise passé, reprenait le contrôle de ses émotions.

— Je vous remercie, lui répondit l'homme. Nous serons plus à l'aise ainsi.

— Comment osez-vous… ?

— Arrêter votre voiture ? Oh, mais le plus simplement du monde : nous nous sommes permis de donner congé à votre cocher alors que vous fouilliez les alentours de cette église, à Montesson. Ne craignez rien pour lui : il est en parfaite santé. Votre secrétaire, qui nous avait informés de votre promenade nocturne, a bien voulu prendre sa place et vous conduire à notre… rendez-vous.

— Je… je n'ai pas l'argent que vous…

— Voyons, monsieur le marquis, qui vous parle d'argent ? Notre accord n'est plus le même, vous le savez bien. Et maintenant que vous avez exhumé l'objet que vous cachez sous votre pourpoint, nous allons pouvoir clore notre affaire.

Le marquis sentit une sueur froide couler sous sa perruque. Ces hommes se montraient terriblement bien informés. Mais peut-être pouvait-il encore négocier ?

— Monsieur, je suis prêt à vous verser le double de la somme que je vous dois. Prochainement, de fortes rentrées vont me permettre de…

— Allons, allons, monsieur le marquis. Vous ne voulez

pas m'entendre. Je vous dis qu'il n'est plus question d'argent entre nous. Et, afin de vous rassurer, je ne vous demande même pas de nous confier votre petit coffret, là.

— Mais alors, que voulez-vous ?

— Oh, simplement éviter une guerre.

L'inconnu fit une pause avant de poursuivre.

— Vous n'êtes pas sans savoir, monsieur le marquis, qu'un conflit entre plusieurs nations se prépare. Le 28 mars dernier, Sa Majesté le roi d'Angleterre, Charles II, a déclaré la guerre aux Provinces-Unies, et, voici à peine quatre jours de cela, en vertu d'un accord passé avec la couronne britannique, la France l'a suivi en faisant de même.

— Je sais cela, en effet.

— En réalité, depuis plusieurs années, votre roi s'est employé à multiplier les ambassades et à signer des traités d'alliance avec les puissances d'Europe, de l'Allemagne à la Suède, de sorte que les Provinces-Unies, et au premier rang la Hollande, soient politiquement isolées. Par ailleurs, M. de Louvois, votre ministre de la Guerre, n'a pas attendu le résultat des négociations pour rassembler une armée de deux cent mille hommes qui, déjà, sont sur le pied de guerre aux portes de la Hollande.

— Monsieur, tout cela ne me dit pas pour quelle raison vous m'entretenez de politique au cœur de la nuit, l'interrompit Villarmesseaux.

— J'y viens, monsieur le marquis. J'y viens. Et ce n'est justement pas la politique qui, en l'occurrence, justifie ma présence ici. Les rois rêvent de conquêtes et les militaires y voient l'occasion de faire preuve de bravoure, mais ce qui motive tout cela, M. Colbert l'a bien compris, ce sont les affaires. Si la France et l'Angleterre souhaitent écraser la Hollande, c'est pour mettre la main sur ses richesses et prendre sa place dans le commerce international.

– Mais encore ?

– Il semble qu'il ne faille pas compter sur les politiciens, ni sur les militaires, pour agir au mieux des intérêts des financiers...

– Dois-je comprendre, monsieur, que vous êtes envoyé par des commerçants hollandais ?

– Vous ne vous tromperiez pas en faisant cette hypothèse. Les personnes qui m'ont missionné craignent en effet que, sur le seul plan militaire, mon pays ne soit pas en mesure de faire face aux forces alliées de l'Angleterre et de la France, et surtout, que nos hommes de guerre, y compris le jeune Guillaume d'Orange que l'on vient de nommer à la tête de nos troupes, ne puissent pas protéger efficacement nos intérêts. Car tout est là, monsieur le marquis : nous ne voulons pas voir disparaître notre succès commercial pour des questions d'honneur mal placé.

– Je ne saisis toujours pas...

– Voyez-vous, monsieur le marquis, toute la réussite de cette guerre, sur terre comme sur mer, tient à l'alliance entre l'Angleterre et la France, autrement dit, entre votre roi Louis et le roi Charles. Leur accord a été scellé en 1670 par un traité en vertu duquel le roi de France s'engageait à verser deux cent mille livres de rente. Mais ce qui pesa sans doute dans la balance fut un présent d'un tout autre genre. L'épouse du propre frère du roi, Madame, Henriette d'Angleterre, duchesse d'Orléans, qui fut la négociatrice de ce traité, n'était rien d'autre que la propre sœur de Charles II…

– Tout le monde sait cela…

– Lorsqu'elle se rendit en Angleterre, Madame emmenait avec elle une demoiselle de compagnie, Louise Renée de Penancoët de Keroual, âgée de vingt et un ans. Celle-ci frappa le cœur du roi d'Angleterre à tel point qu'il ne voulut pas s'en séparer. Elle est devenue sa favorite, et je peux même vous dire qu'elle en attend un enfant pour la fin du mois de juillet…

– Mais enfin, monsieur, pourquoi toutes ces histoires de politique et d'alcôves ?

– J'y viens. Vous n'ignorez pas, monsieur le marquis, que Madame, à son retour de Douvres où fut signé le traité dont je parle, regagna son château de Saint-Cloud où, après avoir bu un simple verre de chicorée, elle ressentit de violentes douleurs au ventre et, après une terrible agonie de plusieurs heures, rendit son âme à Dieu. Ce qui affecta fortement votre roi, son beau-frère, au point que celui-ci ordonna une autopsie de la défunte.

– Je sais cela aussi. L'affaire fit grand bruit. Elle se passa le 30 juin voici deux ans…

– J'évoque ici la peine que ressentit Louis XIV, qui paraissait très attaché à Henriette, un peu plus, sans doute, qu'il ne sied à un homme pour sa belle-sœur. Mais il semble que cela ne fut pas le cas de Monsieur, frère du roi, qui a le regrettable défaut d'être très jaloux. Au point que…

– … Que des bruits coururent sur la mort de Madame.

– Exactement. On osa parler d'empoisonnement, et les rumeurs accusaient Monsieur, le duc d'Orléans.

– Rien n'a été prouvé et les résultats de l'autopsie ont permis de conclure à une mort naturelle.

– Les résultats officiels, certes. Mais nous avons eu vent d'une version légèrement différente.

– C'est-à-dire ?

– Dans un entretien extrêmement privé que le roi eut avec son frère, il apparaît que celui-ci a reconnu son implication dans la mort de Madame…

– Vous fabulez !

– Pas le moins du monde. Vous savez parfaitement que les châteaux ont des portes et des laquais qui vont et viennent… et qu'il est fort difficile de garder un secret absolu. Les médecins n'étaient pas arrivés à la conclusion qui fut publiée, et votre roi, toujours soucieux de conserver pour son usage exclusif un pouvoir qu'il avait construit avec fermeté depuis neuf ans, n'envisagea pas une seconde qu'un prince de sang royal tel que son frère pût être livré à la loi des hommes, ni même que son nom fût entaché du soupçon d'homicide. Louis accepta d'étouffer l'affaire à la condition que Monsieur reconnût les faits sur un billet que le roi tiendrait par-devers lui et qu'il n'exhiberait qu'au cas où ce frère aurait des prétentions sur la couronne, hypothèse fort improbable. Mais les princes n'aiment guère laisser derrière eux des portes mal fermées…

– Une fois encore, monsieur, je ne vois pas en quoi toute cette histoire, pour peu qu'elle soit vraie, me concerne, moi et la dette qui nous lie !

– Ne soyez pas impatient, monsieur le marquis. La nuit est douce. Nous avons le temps de parler. Admettez que je vous apprends là des choses bien étonnantes.

– Certes, mais…

– J'évoquais l'attachement de Charles II à sa sœur, la charmante Henriette. Par ailleurs, j'ai souligné l'importance primordiale de l'alliance franco-anglaise dans la guerre qui se prépare contre la Hollande. Vous voyez où je veux en venir, maintenant…

– Je commence à m'en douter.

– Imaginez que la lettre de Monsieur reconnaissant sa responsabilité dans la mort de Madame parvienne entre les mains de Charles. L'accord entre vos deux États serait immédiatement remis en question. D'autant plus que le roi d'Angleterre doit, dans son propre pays, faire face à une opposition à ce traité de Douvres qui donne, dit-on, la part belle à la France, jugée là-bas un peu trop… catholique.

– Vous souhaitez donc récupérer cette lettre chez le roi et la faire parvenir à Londres pour semer la discorde entre les alliés et donner toutes ses chances à la Hollande de gagner la guerre.

– Vous avez tout compris. Et nous pourrons reprendre tranquillement le cours de nos affaires, ce qui est, en fin de compte, la seule chose qui nous importe vraiment.

– Mais en quoi puis-je… ?

– Le roi de France est extrêmement prudent. Considérant l'importance de cette lettre et les risques qu'il y aurait à en être dessaisi, il l'a placée en un lieu que personne n'est en mesure d'atteindre.

– Et où cela, monsieur ?

– Chez la reine. Vous imaginez bien que, depuis que nous avons connaissance de cette histoire, nous avons payé un certain nombre de personnes pour localiser et même tenter de récupérer ce billet compromettant. Mais, hormis les quelques fidèles bigots qui constituent l'entourage exclusif de la reine, personne ne peut aisément approcher de ses appartements, et encore moins d'elle-même. Or, nous avons fini par acquérir la certitude que c'est sur sa personne qu'elle conserve en permanence le document.

– La reine, croyante comme elle l'est, cacherait l'aveu d'un crime ?

– Non, elle ignore le contenu de la lettre, et, toujours amoureuse du roi, elle est prête à croire son époux lorsqu'il lui assure qu'il s'agit d'un secret concernant la raison d'État.

– Et donc ?

– Ne me dites pas que vous n'avez pas compris, monsieur le marquis. En aucune façon nous ne voulons de cette guerre qui dévastera la Hollande et qui laissera notre économie exsangue. Pour l'empêcher, il nous faut briser l'alliance franco-anglaise et cette lettre s'avère en être le moyen le plus efficace. Or seul le roi peut récupérer ce document. Le roi ou quelqu'un qui aurait le pouvoir de prendre sa place…

Gaëtan de Villarmesseaux écarquilla les yeux avec stupeur. Lui, qui avait été jusqu'à commettre des crimes pour satisfaire ses envies de fortune et de pouvoir, n'avait jamais osé imaginer un projet aussi audacieux, aussi insensé : prendre la place du roi de France, de Louis XIV ! L'inconnu ne lui laissa pas le temps de réagir. Il enchaîna :

– Notre marché est donc simple : grâce à ce que vous venez de récupérer, vous prenez l'apparence du roi, vous récupérez la fameuse lettre chez la reine et vous nous la remettez. En contrepartie, nous vous tenons quitte de la somme que vous nous devez, et nous y ajoutons une gratification de cinq cent mille livres.

– Fou. Vous êtes fou. Comment pouvez-vous croire une seconde que votre opération va réussir ? Que comptez-vous faire du roi lorsque j'aurai pris sa place ? Quelle sera sa réaction après coup ?

– Ne vous inquiétez pas. Tout est prévu. Nous nous chargerons de retenir Louis pendant le temps nécessaire. Vingt-quatre heures, quarante-huit tout au plus, suffiront pour cette entreprise. Pour vous, aucun risque ensuite, puisque vous serez insoupçonnable : nous vous fournirons des témoins qui assureront vous avoir vu à l'autre bout de la capitale tandis que vous serez à Versailles. Quant au roi, il aura d'autres chats à fouetter avec la rupture de l'alliance et une guerre défavorable sur les bras. D'autant plus qu'il ignorera ce qui se sera réellement passé et, vu l'authenticité de la lettre de Monsieur, il aura à cœur d'étouffer cette affaire.

– Vous avez décidément pensé à tout. Toutefois, une chose m'échappe : pourquoi ne vous contentez-vous pas de me prendre le contenu de ce coffret afin de vous glisser vous-même dans la peau du roi ?

– Votre implication et votre appât du gain sont pour

nous un gage de votre silence. En outre, vous connaissez la cour et ses usages comme nous ne le pourrons jamais. Il serait fâcheux que Sa Majesté Louis le quatorzième se comportât comme un étranger mal informé de l'étiquette. Et puis… vous vous doutez bien que nous resterons vigilants et qu'il ne vous sera pas possible de dénoncer notre marché sans que votre vie soit aussitôt mise en péril.

— Justement, rien ne m'assure que, une fois votre affaire terminée, vous ne me fassiez disparaître définitivement.

— C'est en effet un risque. Cependant, hormis le fait que vous n'avez pas réellement le choix, nous aurons à cœur de respecter notre parole et, le cas échéant, nous pourrons à nouveau faire appel à vous. Car nous comptons bien vous laisser ensuite l'usage et le bénéfice de votre petit soleil, si vous permettez que nous appelions ainsi l'objet caché dans ce coffret.

Gaëtan de Villarmesseaux garda le silence plusieurs minutes. Au cours de leur entretien, aucun des hommes en faction n'avait prononcé le moindre mot. Autour d'eux, la nuit achevait de donner à cet échange la couleur trouble du complot.

— En admettant que j'accepte, reprit le marquis, quand devrions-nous passer à l'action ?

— Mais dès demain, à la première heure.

Troisième partie

Les trois métamorphoses

La halte des Molières

C'est justement à la première heure de ce lundi 11 avril 1672, alors que l'aube rosissait à peine les toitures du château de Fontainebleau, que trois laquais se précipitèrent vers les officiers qui gardaient la grille de l'entrée principale.

– Dépêchez-vous ! crièrent-ils. Ouvrez ! Vite ! Sa Majesté va partir incontinent !

Au fond de la cour du Cheval-Blanc, un carrosse emporté par six chevaux quittait en effet les abords du grand escalier et s'élançait sur les pavés. Les soldats qui manœuvraient l'imposante grille eurent à peine le temps de voir passer le roi de France que, déjà, la voiture s'éloignait dans les rues encore endormies de la ville royale.

Louis XIV était content. Le plus beau cerf qu'il avait couru la veille, un dix-cors jeunement, ne s'était pas laissé prendre facilement. Grâce au talent des valets de limiers, à la hargne de la meute que les veneurs avaient appuyée à cor et à cri, aux ruses de l'animal traqué, la chasse s'était avérée riche en émotions, jusqu'à l'hallali où le cerf avait été servi dans l'arrière-cour d'une ferme, sous l'œil pantois des paysans découvrant leur roi couvert de boue, le sourire aux lèvres et le couteau à la main.

Il repartait maintenant pour Versailles où la belle madame de Montespan l'attendait pour une fête dans la douceur de Trianon. Deux semaines plus tard, il gagnerait le nord du royaume afin de livrer contre les Hollandais une guerre qui ne pourrait que le voir triompher. La chasse, les femmes et la guerre, c'étaient là ses trois plus grands plaisirs et, si Dieu s'attachait à les lui pourvoir en abondance, il voulait y voir le signe de sa grandeur.

Dans la voiture, avec lui, M. de Saint-Aignan, qui partageait la plupart des loisirs de son souverain, somnolait. La nuit avait été courte et il n'avait certes pas la santé du roi. De part et d'autre du carrosse, une troupe de seize mousquetaires caracolait, emmenée par son capitaine-lieutenant, Charles de Batz de Castelmore, ancien gouverneur de Lille, qui avait préféré reprendre du service actif auprès de Sa Majesté.

On venait de quitter la ville lorsque, traversant la forêt, non loin des gorges d'Apremont, le carrosse se mit à tanguer fort dangereusement. Aussitôt, le cocher arrêta son attelage, sauta à terre et examina les roues avec attention.

– Que se passe-t-il donc ? demanda le roi en se penchant par la portière.

– Je l'ignore, Votre Majesté.

– Avons-nous roulé dans une ornière ? Heurté une pierre ?

– Je vais inspecter la voiture, Sire.

– Faites vite. Je veux être à Versailles pour ce dîner.

Le cocher exécuta une révérence rapide avant de se plier sous la caisse pour en examiner chacune des pièces. Dans un même temps, les mousquetaires prirent place autour du carrosse dans l'éventualité d'un guet-apens. Le responsable de l'attelage revint bientôt faire son rapport au roi. Son visage avait pris la teinte rouge de la confusion.

– Une roue arrière présente une usure importante et inexplicable, Sire.

– Comment est-ce possible ?

– Je ne comprends pas, le carrosse a été contrôlé hier soir par mes adjoints et je suis passé derrière eux comme à l'accoutumée. Tout paraissait en ordre…

– Pouvons-nous reprendre notre route ?

– Cela paraît trop risqué. Dans leur état, les rayons céderont d'un instant à l'autre. Assurément, le carrosse verserait et Votre Majesté pourrait être blessée.

– Combien de temps vous faut-il pour réparer cette roue ?

– Hélas, Sire, je ne dispose pas des outils nécessaires pour…

Le cocher se tassait sur lui-même, honteux et confus.

– Voilà qui est déplaisant. Monsieur de Saint-Aignan, avez-vous une idée ?

– Que ce drôle saute en croupe derrière un mousquetaire, qu'il regagne Fontainebleau et revienne au plus tôt avec une voiture. Solide cette fois-ci !

– Vous avez entendu ? Monsieur de Castelmore, veuillez désigner deux de vos hommes pour accompagner mon cocher. Et demandez-leur de se hâter. Je ne tiens pas à passer ma journée dans la forêt s'il ne m'est pas possible d'y mener une chasse !

Les ordres furent promptement donnés, et des cavaliers s'en retournèrent aussitôt au château.

Trois quarts d'heure plus tard, ils n'étaient toujours pas revenus, et le roi commençait à sérieusement s'impatienter. Il allait et venait autour du carrosse en compagnie de Saint-Aignan qui avait cherché à le divertir, mais qui, devant la mine sombre de son souverain, avait fini par se taire. On perçut alors au loin une cavalcade, et apparut, comme sorti de nulle part, un carrosse tiré par quatre chevaux. Aussitôt, on conseilla au roi de regagner l'ombre discrète de sa voiture, et les mousquetaires se mirent en place pour parer à toute éventualité.

La voiture inconnue ralentit, puis s'arrêta à une vingtaine de mètres. Une voix de femme en sortit :

– Que se passe-t-il, Thomas ?

– … Il y a que…, madame la comtesse…, balbutia le cocher qui venait de reconnaître le carrosse royal.

La passagère mit la tête à la portière mais, avant qu'elle ait prononcé un mot, le compagnon du roi s'avança et la salua poliment :

– François Honorat de Beauvilliers, duc de Saint-Aignan, madame. Pour vous servir.

– Marie-Madeleine de Courtilz, comtesse de Sandras, lui répondit la jeune femme. Tout l'honneur est pour moi, monsieur le duc.

Elle lui fit à son tour un salut de la tête avant de descendre de sa voiture, suivie par sa demoiselle de compagnie. Elles étaient toutes deux extrêmement séduisantes.

— Puis-je vous être d'un quelconque secours ? s'enquit la comtesse.

— Madame, assurément, c'est le ciel qui vous envoie. Sa Majesté ici présente doit absolument regagner...

— Le roi ? l'interrompit-elle. Mon Dieu ! Est-ce possible ?

— N'en doutez pas, madame, fit Louis XIV en se mettant à la portière, son sourire le plus charmeur aux lèvres.

— Majesté !

Les deux femmes s'effondrèrent dans une profonde révérence. Le roi les rejoignit et, relevant la comtesse, lui expliqua la situation :

— Voyez-vous, il se trouve que notre carrosse n'est plus en état, et les secours tardent...

— Sire ! Votre Majesté accepterait-elle d'user de notre voiture à sa convenance ? Elle ne pourrait me faire de plus grand honneur.

— Hum. J'avoue que demeurer dans cette forêt une heure de plus me paraît au-dessus de mes forces. Mais vous, madame ? Cela ne retarderait-il pas vos projets ?

— Que sont mes projets au regard de ceux du roi ?

— Il ne peut pourtant être question de vous laisser seule ici sans aide. Pourquoi ne viendriez-vous pas avec nous jusqu'au prochain relais de poste ? Nous pourrions assurément y trouver une solution.

– Monter en voiture avec le roi ? Vous n'y pensez pas, Sire. C'est un honneur que je ne mérite pas !

– Au contraire, m'avoir sauvé de l'ennui est un exploit que beaucoup de mes militaires n'ont jamais eu l'occasion de réaliser pour moi, et cela mérite assurément tous les hommages. En outre, pour être roi, nous n'en sommes pas moins gentilhomme. Je ne souffrirais pas qu'une dame de qualité dût attendre seule en forêt. Surtout lorsqu'elle a les plus beaux yeux du monde…

Les désirs du roi ayant coutume d'être considérés comme des ordres, la comtesse ne tarda pas à céder.

Trois heures plus tard, alors que la chevauchée de retour prenait l'allure d'une promenade, la comtesse de Sandras laissa entendre qu'une halte lui serait agréable et, pour tout dire, nécessaire.

On alerta le cocher, qui proposa de rallier le calme village des Molières, où un relais de poste couplé à une auberge permettrait aux voyageurs de prendre quelque repos.

Ils atteignirent ainsi le cabaret de dame Dulac. Cette étape ravissait Louis XIV. Il se trouvait bien aise de faire quelques pas et de se distraire en si belle compagnie. Il demanda que l'on prît tout le temps qu'il faudrait pour changer l'attelage et pénétra dans le cabaret en donnant le bras à la comtesse, qui se déclara fort confuse d'un tel honneur.

Tandis qu'ils s'époussetaient, la patronne du lieu accueillit ses si nobles clients avec force courbettes maladroites que sa lourde taille rendait plus ridicules encore. M. de Saint-Aignan lui commanda de l'eau fraîche ainsi que son meilleur vin.

— Et que l'on porte aussi à boire à mes mousquetaires, ordonna le roi.

— Sa Majesté n'est pas seulement le plus grand roi d'Europe, minauda la comtesse, mais elle est également le plus charitable pour ses serviteurs.

— Les tenir en bonne estime est, madame, le gage de leur fidélité. Et puis ils ne bénéficient pas du plaisir d'être assis à votre table…

— Sire, vous vous moquez !

— Pas le moins du monde, madame. Cette défaillance impromptue de mon carrosse a transformé ce voyage monotone en la plus charmante des équipées.

Le roi s'installa et se mit à l'aise. Il n'ignorait pas que son titre le désignait à la convoitise de bien des femmes. Il savait également que, à trente-quatre ans, il avait encore la taille bien mise et, quoique son visage barré d'une fine moustache commençât à perdre de sa finesse, il se trouvait mis en valeur par des perruques dont il ne se départait plus depuis quelque temps. Il offrit à la comtesse la grâce d'un sourire enchanteur, ne doutant pas un instant que les titres de noblesse de la coquette tenaient certainement plus à l'éclat de ses yeux qu'à la lignée de ses ancêtres. Cependant, cela ne le rebutait nullement, lui qui aimait tant la compagnie des femmes.

Bientôt, la patronne apporta un plateau où carafes et verres tremblotaient en cadence. Elle posa le tout sur la table avant de s'en retourner vers sa cuisine.

Alors que M. de Saint-Aignan entreprenait de servir le roi sans plus de cérémonie, la suivante de la comtesse s'approcha de lui, plongeant ses grands yeux bleus langoureux dans les siens, à tel point que les joues du duc prirent la violente couleur de la pivoine.

– Vous me disiez en voiture que vous étiez féru de botanique, monsieur le duc.

– Ma foi, madame, j'ai en effet quelques notions en la matière.

– Herboriseriez-vous ?

– Lorsque mes fonctions auprès de Sa Majesté m'en laissent le loisir, je ne dédaigne pas de remplir mes albums, je l'avoue.

– Oh ! J'aimerais tant profiter de votre savoir !

– Maintenant, si vous le désirez.

La belle suivante se tourna vers sa maîtresse :

– Madame, m'autoriseriez-vous à marcher quelques instants avec M. de Saint-Aignan afin que celui-ci m'enseignât quelques rudiments de sa passion ?

– Si Sa Majesté le permet et si cela ne la met pas trop en retard…

– Aucunement, madame, répondit le roi qui ne voyait pas d'un mauvais œil l'occasion de se retrouver seul avec la comtesse. M. de Saint-Aignan sera ravi de vous dévoiler son art.

– Comme il plaira à Votre Majesté, conclut ce dernier avec une révérence complice.

Il se leva et tendit la main à la jeune femme.

– Nous serons de retour avant la demie d'une heure, Sire.

– Prenez votre temps ! Il est bon que nos mousquetaires se reposent. Et le vin n'est décidément pas désagréable du tout…

Le roi attendit que la porte se fût refermée sur le couple pour se rapprocher de Marie-Madeleine de Courtilz et lui saisir la main.

– Voici des doigts très fins qui n'ont guère dû herboriser. Me trompé-je, madame ?

– Pas le moins du monde, Sire. Souffrez que nous portions un verre à l'honneur que me fait Votre Majesté de m'accepter à sa table.

– Une jolie femme qui apprécie le vin ? Ah çà ! madame, seriez-vous dotée de toutes les qualités ?

La comtesse minauda en baissant les yeux, affectant de rougir juste assez pour ne pas paraître effrontée, avant de lever son verre avec un sourire ravageur. Le roi lampa le sien. Aussitôt, elle le resservit.

– Vous avez raison, Sire, ce vin est fort plaisant !

Une fois encore ils trinquèrent, et Mme de Courtilz laissa son regard se perdre dans celui de Louis XIV qui, gaillardement, vidait à nouveau son gobelet, portant la main devant ses yeux pour masquer un étourdissement.

– Je lasse Votre Majesté, dit la comtesse après un coup d'œil inquiet.

– Non pas, madame, mais je…

Une fois de plus, le roi vacilla. Il tenta malgré tout de poursuivre :

– Ne croyez pas que…

– Sire, vous ne vous sentez pas bien ?

La comtesse penchait vers son royal compagnon un visage préoccupé.

– Je… non… la fatigue sans doute… Je…

Brusquement, le roi s'effondra sur la table, renversant la cruche. La jeune comtesse bondit, mais au lieu d'appeler à l'aide, lui toucha la joue d'un geste timide. Pas de réaction. Elle insista d'une claque légère. Toujours rien. Enfin, elle le prit par les épaules et le secoua franchement sans que le monarque réagît à ce crime de lèse-majesté. La patronne de l'auberge sortit alors de sa cuisine.

– C'est bon ? chuchota-t-elle.

– Préviens les autres.

La grosse femme alla toquer à la porte d'une chambre qui s'ouvrait au fond de la pièce. Trois hommes en sortirent : l'un d'eux était le secrétaire que les Hollandais avaient placé aux côtés de M. de Villarmesseaux. Le marquis, lui, plus pâle que la mort, était prudemment resté caché à l'intérieur de la chambre. Alors que les trois hommes entouraient le roi, la comtesse s'approcha de la fenêtre et, tout en demeurant à l'abri des regards, scruta la place.

– Faites vite, murmura-t-elle.

À leur tour, ils pincèrent et secouèrent le souverain inanimé sans que celui-ci se manifestât. Deux d'entre eux saisirent les bras, le troisième les jambes et, sans plus de manières, ils emportèrent leur illustre fardeau dans la chambre. Villarmesseaux referma aussitôt la porte derrière ses complices. Le tout n'avait duré que quelques minutes.

Dehors, le calme régnait. Brusquement, la porte du cabaret s'ouvrit sur le capitaine de la compagnie de mousquetaires. La comtesse l'accueillit, visiblement émue.

– Ah ! monsieur ! Vous voici !

– Madame ?

Le militaire balaya la pièce des yeux et, aussitôt, ses sens se mirent en alerte.

– Sa Majesté ? demanda-t-il. Où est le roi ?

Écartant la comtesse, il fit un pas en avant. Déjà sa rapière avait jailli.

– Là-bas, balbutia-t-elle. Dans la chambre. Des hommes... On l'a emporté... Un malaise.

À ces mots, le capitaine de Castelmore réagit ainsi qu'il l'avait toujours fait :

– À moi ! s'écria-t-il. Cinq hommes ! Les autres bloquent toutes les issues !

Il se ruait vers la chambre quand la porte de celle-ci s'ouvrit à nouveau, laissant paraître Louis XIV. Dans l'auberge, tout le monde se figea.

– Eh bien, monsieur de Castelmore ! s'étonna le roi. Quelle est la cause de cette charge impromptue ?

– Euh... Votre Majesté. Je croyais... J'ai un instant craint...

– Vous pensiez que je succombais ?

– Ma foi, Sire...

– Et vous aviez raison ! Je succombais à ces charmants yeux.

Et, joignant le geste à la parole, Louis XIV tendit la main à la jeune comtesse avec laquelle il avait fait route depuis Fontainebleau. Tous deux passèrent devant le mousquetaire qui, se sentant ridicule, cacha sa confusion dans une révérence figée.

— Ma foi, cette étape m'a ragaillardi. Les chevaux ont-ils été relayés ?

— Tout est en ordre, Sire.

— Parfait. Si M. de Saint-Aignan a terminé sa leçon de botanique, peut-être pourrons-nous repartir ? J'ai hâte de rejoindre Versailles.

Et il sortit sans attendre, les mousquetaires lui faisant une haie d'honneur jusqu'à son carrosse. Bientôt, le cortège royal disparut dans un nuage de poussière blanche.

Versailles

Depuis plusieurs jours, Versailles s'était réveillé. Le bruit de la venue prochaine du roi circulait dans la ville, et, bien que seule une partie de la cour fût conviée à la fête donnée ce soir-là, nombreux étaient ceux qui s'activaient pour tenter d'en tirer bénéfice.

L'équipage royal traversa le bourg à grande allure en dépit des travaux qui fleurissaient de part et d'autre de la voie. À l'intérieur du carrosse, M. de Saint-Aignan, intrigué, observait le roi à la dérobée. En effet, depuis leur halte, celui-ci avait changé d'attitude et perdu tout son entrain. Ayant cessé son badinage avec la comtesse, il restait plongé dans ses pensées, le visage tourné vers l'extérieur, muet, sombre. Que s'était-il passé au relais de poste qui eût provoqué un tel revirement ? La belle Marie-Madeleine s'était-elle révélée plus prude que le roi ne l'avait espéré ?

En réalité, ce n'était nullement une affaire de cœur qui préoccupait celui qui portait les atours du souverain. Depuis que, dans la chambre de l'auberge, on avait amené Louis inconscient, qu'on l'avait dévêtu et que

M. de Villarmesseaux avait enfilé son habit royal ; depuis qu'il avait ensuite inséré dans la petite pierre grise qu'il appelait encore le quatrième soleil un des cheveux du roi avant de se la glisser sous la langue, il se trouvait sous les feux de la rampe, au premier rang d'une pièce qui, désormais, devrait se jouer jusqu'au bout.

Il avait été extrêmement troublé lorsque son corps tout entier avait subi la métamorphose, lorsque son ventre trop large avait retrouvé la sveltesse de sa jeunesse et que les traits de son visage s'étaient affermis, perdant de leur lourdeur pour devenir ceux du roi de France. Heureusement, l'irruption du capitaine des mousquetaires ne lui avait pas permis de s'attarder à contempler ce bouleversement. Il lui avait fallu endosser sur-le-champ son rôle et faire bonne figure devant tous ceux qui, désormais, dépendaient de son bon vouloir. Ce qu'il ignorait et qu'il découvrit progressivement au cours du voyage, c'était que la petite pierre grise dégageait sous la langue un goût amer qui allait s'amplifiant au fil des heures, jusqu'à devenir presque insupportable. Le marquis, caché sous les traits du roi, avait ainsi dû exiger une halte en pleine campagne où, contrairement à l'habitude royale, il avait demandé à se trouver seul pour satisfaire à un besoin naturel. Derrière un buisson, il avait craché la pierre, et repris aussitôt son apparence originelle. Deux minutes plus tard, il la glissait encore une fois sous sa langue. L'amertume avait heureusement disparu, mais elle ne tarda pas à se manifester de nouveau, et le faux roi avait hâte d'arriver pour pouvoir faire cesser ce supplice.

La voiture déboucha enfin sur la place d'armes. En toile de fond, le château disparaissait sous les échafaudages. Le cocher arrêta ses chevaux devant un petit escalier menant directement aux appartements du roi. Le marquis, heureusement, connaissait les lieux. Il ne lui fallait en aucune façon donner l'impression d'hésiter sur le chemin à prendre.

— Monsieur de Saint-Aignan, je serais bien aise que vous m'accompagniez dans mes appartements.

— Avec joie, Sire. Votre Altesse a-t-elle besoin de mes services ?

— Ma foi, ce voyage m'a épuisé et je souhaiterais que vous me remémoriez le programme de cet après-dîner.

— Je le ferais avec plaisir s'il ne me semblait pas plus honnête, pour le service de Votre Majesté, de faire appel à Bontemps, qui saura répondre à ces questions bien mieux que je ne le pourrais faire.

— Bien sûr, bien sûr, répondit Villarmesseaux en se drapant dans une attitude hautaine pour masquer son embarras. Qu'on me l'aille chercher immédiatement !

Le marquis redoutait de se trouver en présence d'Alexandre Bontemps qui, comme son père, avait hérité du titre très envié de premier valet de chambre du roi. Intendant-gouverneur des terres, parcs et châteaux de Versailles et Marly, il était sans aucun doute la personne qui connaissait le mieux l'intimité de Louis XIV. Tous ceux qui voulaient approcher le monarque devaient en passer par lui, et pas un des ministres ne pouvait prétendre jouir de la confiance totale dont Sa Majesté l'honorait. Aussi, pour se donner bonne contenance,

Villarmesseaux s'installa-t-il avec un frisson dans le fauteuil royal et feignit de s'absorber dans la lecture d'une lettre qu'il sortit de son pourpoint.

Bontemps ne tarda pas à se présenter, Saint-Aignan sur les talons, et, après une courtoise révérence, il attendit les ordres que le roi voudrait bien lui donner.

— Bontemps, je suis aise de vous voir.

— Votre Majesté a-t-elle apprécié sa chasse ?

— Tout à fait. Je me suis d'ailleurs donné tant et plus et n'ai plus du tout la tête au programme de cette journée. Vers quelle heure la fête à Trianon doit-elle commencer ?

Le roi n'avait pas pour habitude d'hésiter sur son emploi du temps, mais le valet ne laissa rien paraître de sa surprise.

— Ainsi que vous l'avez souhaité, Mme de Montespan vous attend à dix-sept heures pour que vous embarquiez sur le Grand Canal. La fête à Trianon ne débutera pas avant dix-huit heures, Sire.

— Oui. C'est bien ce qu'il me semblait. Et la reine ?

— La reine, Sire ?

— Oui, qu'en est-il de Son Altesse Marie-Thérèse ?

Cette fois-ci, Bontemps échangea un regard perplexe avec M. de Saint-Aignan.

— Mais Sire, la reine est grosse et, étant donné son état, vous lui avez demandé de ne pas quitter Saint-Germain.

— Son état... Son état... L'État, c'est moi ! Faites venir les plus rapides de vos coursiers. Je veux voir la reine à Versailles au plus tôt.

– Mais je… Bien, Sire.

Renonçant à discuter, Bontemps se retira avec une révérence plus digne qu'à l'ordinaire et dans laquelle il laissa poindre sa désapprobation. Villarmesseaux, qui lui avait déjà tourné le dos, s'en voulait de s'être laissé emporter. Cependant, la crainte de voir sa mission échouer lui avait fait perdre contenance. Certes, il aurait pu se rendre personnellement à Saint-Germain, mais, outre que cela eût bouleversé le programme du roi, il craignait que cette initiative compliquât la fin de sa mission. La seconde substitution avec le roi était en effet prévue à Versailles. Il s'apprêtait à rédiger une missive à la reine pour confirmer son ordre par écrit, lorsqu'il se ravisa : son écriture risquait de le trahir.

– Saint-Aignan, vous voudrez bien rédiger un billet pour la reine. Je me sens las.

– Moi, Sire ? Comme il plaira à Votre Majesté, mais souhaitez-vous que je fasse venir Fagon ?

– Non, pas de médecin. Ce ne m'est point nécessaire. Écrivez : « Madame… »

Lui tournant le dos, Villarmesseaux dicta une brève lettre, puis il attendit le retour de Bontemps pour s'assurer que celle-ci partirait dans les plus brefs délais. Il déclara ensuite vouloir se retirer pour quitter ses vêtements de voyage, lorsqu'un des gardes s'avança pour glisser un mot à l'oreille de M. de Saint-Aignan.

– Qu'y a-t-il ? demanda le faux monarque.

– Un quémandeur, Sire, que j'ai fait écarter. Il sollicitait…

– De qui s'agissait-il ?

– Une personne de peu, Sire : M. de Tilbur, secrétaire du marquis de Villarmesseaux, voulait s'entretenir avec Votre Majesté. Je me demande d'ailleurs comment il a pu pénétrer jusque dans le château…

– Qu'il entre, l'interrompit une fois encore l'homme qui, désormais, régnait sur la France. Et qu'on nous laisse seuls.

À son tour, M. de Saint-Aignan ravala sa surprise. Il n'était pas d'usage que le roi donne ainsi audience à une personne du peuple. Cela apparaissait comme un honneur considérable pour lequel nombre de courtisans patientaient des années entières dans les couloirs de Versailles. Mais l'ordre avait été donné et, sans plus un mot, Saint-Aignan alla quérir l'inconnu.

Une arrestation

La troupe du Soleil de France était prête. Les répétitions s'étaient déroulées le mieux du monde et chacun avait peaufiné la moindre de ses répliques, le plus infime de ses jeux de scène afin que la représentation fût à la hauteur de l'honneur qui leur était fait. On avait même ajouté un petit rôle de valet pour Colin qui, ainsi, se trouvait lui aussi embarqué dans l'aventure. Cependant, chacun demeurait inquiet. Jouer devant le roi, tous en avaient plus ou moins rêvé sans jamais oser y croire. Et même en cette fin de matinée, alors qu'ils chargeaient décors et costumes sur leur vieux chariot, ils se demandaient encore s'ils ne vivaient pas là une chimère ou une farce. À la fois dubitatifs et enthousiastes, ils prirent enfin le chemin de Versailles.

Zinia avait récupéré sa jument. Elle partit devant avec Colin, dans le fol espoir de plaider sa cause et de réclamer justice au roi. Chacun des comédiens avait tenté de lui faire entendre raison : on ne pouvait rencontrer le monarque selon son bon vouloir, et des procédures complexes, des pratiques tortueuses, des passe-droits et des recommandations ne suffisaient souvent pas à des aristocrates bien en place pour échanger deux minutes avec lui. Mais elle avait refusé d'entendre ces avertissements, et Léandre avait salué sa détermination en lui donnant des conseils pour pénétrer à l'intérieur du château.

Nombre de personnes fréquentaient la route de Versailles. Fournisseurs de la cour, nobles cherchant à s'attirer les faveurs royales, ouvriers, soldats, aventuriers en tout genre. On assistait à un incessant va-et-vient renforcé par la présence annoncée de Louis XIV en son domaine.

Zinia et Colin parcoururent les cinq lieues en un peu plus de deux heures et, une fois à Versailles, ils n'eurent qu'à suivre le flot de la circulation pour parvenir au château. Là, ils eurent le souffle coupé. Bien que la demeure royale ne fût encore qu'un immense chantier, on pouvait déjà mesurer l'ampleur du projet qui se déployait de part et d'autre du bâtiment initial. L'architecture proclamait à la face du monde la magnificence, l'ambition et le rayonnement du Roi-Soleil.

– Eh bien, ce n'est pas joué ! lâcha Colin.

Zinia garda le silence. Elle mesurait la naïveté de son entreprise. Atteindre le monarque, réussir seulement à pénétrer dans le château lui apparaissait désormais impossible. Mais elle n'allait pas baisser les bras maintenant. Avec les conseils de Léandre, peut-être avait-elle une chance, une minuscule chance ? Ils contournèrent la place, mirent pied à terre et s'approchèrent d'une entrée plus modeste où se présentaient des fournisseurs.

Le service de la bouche du roi (paneterie, échansonnerie, rôtisserie) mobilisait plus de mille personnes qui
livraient quotidiennement leurs produits.

– Nous venons pour la réception au Trianon ! lança
Zinia par-dessus les têtes qui se pressaient devant elle
pour obtenir des gardes l'autorisation de pénétrer dans
les communs.

– Êtes-vous boulangers ? Bouchers ? questionna le
garde en détaillant leur tenue.

– Rien de tout cela : nous faisons partie de la troupe
qui distraira Sa Majesté…

– Ah ! les saltimbanques ! On nous a prévenus.
Mais… vous n'êtes que deux ?

– Le reste de la troupe arrive avec le matériel. Nous
sommes venus préparer la salle.

– Bien, bien. Passez par ici et allez vous présenter au
capitaine, là-bas. Il vous dira où vous rendre.

Zinia et Colin fendirent aussitôt la foule des artisans et pénétrèrent dans l'enceinte du château. Ils firent
mine de se diriger vers l'officier, mais, dès que le garde
ne leur prêta plus attention, ils se glissèrent subreptice-
ment à l'intérieur du bâtiment.

Ils se retrouvèrent dans une étroite galerie quasi
déserte, à l'exception d'une jeune fille qui installait de
larges bouquets de fleurs dans des vases d'albâtre. Zinia
prit son courage à deux mains et l'aborda :

– Mademoiselle, sauriez-vous nous dire de quelle
façon il serait possible d'approcher le roi ?

La jeune fille les dévisagea avec un mélange de surprise et de défiance.

– Le roi ? Voilà une demande bien singulière ! Si vous ignorez les usages de la cour à ce point, je doute que vous soyez en mesure d'approcher Sa Majesté avant long-temps.

– Ne peut-on le croiser dans ses salons ? Vous-même, l'avez-vous déjà vu ?

– Le roi ? Mais je ne suis ici qu'une modeste jardi-nière chargée de fleurir certaines pièces du château…

Ce disant, elle cacha en partie son visage dans le bouquet qu'elle venait d'arranger, cherchant à mas-quer le rouge qui lui montait aux joues. Sa confusion n'échappa pas à Zinia.

– Vous l'avez déjà croisé, n'est-ce pas ?

La jeune fille changea alors brutalement d'attitude et, relevant la tête avec arrogance, lâcha innocemment :

– Certes, et plus d'une fois ! J'ai eu l'honneur de dis-traire le roi certaines nuits où il se sentait bien seul…

Et, sans plus un mot, elle se détourna et disparut au détour du couloir.

– Cette fille est folle, osa Colin, encore surpris de l'échange auquel il venait d'assister.

– Peut-être disait-elle la vérité. J'ai ouï dire que l'em-pressement du roi ne s'arrêtait pas à la noblesse et qu'il ne dédaignait pas la galanterie en compagnie des jeunes filles du peuple.

– Eh bien…

Ils s'aventurèrent ensuite aussi discrètement que pos-sible dans les salons où des courtisans, l'épée au côté, trompaient leur ennui en commentant les potins du jour. Parmi eux circulaient des valets affairés, porteurs d'ordres ou de placets, courant au service d'une duchesse, d'un marquis, acteurs invisibles des intrigues du palais.

C'est alors qu'un imposant majordome leur fit barrage :

— Si vous cherchez les écuries, vous vous trompez de chemin.

Piquée par l'insulte, Zinia recula d'un pas, releva le menton et clama avec aplomb :

— Je suis la chevalière de Fonziac, et je suis venue demander audience au roi pour réparer une injustice !

— Vraiment ? répliqua le majordome, nullement impressionné. Et vous pensez que Sa Majesté va vous recevoir ainsi ?

Il la détailla de la tête aux bottes, ne laissant pas de doute sur l'opinion qu'il pouvait se faire d'elle. Zinia se sentit humiliée.

— Sachez, mon brave, que je ne suis pas venue ici parler chiffons, pourpoints ou rhingraves, mais d'une affaire où se joue l'honneur d'un homme !

— L'honneur d'un homme, rien que ça ?

Le majordome esquissa un sourire. Décidément, il trouvait plutôt sympathique cette jeune nobliette. Elle ne manquait pas de culot et il décida de l'aider. Leur échange avait cependant attiré l'attention des oisifs qui arpentaient le salon, aussi jugea-t-il plus opportun de la conduire dans un lieu moins exposé.

— Alors, madame, si votre affaire est d'une telle importance, il vous faut apprendre les habitudes de Versailles. Si vous voulez bien me suivre…

Il les attira dans un couloir discret qui longeait les salons.

– Sachez que Sa Majesté n'est approchable que par les personnes de qualité qui jouissent auprès d'elle d'une charge acquise après bien des années d'efforts et, souvent, d'intrigues.

– Je n'ai pas l'intention d'attendre sans fin que…

– Tout doux, belle chevalière ! Je vais tenter de vous faire gagner du temps en vous présentant à un fidèle du roi dont je m'enorgueillis de mériter la confiance. Vous lui exposerez votre affaire et il jugera s'il est envisageable que vous alliez plus avant dans votre requête.

– Et qui est ce gentilhomme ?

– M. de Saint-Aignan.

Dans le cabinet de travail du roi, deux hommes se parlaient sans cérémonie. D'un côté de la table, M. de Villarmesseaux, dans les habits du roi, de l'autre, M. de Tilbur, visiblement inquiet :

– Trois heures, dites-vous ?

– Pour l'aller et le retour, oui, je l'espère. Lorsque la reine sera ici, j'irai m'entretenir avec elle pour lui réclamer ce que vous savez. Vous pourrez alors en disposer sur l'heure.

– N'eût-il pas été plus rapide que nous allions tous deux la chercher directement à Saint-Germain plutôt que de l'attendre à Versailles ?

– En aucune façon ! Cela eût été une erreur de bouleverser le programme du jour. Assurément, on se serait posé des questions : on va au roi, mais le roi ne va pas à celle avec laquelle il souhaite s'entretenir, serait-elle la reine !

– Vous devez savoir cela mieux que moi…

– À ce propos, vos hommes sont-ils bien arrivés ? Tout est-il en ordre pour que, une fois cette soirée terminée, je puisse reprendre la place qui est la mienne et laisser celle-ci à qui de droit ?

– Je vais de ce pas m'en assurer. Je vous retrouverai aussitôt après votre entretien avec la reine.

Le secrétaire prit congé d'un bref salut de la tête. Villarmesseaux fit alors quelques pas dans la pièce, jouissant du privilège de faire attendre tous ces personnages de haut rang qui patientaient déjà pour assister à son repas.

Soudain, en s'approchant de la fenêtre, il se figea. Là, en bas, dans la cour de Marbre, il venait d'apercevoir M. de Saint-Aignan en discussion avec un majordome en livrée et deux personnes vêtues d'une façon qui ne seyait guère au lustre de Versailles. L'une d'entre elles n'était autre que la fille de son cousin Fonziac, cette donzelle qui lui avait échappé à plusieurs reprises. Décidément, elle s'avérait pleine de ressources et ne se laissait pas aisément mettre hors jeu. Elle avait eu l'audace de venir jusqu'ici, dans la demeure royale ! Sans doute pour révéler à Louis XIV une vérité extrêmement dérangeante pour le marquis. Il était clair que, tant que cette fille pourrait encore circuler et parler, il ne serait pas en sécurité. Il fallait la faire taire. Définitivement. Heureusement, la présente situation donnait à M. de Villarmesseaux tout pouvoir pour agir au mieux de ses intérêts.

– Bontemps ! appela-t-il d'une voix sereine.

– Votre Majesté ?

– Allez quérir sur-le-champ M. de Castelmore, mon capitaine.

– Il est dans l'antichambre, Sire, aux ordres de Votre Majesté. Le voici.

– Ah ! monsieur de Castelmore !

– Je suis votre serviteur, Sire ! répondit avec fermeté le capitaine qui avait surgi dès que le roi avait prononcé son nom.

– Veuillez vous assurer des deux individus qui s'entretiennent avec M. de Saint-Aignan.

Charles de Batz de Castelmore s'approcha de la fenêtre pour être certain d'avoir bien compris l'ordre de son roi.

– Ces jeunes personnes-ci ?

– Tout à fait. Qu'elles soient menées sans délai et en grand secret à la Bastille. Je veux qu'on les y oublie dans une cellule jusqu'à…, ma foi, jusqu'à ce que je daigne m'en soucier.

– À la Bastille ? Bien, Sire. Dois-je leur faire part des raisons de leur arrestation ?

– La volonté du roi n'est-elle pas suffisante ?

– Sans nul doute, Votre Majesté, je m'y rends de ce pas.

– Il me plaît pourtant, capitaine, de vous informer qu'il s'agit là de la fille d'un régicide qui tourna videgousset avant de finir, à ce que je crois, galérien. Du beau monde, voyez-vous. J'ignore comment cette personne a réussi à s'introduire à Versailles, mais elle a juré de venger la mort de son père sur la personne du roi. Est-ce suffisant pour mériter la geôle ?

– Le désir du roi me suffisait, Sire.

– Bien, capitaine. Alors, agissez !

Le mousquetaire sortit d'un pas martial. À près de soixante ans, il se faisait gloire d'être encore actif, au service de ce roi qu'il avait connu si jeune. Il réquisitionna une escouade et ordonna à six de ses mousquetaires de renforcer la surveillance à la grille du château. Puis il s'avança dans la cour.

– Mademoiselle, par ordre du roi, je vous prie de bien vouloir me suivre sur-le-champ !

Zinia se retourna et dévisagea l'officier.

– Le roi est donc prêt à me recevoir ? s'enquit-elle, étonnée que sa requête ait pu aboutir si vite.

– Ce n'est pas exactement l'ordre que j'ai reçu de Sa Majesté...

Le capitaine de Castelmore cherchait à cacher son trouble. La jeune fille qui se trouvait devant lui était plus que charmante. Sa longue chevelure rousse, le port de sa tête, le vert de ses yeux lui conféraient une allure d'une noblesse que contredisaient ses pauvres vêtements. Mais, surtout, elle lui souriait avec une fraîcheur telle que le mousquetaire avait bien du mal à voir en elle la dangereuse meurtrière que le roi lui avait décrite. Cependant, quels que soient ses sentiments propres, Charles de Batz n'avait jamais discuté un ordre du monarque.

– Veuillez, mademoiselle, me remettre votre épée et nous suivre, ainsi que votre laquais.

– Laquais ? C'est de moi que vous parlez, mon bon ? s'irrita Colin.

– Il me semblait que le roi exigeait qu'on circulât dans son château l'épée au côté, s'étonna Zinia.

– Cette règle s'applique aux hommes de belle naissance…

– Sachez que je suis la chevalière de Fonziac et que j'estime également de mon rang de porter l'épée dans le palais du roi.

– Sans doute, mais ce n'est pas là que j'ai ordre de vous conduire.

– Mais de quoi s'agit-il, enfin, capitaine ? intervint M. de Saint-Aignan qui avait assisté à cet échange sans en comprendre l'objet. Mlle de Fonziac me demande de lui favoriser une audience auprès de Sa Majesté et…

– Et moi, monsieur, j'ai ordre du roi de m'assurer de sa personne et de la conduire séance tenante à la Bastille.

– L… la Bastille ? lâcha Zinia dans un souffle.

Elle eut une seconde le sentiment que le monde basculait autour d'elle. Il lui fallut se raccrocher au bras de Colin. Son regard se porta alors vers une fenêtre du premier étage où elle aperçut une silhouette qui observait la scène. Le roi, à n'en pas douter ! Ainsi Louis XIV disposait-il d'une police bien efficace pour l'avoir aussi vite identifiée. Pourtant, jamais elle n'aurait imaginé que la rancune du monarque fût restée si vive à l'encontre de son père.

– Monsieur le capitaine, je ne comprends pas. De quoi m'accuse-t-on ?

– Mademoiselle, le roi a ordonné, j'exécute.

– Il est sans doute préférable, mademoiselle, que

vous vous rendiez au capitaine, intervint Saint-Aignan. Toute résistance serait un affront à Sa Majesté.

Déjà, on avait avancé tout près de la grille une voiture de police tirée par quatre chevaux. Six mousquetaires l'escortaient.

— Mademoiselle, fit Charles de Batz en s'inclinant légèrement pour inviter Zinia à se diriger vers la grille.

Ses hommes s'étaient écartés, s'alignant en une double rangée qui interdisait toute fuite. La jeune fille fit un premier pas hésitant. Il n'était pas possible d'aller contre la volonté du roi. Cependant, pouvait-elle abandonner tous ses espoirs, son désir de faire éclater la vérité et de rétablir l'honneur de son père ?

Une fois la grille franchie, elle ralentit son allure. Colin se tenait à ses côtés, ne sachant quelle attitude adopter, mais il lui importait que Zinia sache qu'il ne l'abandonnerait pas. Autour d'eux, les gardes s'étaient placés en demi-cercle, vigilants. Le militaire ne lui avait pas redemandé son épée.

— Mademoiselle, déclara alors le capitaine des mousquetaires, ai-je votre parole que vous ne tenterez pas de vous opposer à la volonté du roi en cherchant à fuir avant que nous soyons arrivés à la Bastille ? Sans quoi j'aurais le déplaisant devoir de vous lier les mains avec cette corde.

— Monsieur, ne trouvez-vous pas injuste qu'on ordonnât l'emprisonnement d'une innocente pour la seule raison qu'elle veut prouver que son père fut victime d'une erreur de la part de la police du roi ?

— Le roi ne se trompe jamais, mademoiselle. Il ne peut donc commettre d'injustice.

– Si votre souverain ne se trompe jamais, celui qui vous a donné cet ordre n'est pas le roi. Car innocente, je le suis !

Le mousquetaire fronça les sourcils. Cette jeune fille ne semblait pas mesurer l'insolence de ses propos, mais, assurément, elle le faisait avec un panache qui imposait le respect. Cependant, son devoir, sa fidélité au roi lui interdisait de laisser libre cours à ses propres sentiments.

– Mademoiselle, vu votre disposition d'esprit, je vous prie de tendre les mains afin que je les lie et prévienne ainsi toute tentative de fuite.

– Que fait-on, Zinia ? s'enquit alors Colin qui, malgré la présence des gardes et des mousquetaires, enrageait de se laisser mener comme un agneau à l'abattoir.

– On le prend mal ! dit Zinia.

– Méthode Villarmesseaux ? suggéra son ami.

– D'accord !

Et avant que le capitaine ait pu imaginer que, en ces lieux, à quelques dizaines de mètres de la chambre du roi, des prévenus puissent faire preuve de rébellion, Colin et Zinia avaient sauté sur le siège du cocher de la voiture de police. Cette fois-ci pourtant, ils ne purent la lancer au galop, immobilisée qu'elle était par les élégants carrosses de la noblesse venue pour la fête et qui commençait à s'impatienter. Ils étaient bel et bien piégés.

Le petit hôtel particulier

François-Philibert de Villemotte, marquis de Charmelay, ravalait sa rancœur. Tapi au fond de son carrosse, il s'était résigné à assister à cette réception où Sa Majesté avait eu la grâce de l'inviter. Mais le marquis de Charmelay n'aimait guère la cour. Dans sa si lointaine jeunesse, il avait apprécié l'austère tenue de Louis XIII ; avec l'âge, l'assemblée versaillaise des courtisans, tous enrubannés et parés de colifichets ridicules, l'exaspérait au plus haut point. En outre, ce lieu de commérages et de médisance ne manquerait pas de se gausser de sa récente déconvenue. Avoir été abandonné le soir de ses noces par sa toute jeune épousée pour son gandin de cousin et s'être fait déposséder de sa voiture par la même occasion, il ne faisait pas l'ombre d'un doute que l'on devait encore en rire dans les salons de Paris comme de Versailles. Cependant, le marquis n'avait pas dit son dernier mot. Il avait porté plainte auprès de la prévôté, revu avec son notaire les accords financiers passés avec le père de sa presque femme, et il attendait que le roi lui donne raison en exigeant de M. de La Reynie qu'il débusque les deux amants réfugiés on ne sait où dans Paris. Ensuite, il se retirerait avec joie dans son château où il goûterait les plaisirs d'un calme monacal en compagnie d'une épouse qui devrait bien comprendre qu'on ne défiait pas l'autorité d'un Villemotte de Charmelay !

Pour cela, il lui fallait s'entretenir avec Sa Majesté, de préférence avant cette fête où le roi risquait de ne pas être disponible. Mais tout cela traînait : cela faisait bien dix minutes que les carrosses s'agglutinaient à la grille du château sans pouvoir pénétrer dans la cour.

– Que se passe-t-il, Sébastien ? chevrota le marquis.

– Il semble qu'une opération de police interdise tout passage, Votre Grâce, répondit le cocher.

– Sait-on bien qui je suis pour me faire attendre ? Allez vous renseigner, mon ami !

– Bien, Votre Grâce, mais… Oh !

– Qu'y a-t-il ? Pourquoi ce cri ?

Le vieil homme penchait la tête à sa portière lorsqu'il vit bondir deux canailles du toit de la voiture voisine. Ces ruffians retombèrent sur le siège déserté par Sébastien et, aussitôt, l'équipage s'élança, envoyant le marquis cul par-dessus tête au fond de son carrosse capitonné de soie.

– Et maintenant, on va où ? demanda Zinia accrochée au siège.

– On fonce ! répondit Colin. Et sans hésiter !

Il fit claquer le fouet, indifférent aux cris des autres cochers, des laquais et des badauds qui s'écartaient devant les chevaux lancés au galop. Arc-bouté sur les rênes, Colin dirigea l'attelage dans une étroite rue qui s'ouvrait sur leur droite. La voiture vira, tangua, deux des roues raclèrent une borne d'angle, mais les chevaux ne ralentirent pas leur allure. Zinia jeta alors un coup d'œil derrière eux.

– Une carriole s'est mise en travers de la rue. Elle bloque le passage ! Nous sommes sauvés !

– Ne crie pas victoire trop vite. Avec leurs chevaux, les mousquetaires nous auront bientôt rattrapés. À moins que… Là-bas ! Le jardin, tu le vois ?

– Ce potager ?

– Tiens-toi prête. Il nous faut viser les bottes de foin.

– Sauter par-dessus le mur ? Tu es fou !

– Pas le temps de réfléchir. C'est ça ou la Bastille. Nous n'aurons pas d'autre occasion de leur fausser compagnie.

Encore une fois, Zinia se retourna. Les mousquetaires dégageaient le passage et seraient bientôt à leurs trousses. Pas de doute, ils n'avaient plus le choix. Colin lui prit la main et cria :

– Maintenant !

Ensemble, ils s'élancèrent.

Zinia rata malheureusement la botte de foin et atterrit dans un carré de choux délicieusement pommelés qui explosèrent en amortissant sa chute.

– Entière ?

Déjà debout, Colin tendit la main à son amie. Mais celle-ci se releva seule.

– Bien sûr, il a fallu que tu choisisses le foin et que tu laisses les choux aux dames !

– La prochaine fois que tu te fais arrêter par le roi à Versailles, préviens-moi la veille : je viendrai placer des bottes de paille un peu partout, de sorte que tu puisses y choir avec tout le confort !

Brusquement, le garçon la plaqua contre le mur de clôture. Dans la ruelle, à deux pas, les mousquetaires galopaient à la poursuite du carrosse emporté à vive allure par les chevaux emballés.

– Ne restons pas dans les parages. Ils vont vite s'apercevoir que nous ne sommes plus dans la voiture. La porte, là !

Il désignait dans le mur une ouverture discrète qui donnait sur un étroit passage. Par chance, elle n'était pas fermée. Ils rejoignirent la rue principale avec l'espoir de se perdre dans la foule qui y circulait, mais, au sortir de la ruelle, Colin retint Zinia.

– Attends !

– Qu'y a-t-il ? Des gardes ?

– Non. Cet homme, là !

Il lui désigna un bourgeois d'allure banale qui remontait la rue en rasant les murs.

– Eh bien ? s'enquit Zinia. Tu le connais ?

– Il s'agit de M. de Tilbur, le nouveau secrétaire du marquis de Villarmesseaux. Il a pris ses fonctions peu de temps après que j'ai été engagé comme valet par la marquise.

– Tu veux dire que si cet homme se trouve à Versailles, c'est que son employeur…

– … Y est aussi. Il y a de grandes chances.

– Peut-être a-t-il été invité à la fête de ce soir ?

– Je n'ai pas entendu parler d'un tel honneur.

– Parce que, toi, petit valet, on te disait tout de l'emploi du temps de ton maître ?

– Non. Mais il faut que mâdemoiselle la chevalière de Fonziac sache que le petit personnel a des oreilles et que, s'il sait se taire, il n'en oublie pas moins d'entendre ce que disent les beaux messieurs et les belles dames.

– D'accord. Alors si le marquis n'est pas invité ce soir, que fait cet homme à Versailles ?

– C'est justement la question.

– Il a tourné dans la rue, à gauche…

Ils inspectèrent les alentours pour s'assurer que personne ne les avait repérés, puis, emboîtant le pas au mystérieux secrétaire, ils se mêlèrent au flux des badauds. Ils croisèrent alors un inconnu, un foulard violet noué autour du cou, qui les toisa avec insistance avant de se perdre dans la rue principale. Arrivé devant une somptueuse demeure, le secrétaire se retourna. Zinia eut juste le temps de se jeter en arrière, écrasant Colin contre le battant d'une porte.

– Attention !

– Chhhht ! il regarde dans notre direction.

– Avec tes cheveux dans les yeux, je suis obligé de te croire sur parole. Je ne vois que du rouge.

– C'est bon. Il ne nous a pas repérés. Il frappe à la porte.

– Peut-être faisons-nous fausse route…

– Que veux-tu dire ?

– Il n'est pas impossible que cet homme ait donné son congé à Villarmesseaux, et qu'il soit juste revenu ici, chez lui.

– Dans une maison aussi somptueuse ? S'il a les moyens de s'en faire bâtir une, pourquoi se fait-il secrétaire ?

– Heu, je… En tout cas, ce qu'il fait ici ne nous concerne peut-être pas.

– Rien de ce qui touche le marquis, de près ou de loin, n'est innocent. Ça y est ! Il est entré.

– Bien. Et nous faisons quoi, maintenant ?

– Continuons notre chemin l'air de rien. Nous remarquerons bien quelque chose en passant devant la maison.

Sans attendre l'avis de Colin, Zinia s'avança dans la rue déserte. Tout paraissait calme. La jeune fille désigna une demeure voisine, encore en chantier.

– De là-haut, nous pourrions peut-être avoir une meilleure vue…

Ils pénétrèrent sans difficulté dans le petit hôtel particulier encore encombré de plâtre et de gravats. Au premier étage, deux chambres s'ouvraient sur la rue, dont une avec vue sur la maison voisine. De ce poste d'observation, Zinia et Colin pouvaient à la fois surveiller les allées et venues à l'extérieur et sur une des façades de la riche demeure. Tout y semblait très calme. Le secrétaire y vivait-il seul ? S'y était-il endormi ?

– Peut-être avais-tu raison, lâcha Zinia. Il est possible que cet homme mène une honnête vie de famille et qu'il n'ait rien à voir avec les manigances du marquis…

– Tu deviendrais raisonnable ? Oh !

Le garçon recula soudain derrière un des montants de l'échafaudage qui encombrait la pièce. Zinia suivit son regard et aperçut l'homme qu'ils avaient suivi ressortant dans la rue et revenant sur ses pas.

– Reprenons-nous notre filature ? demanda le garçon.

– Je ne crois pas, lâcha Zinia à voix basse. Tu as vu ? Au bout de la rue.

Colin jeta un coup d'œil prudent en contrebas. Une escouade de gardes approchait, scrutant chaque recoin. Le garçon tira Zinia à son tour en arrière.

– Là ! lui souffla-t-il en désignant la fenêtre d'en face.

Un homme venait de pénétrer dans la pièce. Il vint ouvrir la croisée, et, lorsqu'il se pencha au-dehors, le cœur de la jeune fille fit un bond : elle reconnut sans hésiter Bertaud d'Estafier. L'homme de main du marquis de Villarmesseaux scruta un instant la ruelle, observant le mouvement des militaires, puis retourna lentement dans l'ombre. Un deuxième individu apparut alors. Il portait un plateau garni d'une cruche d'eau et d'un morceau de pain. Il posa le tout sur un tabouret et, lorsqu'il se baissa, Zinia devina une troisième personne, allongée sur une paillasse, inconsciente. Les deux autres ne tardèrent pas à quitter la pièce, laissant le malade seul. Mais s'agissait-il vraiment d'un malade ?

– Nous sommes témoins d'une nouvelle manigance de M. de Villarmesseaux, à n'en pas douter, fit-elle pensivement.

– Mais qui ne nous concerne en rien.

– Je n'en suis pas si sûre : imaginons que nous découvrions ce que trafique ce malhonnête et que nous allions tout rapporter au roi. Peut-être alors celui-ci acceptera-t-il de m'écouter et de rétablir la vérité sur mon père.

– Tu ne lâches pas facilement prise, toi, hein ?

– Et c'est seulement maintenant que tu t'en rends compte, Colin Terrepot ?

– J'ai compris : nous n'allons pas rentrer tout de suite chez nous.

– Pas tout de suite, non.

– Et que proposes-tu ? Nous allons frapper à la porte et nous demandons à d'Estafier : « Bonjour, excusez-nous pour le dérangement mais pouvez-vous nous dire ce que vous trafiquez ici ? »

– Pourquoi te plais-tu à imaginer des choses impossibles ? Non, nous allons simplement pénétrer dans la maison sans leur demander leur avis.

– Ah. Et comment ?

– Mais par la fenêtre, voyons…

Le plaisir d'une reine
et les soucis d'une maîtresse

Marie-Thérèse d'Autriche, reine de France, était heureuse. Le roi, son mari, au retour de la chasse, lui avait signifié par un billet qu'il lui serait aise qu'elle le rejoignît à Versailles. Le roi! Versailles! Elle se sentait aussi émue que la plus naïve des demoiselles de compagnie à l'idée de se trouver aux côtés du seul homme qu'elle eût jamais aimé, après son père, le roi Philippe IV d'Espagne, que Dieu avait rappelé à lui voilà sept ans déjà.

Elle voulut commander son carrosse sans attendre, mais son confesseur vint lui rappeler qu'elle s'était promise de porter des soins aux déshérités de l'hôpital de Saint-Germain et qu'elle devait, en outre, se rendre au chevet de la supérieure de l'ordre de la Visitation, au plus mal.

— Mais yé souis attendoue par lé roi, padré! lui opposa la reine qui, habituellement si soumise, retrouvait un peu de volonté lorsqu'il s'agissait de répondre aux désirs de son mari.

Elle se fit apporter une robe qu'elle jugeait de la dernière élégance mais qui ne lui seyait pas. Elle glissa ensuite ses pieds dans des chaussures à talons qui la faisaient tanguer dangereusement mais qui, elle l'espérait, rehausseraient sa taille et la feraient paraître un peu moins boulotte. Hélas ! il n'en était rien, et les quelques centimètres gagnés n'affinaient pas une silhouette alourdie par des excès de chocolat et par une sixième grossesse. Sa duègne, inquiète, voulut dissuader la reine d'entreprendre un voyage improvisé, mais celle-ci, une fois encore, ne voulut rien entendre. Elle réunit ses suivantes, convoqua ses nains et toute sa suite espagnole. On pressa ce beau monde dans deux carrosses escortés par une compagnie de mousquetaires, et l'on prit la route de Versailles, car là était le bon plaisir du roi.

Loin de là, le buffet, dressé dans un des petits pavillons du Trianon de porcelaine, étincelait. Les pyramides de fruits et de pâtisseries brilleraient bientôt de l'éclat des multiples chandelles que l'armée de valets achevait de mettre en place, et les carafes de cristal jouxtant les plats dorés conféraient déjà une atmosphère de magie à ce lieu protégé du tumulte de Versailles.

Mme de Montespan en surveillait la mise en place avec une vigilance sans faille, d'autant plus soucieuse de la réussite de cette soirée qu'elle venait d'apprendre, par une des nombreuses oreilles qui traînaient pour elle à la cour, que le roi, de retour de Fontainebleau, avait appelé la reine à ses côtés. Que signifiait cette nouvelle fantaisie ? Sa Majesté envisageait-elle de prendre de la distance avec sa favorite ? Plus que jamais, la belle Athénaïs se devait d'ancrer dans le cœur de Louis une passion qui lui assurait la première place à la cour. Et pour cela, la fête de ce soir se devait d'être parfaite. Elle avait ainsi trié sur le volet les femmes qui seraient présentes : leur beauté devait participer à l'éclat de la fête sans pour autant donner au roi le désir de les connaître trop intimement. Les musiciens avaient déjà pris place, accordant leurs instruments. Il ne manquait donc plus que cette troupe promise par Mlle Des Œillets et qui avait pour charge de distraire Sa Majesté d'une farce propre à lui faire oublier les soucis de la guerre à venir.

La marquise s'accorda un instant de repos. Toute cette organisation l'épuisait et son ventre, déjà fort proéminent, ne lui permettait pas de courir en chaque endroit pour surveiller avec la minutie qu'elle souhaitait les préparatifs. D'autre part, il lui fallait encore retourner à Versailles, afin de revêtir la robe somptueuse qu'elle s'était fait faire pour l'occasion, avant de rejoindre son royal amant et de s'embarquer sur le Grand Canal. C'est alors qu'un domestique vint la prévenir de l'arrivée de la troupe du Soleil de France.

Depuis que leur chariot avait atteint Versailles, Fabritio n'ouvrait plus la bouche. Lui, d'habitude si disert, s'était muré dans un silence que partageait le reste de la troupe. La représentation de ce soir serait assurément le couronnement d'une carrière qui avait connu quelques hauts, mais surtout beaucoup de bas. Devant le roi, la troupe du Soleil de France devrait mettre en scène tout son talent pour légitimer le nom qu'elle s'était octroyé. Elle n'avait pas le droit à l'échec. Pour cela, chacun des comédiens s'apprêtait à donner le meilleur de lui-même. Aussi l'absence de Zinia inquiétait-elle le chef de la troupe. Fabritio espérait qu'elle allait parvenir à résoudre au plus vite son histoire d'héritage, dont il ne comprenait pas trop les arcanes, pour se consacrer avec ferveur à l'art qui, à son avis, dépassait tous les autres : le théâtre. Mais, alors qu'ils atteignaient le Trianon et que le majordome de la marquise les conduisait sur les lieux de la représentation à venir, il ne trouva aucune trace de celle qu'il préférait appeler Scaramouche. Sans doute cherchait-elle encore à plaider sa cause devant le roi. Quelle que soit l'issue de sa démarche, il importait qu'elle fasse vite : dans une poignée d'heures, le spectacle devrait commencer.

Un prisonnier sans perruque

Après quelques minutes, Zinia jeta un coup d'œil dans la rue. Plus de trace, ni des gardes ni des mousquetaires. Dans la maison voisine, tout semblait calme. Personne n'était revenu dans la chambre, et le mystérieux malade ne paraissait pas avoir quitté sa couche.

– Aide-moi, ordonna-t-elle à Colin.

Elle souleva une pièce de l'échafaudage qui gisait sur le sol, la fit glisser par la fenêtre et la reposa sur l'appui de la fenêtre d'en face.

– J'y vais la première.

Elle éprouva la solidité de sa passerelle de fortune, puis, sans hésiter, s'avança au-dessus du vide. D'un seul coup, la maison qui lui avait semblé si proche lui apparut fort lointaine. Son épée, qu'elle n'avait toujours pas quittée, pendait en dessous d'elle, la tirant dangereusement vers le sol. Elle atteignit pourtant la façade opposée sans dommage et poussa sur la croisée. Celle-ci n'était pas fermée et, d'un bond, Zinia se retrouva dans la chambre inconnue. Elle se retourna :

– À ton tour !

Colin la rejoignit en quelques instants.

– Après le théâtre, le cirque. Avec toi, on ne s'ennuie pas !

– Chhht !

Ils restèrent un instant immobiles, à l'écoute des bruits de la maison. Apparemment, leur présence n'avait pas été détectée. Ils regardèrent autour d'eux. La chambre n'était meublée que d'un tabouret et d'une simple paillasse où reposait l'inconnu. Par terre, la cruche et le morceau de pain n'avaient pas été touchés. Ils s'approchèrent. L'homme dormait, face au mur, ronflant légèrement. Il était vêtu d'une chemise de toile grossière. Une couverture mitée protégeait ses jambes.

– C'est peut-être un de leurs complices, murmura Colin.

– Ce bonhomme m'a plutôt l'air d'être retenu ici contre sa volonté.

– Un prisonnier ? Impossible : la fenêtre de la chambre n'était pas même fermée ! Il aurait pu se laisser tomber dans la rue et s'enfuir…

Zinia ramassa la cruche et la porta à son nez.

– Mieux que des barreaux ou des chaînes, ses geôliers le retiennent en le faisant dormir.

– Si tu comptais sur lui pour nous raconter ce qui se trame ici…

– Espérons qu'il n'en ait pas absorbé une trop forte dose…

Elle mit sa main sur l'épaule du dormeur et le secoua légèrement en l'appelant à mi-voix :

– Monsieur ! Monsieur !

L'inconnu grogna, s'agita, se retourna, sa main tirant la pauvre couverture sur lui. Puis il toussa, avant de reprendre son ronflement avec une régularité de métronome. Les deux jeunes gens examinèrent alors le visage qui venait de se révéler à eux. Ses traits réguliers n'étaient pas désagréables. Glabre et totalement chauve, il paraissait sans doute plus vieux qu'il ne l'était en réalité. À son tour, Colin chercha à le faire sortir de sa torpeur.

— Allez, mon vieux ! La sieste est finie. Il est temps de revenir sur terre !

Une fois encore, l'homme grogna doucement, se racla la gorge, avant d'ouvrir un œil indécis. Il scruta le garçon, sans le voir réellement, puis rebascula dans ses rêves.

— Eh non ! Fini le dodo, mon gars ! insista Colin en arrachant la couverture et en lui donnant une claque sur les fesses. Debout maintenant. Faut qu'on cause !

Cette fois-ci, l'inconnu ouvrit les yeux, releva la tête, et son regard balaya la pièce avant de venir se poser sur Zinia.

— Qui êtes-vous ? demanda-t-il. Que faites-vous ici ?

Sa voix était pâteuse, encore toute collée de sommeil. Il s'assit dans son lit, se passa lentement la main sur le crâne et, fronçant les sourcils, parut se plonger dans un abîme de réflexion. Il avait manifestement encore du mal à garder les yeux ouverts.

— Moi c'est Colin. Et voici Zinia.

— Zinia, répéta l'inconnu, comme s'il faisait un terrible effort de mémoire.

– Ben alors Toto ? Tu émerges, oui ? reprit Colin en le secouant doucement. Parce que, nous, on aimerait bien savoir ce que tu fiches ici avec ces malfaisants...

– Je...

– Connaissez-vous le marquis de Villarmesseaux ? intervint Zinia. Êtes-vous de ses amis ?

– Pas tout à fait. Je... je suis...

– Oui ? Allez, dis-le ! Qui es-tu ? insista Colin.

– Je suis le roi de France.

Il y eut un bref silence que rompit Colin :

– Un maboul ! Nous sommes tombés sur un fol !

– Mon garçon, de quel droit... ?

L'homme se releva totalement, sortant les jambes du lit. Il portait des chausses tire-bouchonnées.

– Ben Majesté, te voilà bien mis ! s'esclaffa le garçon. Ne serais-tu pas plutôt le roi des gueux ?

– Je vous assure...

– Le problème, vois-tu, c'est que le roi, le vrai, nous l'avons aperçu voilà pas plus tard qu'il y a une demi-heure et qu'il a demandé à ses mousquetaires de nous envoyer à la Bastille. Alors il va falloir que tu trouves autre chose.

L'homme ignora les sarcasmes et fit un pas chancelant dans la pièce.

– La comtesse de Sandras, M. de Saint-Aignan ? Les avez-vous croisés ?

– Et le pape, mon gros ? Tu ne voudrais pas qu'on te fasse rencontrer le pape ? Parce que...

Colin n'acheva pas sa phrase. Zinia le tirait en arrière par la manche. Elle était toute pâle.

– Qu'y a-t-il ? Le dingo te fait peur ?

– J'ai un doute, répondit-elle dans un souffle. Ou plutôt, non : je crains que ce soit une certitude.

– De quoi ?

– Villarmesseaux a maintenant les quatre soleils.

– Oui. Ce n'est pas nouveau, ça.

– Il a donc le pouvoir de prendre n'importe quelle apparence.

– D'après ce que tu m'as dit, oui, en effet. Il pourrait même, s'il le souhaitait, se transformer en…

Colin s'interrompit soudain. Il entrevoyait ce que Zinia avait déjà en tête. Ils se tournèrent tous les deux vers l'inconnu.

– Je… De… Ce…, balbutia le garçon. Le… roi ?

– Sire, est-il possible que vous… ?

La jeune fille ne parvint pas à terminer sa phrase et ne put qu'esquisser une révérence maladroite.

– Relevez-vous, mademoiselle. En effet, je vous le dis une fois encore, je suis bien votre souverain. Et j'aimerais bien qu'on m'expliquât ce que je fais ici, dans cet appareil, alors que je me trouvais dans mon carrosse, de retour de Fontainebleau !

– J'ignore tout de ce qui a pu vous arriver, Sire, mais je crois être en mesure de faire quelques hypothèses.

– Et quelles sont-elles ? Quelles sont ces histoires de transformation que vous murmuriez à l'instant ? Et pourquoi m'avoir demandé si j'étais un familier de M. de Villarmesseaux ?

Zinia tenta d'exposer brièvement ce qu'elle savait du pouvoir des quatre soleils et ce dont elle avait été témoin. Tandis qu'elle parlait, Colin s'était reculé dans le coin le plus obscur de la pièce, cherchant par tous les moyens à se faire oublier et priant le ciel que le monarque, trop préoccupé par son aventure, ait oublié la façon dont il lui avait parlé.

— Vous voudriez que je tienne cette fable pour vraie ?

— Je n'ai, hélas, aucun moyen de prouver la véracité de mon récit, Votre Majesté. Seule ma bonne foi, ma présence ici…

— Rien ne me garantit que vous ne cherchez pas à me faire perdre l'esprit pour une raison que je ne peux encore saisir… Cependant… j'avoue que votre histoire me paraît trop énorme pour n'être que pure invention. Je choisis donc de vous croire, mademoiselle. Cependant, je n'arrive pas à comprendre, si ce que vous me racontez est exact, et si Villarmesseaux a bien pris ma place, pourquoi ne m'a-t-il pas, tout simplement, fait disparaître ?

— Peut-être n'a-t-il pas osé aller jusque-là, Sire ?

— Il me semble qu'un homme qui mène un tel projet n'a pas de ces délicatesses.

— Alors, sans doute voulait-il reprendre sa place et vous rendre la vôtre, Sire.

— Hum. C'est possible. Cela signifierait qu'il envisage d'accomplir une action précise… avec mes traits.

Le roi réfléchit un instant avant de reprendre :

— Mais comment avez-vous été impliquée dans cette affaire, mademoiselle ?

— C'est une bien longue histoire, Votre Majesté. Une histoire dans laquelle un homme a perdu l'honneur et la vie. Car ce n'est pas la première fois que le marquis de Villarmesseaux vous trompe.

– Vraiment ?

– Il l'a déjà fait il y a onze ans, lorsqu'il fit croire à l'enlèvement de Son Altesse le Dauphin.

– Vous me semblez au courant de bien des choses, mademoiselle. Enfin, puis-je savoir qui vous êtes ?

– Le nom que je n'ai pas encore eu l'honneur de porter risque de déplaire aux oreilles de Votre Majesté. J'ai pourtant appris à en être fière.

– Allons bon, quelle fougue ! Et quel est-il ?

– Je suis la chevalière Arthézinia de Fonziac, Sire.

Louis XIV hocha lentement la tête, laissant entendre que ce nom ne lui était pas inconnu.

– Et comment la chevalière de Fonziac est-elle arrivée jusqu'ici pour me sauver ?

– En fuyant les mousquetaires de Votre Majesté et… en suivant le secrétaire du marquis de Villarmesseaux.

– Villarmesseaux, encore lui ! Décidément, il me faut sans tarder regagner Versailles pour faire le jour sur ce complot.

– Versailles ? Mais nous y sommes, Sire. À quelques centaines de mètres de votre château.

– Soit, partons !

– Dans votre tenue, Sire ?

– Heu…

Zinia se retourna :

– Colin !

– Oui ? fit une petite voix dans le coin le plus sombre de la pièce.

– Donne tes vêtements à Sa Majesté.

– Mes vêtements ?

– Tu m'as comprise.

– Mais… Ils ne sont pas très… neufs.

– Colin ! s'impatienta Zinia en serrant les dents.

Le garçon comprit alors qu'il n'était pas en position de discuter. Il tendit au roi gilet et pantalon, légèrement honteux de leur état.

– Merci… Toto ! lui fit Louis XIV avec un demi-sourire.

À cette évocation de son langage, Colin sentit le rouge lui empourprer les joues : le roi n'avait rien oublié de ses propos. Il retourna dans son coin.

– Votre Majesté se sent-elle en mesure de franchir la rue sur cette passerelle improvisée ? s'inquiéta Zinia.

– Il me semble que je risque d'y laisser avant tout mon honneur plutôt que ma vie.

– Si d'aventure des passants vous apercevaient en chemise, progressant sur ces morceaux de bois, ils ne penseraient avoir vu qu'un ouvrier œuvrant à une construction. L'honneur du roi de France ne pourrait en être entaché.

– Vous avez raison, jeune fille. Allons-y.

– Colin passera le premier, ainsi nous pourrons tenir les madriers de part et d'autre lors de votre passage. Je traverserai la dernière pour couvrir votre fuite.

– Je ne saurais souffrir qu'une femme s'exposât pour me protéger !

– Mais accepteriez-vous que la chevalière de Fonziac jouisse de cet honneur ?

— Ma foi, demandé en ces termes…

— Mon épée et mon bras sont à vous, Sire, ainsi que me l'a enseigné l'homme qui m'éduqua, le capitaine Rousselières.

— Décidément, mademoiselle, vous avez grandi sous de bien heureux auspices.

Colin avait déjà regagné la maison en chantier de l'autre côté de la venelle et tenait fermement les madriers. Après une hésitation où dominait la crainte du ridicule, Louis XIV se risqua à son tour sur l'étroite passerelle. Excellent chasseur, cavalier émérite, danseur de haute tenue, le roi fit montre d'une souplesse que bien des courtisans, raidis par le protocole et ne pratiquant que la courbette ou la révérence, n'auraient pas soupçonnée. Le monarque rejoignait Colin quand Zinia entendit des pas dans l'escalier. Elle voulut condamner la porte de la chambre en poussant le lit, mais le galetas était trop léger pour retenir ses adversaires le temps de lui permettre de s'échapper.

— À toi ! l'incita Colin. Dépêche-toi !

Mais la jeune fille avait compris qu'elle n'aurait pas le loisir de traverser à son tour.

— Fuyez ! leur cria-t-elle.

— Elle a raison, intervint le roi. Mon devoir est de m'abriter et le sien de protéger ma fuite.

— Mais, seule dans cette baraque, elle est fichue ! plaida Colin. Moi, au moins, je peux y retourner !

— Je vous rejoins dès que je le peux, répliqua Zinia.

Et, pour couper court à toute hésitation, elle repoussa

d'un geste les pièces de bois, qui s'effondrèrent dans le passage avec fracas. Puis, résolument, elle tira son épée de son fourreau et fit face à la porte. Celle-ci s'ouvrit sur un des gardes aperçu plus tôt. Le bruit de leur conversation avait dû l'alerter car il avait déjà au poing une courte rapière. Il marqua un temps d'arrêt, surpris de trouver une jeune fille en place de son prisonnier, avant de repérer la fenêtre ouverte.

– Il s'est échappé ! s'écria-t-il. La maison d'à côté ! Par la rue ! Coincez-le par la rue !

Aussitôt, il se mit en garde. Zinia, elle aussi, avait dressé sa lame. Les deux adversaires s'observèrent un instant. La jeune fille bondit sur le côté et, dans le même mouvement, se fendit en avant, touchant son adversaire au poignet. Il faillit lâcher son épée mais se ressaisit. À son tour, il tenta de porter une attaque, mais Zinia la déjoua sans difficulté, contra, et lui entailla le mollet. Assurément, cet homme ne maîtrisait que très sommairement l'art de se battre, sans pour autant paraître s'en soucier : sa carrure et sa détermination lui servaient d'armes. Zinia parvint aisément à le toucher deux fois encore. Le sang commençait à couler, l'homme soufflait plus bruyamment mais tenait debout, solide, menaçant.

Entre deux feintes, Zinia s'était approchée de la fenêtre, par où elle eut le temps de voir Colin et le roi sortir de la maison voisine. Toutefois, au lieu de s'enfuir au plus vite vers le château, ils semblaient refluer dans la venelle, juste en dessous d'elle. Intriguée, elle se pencha légèrement : Bertaud d'Estafier pointait son épée sur la gorge royale…

Elle ne put en voir plus, car profitant de la distraction de la jeune fille, son adversaire avait avancé et la serrait contre le mur. Elle se dégagea aussitôt en tierce puis en septime, le blessant à nouveau à la jambe. Des pas se firent alors entendre dans l'escalier. Elle ne tiendrait plus longtemps. D'une feinte, elle attira le combattant vers l'angle de la pièce d'où elle s'échappa d'un bond, se retrouvant près de la fenêtre. Immédiatement, elle enjamba l'appui et sauta… sur d'Estafier qui s'effondra.

– Bravo ! s'écria Colin à Zinia qui se relevait.

– Mademoiselle, vous venez une fois de plus de sauver votre roi, lui déclara avec emphase Louis XIV.

– Le plaisir était pour moi, Sire, mais nous ignorons combien ils sont à l'intérieur. Ne restons pas ici !

– Vous avez raison. Allons chercher des gardes.

– Euh…

La jeune fille hésitait.

– C'est que nous ne sommes pas en très bons termes avec les mousquetaires de Sa Majesté…

– Douteriez-vous qu'avec le roi à vos côtés vous n'ayez en aucune façon besoin de sauf-conduit ?

– Je… je l'espère, Sire.

Ils n'avaient encore croisé aucun mousquetaire lorsqu'ils fendirent la foule qui se pressait à l'entrée du château.

La plume de Madelon

Bénigne Mascaret de Maupertuis était heureux. Depuis qu'il avait laissé sa Gironde natale pour Paris, il semblait qu'une bonne étoile éclairait sa route, lui ménageant un destin dont ses parents, petits nobles terriens, auraient tout lieu d'être honorés. Il avait réussi à quitter les troupes du prince de Conti pour entrer dans la Garde de la porte, et, depuis deux mois qu'il jouissait du prestigieux uniforme, justaucorps bleu, galons de couleur, épée et fusil en bandoulière, il vivait à Versailles, tout près du roi, qu'il n'avait, malheureusement, pas encore eu le bonheur de contempler. Pour l'heure, l'essentiel de sa tâche consistait à repousser tous les jours les quémandeurs qui s'agglutinaient pour obtenir un pauvre privilège ou un misérable passe-droit. Bénigne avait appris à mesurer la vanité de ces chimères, et il s'employait à faire régner un certain calme aux alentours de la grille, afin d'être bien noté par son capitaine et, surtout, de ne point troubler le repos de Sa Majesté qui demeurait, inaccessible, derrière ses hautes fenêtres.

Il venait de prendre son service. La foule se révélait

plus dense que ces derniers jours. La présence de Sa Majesté ne pouvait être étrangère à un tel regain d'activité. Parmi les porteurs d'un quelconque placet, les perruquiers avides d'obtenir une commande, les artisans qui livraient leurs produits, il remarqua un groupe de trois personnages qui fendait la multitude sans vergogne. Mais, tant qu'ils n'atteignaient pas la grille, ce n'était pas son affaire. La mission de Bénigne commençait dans l'enceinte du château.

Le monarque s'avançait sans hésiter, mais Zinia et Colin avaient prudemment choisi de rester en arrière, la tête baissée, de crainte qu'un des militaires ne les reconnût. Ils espéraient passer inaperçus : qui imaginerait que deux fuyards, poursuivis par les soldats du roi, osent se jeter dans la gueule du loup ? La meute des quémandeurs grossissait à l'approche du poste de garde, et le roi dut repousser ces inconnus pour continuer sa progression.

– Ben mon gars ! Tu m'as l'air bien pressé pour bousculer ton monde de la sorte ! lança au monarque une femme chargée d'un panier de linge fraîchement repassé.

Louis XIV ne daigna pas répondre.

– Et il fait son fier ! poursuivit la repasseuse. Tu crois qu'il me répondrait ? Ou qu'il s'excuserait ? Hé ! mon grand ! Tu vas à la queue, comme tout le monde !

Zinia s'approcha d'elle et lui glissa à l'oreille :

– Ce… c'est une affaire importante et très urgente qui nous amène. Excusez-nous, mais…

– Eh voyons ! Et mon linge ? Il n'est pas important peut-être ? C'est celui de la duchesse de Chevreuse !

Quand elle va savoir que trois va-nu-pieds l'ont fait attendre, il vous en cuira !

Ignorant ces invectives, Louis s'était approché de la grille et, fixant dans les yeux Bénigne Mascaret de Maupertuis, il lui lâcha :

– Écartez-vous, je vous prie. Nous sommes pressés.

– Bien sûr mon gros ! fit le jeune garde avec un mépris à peine dissimulé, tu es pressé… comme tout le monde. Mais tu vas devoir patienter… comme tout le monde.

– Je ne crois pas, soldat.

Et d'un geste où se mêlaient autorité, morgue et fierté, le roi se découvrit, révélant son visage.

– Je suis le roi !

– Mais bien sûr, repartit Bénigne avec un large sourire. Et moi je suis la marquise de Montespan ! Si le cœur t'en dit !…

La réplique du garde déclencha quelques rires que le roi n'apprécia que très modérément. Zinia et Colin ne savaient quelle attitude adopter devant l'inconsciente insolence du militaire et l'humiliation que subissait le roi de France sous leurs yeux. Fort de son succès, le garde enchaîna :

– Si tu veux, nous nous retrouverons ce soir, quand il y aura moins de monde.

Et il appuya ses mots d'un clin d'œil égrillard. Louis XIV se redressa et toisa Bénigne avec orgueil :

– Ma foi, mon ami, vous risquez bien de vous repentir de votre trait. Cependant, il vous est encore possible de vous racheter : laissez-nous passer sur l'heure, ou vous finirez, je vous l'assure, à ramer sur mes galères pour le reste de vos jours ! Et…

Il n'eut pas le loisir de poursuivre ses menaces. Une troupe à cheval traversait la place d'armes, escortant un carrosse somptueux. Ils fonçaient sans ralentir sur la foule qui s'écarta aussitôt.

— Place à Sa Majesté la reine ! clama le premier des cavaliers.

— Désolé, mon gars, mais on ne rit plus, lâcha Maupertuis redevenu sérieux. Le devoir m'appelle. Vaut mieux que tu recules.

— Marie-Thérèse, fit le roi à voix basse en se tournant vers Zinia. Que vient-elle faire à Versailles ? Je lui avais pourtant bien dit de ne quitter Saint-Germain que sur un ordre de ma part...

Il tenta de faire un signe lorsque la voiture passa à sa hauteur, mais il n'eut qu'un instant pour apercevoir le profil sans grâce de sa femme somnolant, l'œil indifférent. Louis ressentit alors cette colère que le peuple éprouvait face au dédain de la haute aristocratie à son encontre.

La grille se referma sur le carrosse avec plus de fermeté qu'auparavant : la présence de la reine dans la cour avait attiré une escouade de cent-suisses et une brigade de la compagnie écossaise, alignées en une impeccable haie d'honneur. Le roi entretint brièvement l'espoir d'accrocher le regard de Marie-Thérèse, mais celle-ci, bien trop éloignée de la foule lorsqu'elle descendit de son carrosse, ne tourna pas même la tête en direction de son peuple avant de s'engouffrer dans le palais.

— Votre Majesté, chuchota alors Zinia. Je crains que nous ne parvenions pas à franchir ce barrage. Il nous faut emprunter une autre voie.

– Sans doute avez-vous raison. Mais, si ma police fait bien son travail, je pense qu'il ne nous sera pas facile de pénétrer dans le château.

– Il le faut pourtant. Dès que le roi aura retrouvé son allure, les portes s'ouvriront devant lui.

– Certes. Et il me vient une idée. Suivez-moi.

En hâte, ils s'éloignèrent de l'entrée, sans remarquer que, parmi les quémandeurs, un jeune homme au foulard violet ne les quittait pas des yeux.

Ils laissèrent la place d'armes et contournèrent l'aile sud du château. Le roi s'était à nouveau coiffé de son large chapeau, et tous trois circulaient dans l'indifférence des badauds. Ils atteignirent enfin un petit portail devant lequel stationnait une charrette. On livrait des arbustes. À proximité, des cagettes emplies de déchets attendaient d'être évacuées. L'endroit, presque désert, respirait le calme. Deux soldats désœuvrés en grande discussion avec une jardinière en gardaient mollement l'entrée.

– Ramassez ces caisses, murmura Louis XIV, et avancez derrière moi sans hésiter.

Zinia et Colin s'exécutèrent et, une fois à proximité des gardes, le roi les invectiva :

– Dépêchons, dépêchons ! M. Le Nôtre doit m'entretenir d'une nouvelle commande que je ne voudrais rater en aucune façon !

Ils passèrent ainsi dans l'indifférence la plus absolue des soldats qui ne détournèrent pas même le regard de leur belle interlocutrice. Une trentaine de mètres plus loin, ils disparurent derrière un massif où ils

abandonnèrent les cagettes pour se diriger vers l'orangerie toute proche.

– Les citronniers sont encore sous abri. Cachons-
nous là, proposa le roi.

– Votre Majesté peut-elle nous informer de son plan ?
osa demander Zinia.

– Ma foi. Il me faut y voir plus clair dans cette
affaire avant de paraître à nouveau. J'avoue que la présence de la reine m'intrigue au plus haut point. Si je
résume ce que je sais : M. de Villarmesseaux aurait pris
mon apparence et ma place avec l'intention de me les
rendre lorsqu'il aurait mené son complot à bien. Dans
mon demi-sommeil, j'ai compris, à leur accent, que les
hommes qui me séquestraient devaient être originaires
des Provinces-Unies…

– Des Hollandais ?

– Sans doute. Leur présence n'est assurément pas
étrangère à la guerre qui se prépare. Se pourrait-il que
Villarmesseaux trahisse la France au profit de l'ennemi ?
Et la reine à Versailles ? Serait-il possible que… ?

Le roi s'arrêta soudainement. Une hypothèse venait
de lui traverser l'esprit.

– De quoi s'agit-il, Votre Majesté ?

– La reine est détentrice d'un secret d'État sous la
forme d'une lettre que je lui ai confiée et qu'elle a pour
consigne absolue de ne remettre qu'à moi-même lorsque
je le lui demanderai.

– Villarmesseaux aurait pris votre apparence pour
s'emparer de ce document ?

– Peut-être. Et je devine l'usage terrible qu'il en

pourrait faire. S'il le remettait aux Hollandais et que ceux-ci en fassent ce que je crains, la guerre qui s'approche risque de se jouer au détriment de la France.

– Vous voulez dire que…

– Oui, mademoiselle de Fonziac. Si ces hommes parviennent à leurs fins, nous perdrons la guerre.

Ils observèrent un silence pesant que Colin osa rompre :

– Vous dites Hollandais, Sire. Il me semble bien que le nouveau secrétaire du marquis de Villarmesseaux s'exprimait avec un accent étranger.

– Vous l'avez côtoyé ?

– Il s'agit de l'individu qui, vraisemblablement, commandait les hommes qui vous retenaient prisonnier.

– Alors c'est à lui que l'usurpateur va remettre la lettre dès qu'il l'aura récupérée des mains de la reine.

– Sire, vous devez absolument paraître afin d'empêcher cela, intervint Zinia.

– Mais comment ? s'inquiéta le roi. Il me faudrait d'autres vêtements pour que l'on me reconnaisse.

– On vient ! l'interrompit Colin.

Ils se dissimulèrent derrière des arbustes tandis que Zinia jetait un coup d'œil discret sur l'intrus. Il s'agissait de la jeune fille chargée de fleurir les salons.

– Sire, je crois que la personne ici présente est une chance pour nous.

– Cette fille ? Qui est-elle ?

– Votre Majesté l'aura sans doute oubliée, mais je ne peux croire que ce soit réciproque. Selon ses dires, elle aurait eu un moment de… d'intimité avec Votre Majesté.

– Croyez-vous ? fit pensivement Louis XIV avec un demi-sourire. Mais…

– Si vous restez caché ici, peut-être pourrez-vous la faire agir à votre guise.

– Comment cela ?

– Votre apparence est actuellement trompeuse, mais votre voix est restée la même.

– Je comprends, fit le roi.

Il avait rejoint Colin derrière un rideau de jeunes grenadiers et de lauriers-roses, alors que Zinia s'avançait dans l'allée au-devant de la jeune jardinière croisée quelques heures plus tôt. Dès qu'elle l'aperçut, celle-ci marqua un temps d'arrêt, faisant mine de rebrousser chemin.

– Ne partez pas, mademoiselle, il me faut m'entretenir avec vous !

– « Mademoiselle » ? Voilà décidément un beau titre pour une fille comme moi !

– Et comment dois-je vous appeler ?

– Madeleine… ou Madelon, c'est selon. Mais vous ? Que faites-vous ici ? Vous n'arpentez plus les salons à la recherche de Sa Majesté ?

– Ce n'est plus nécessaire.

– Vous avez compris que votre entreprise était folle, c'est cela ?

– Pas exactement. Et d'ailleurs, à ce sujet, il y a ici une personne qui désirerait s'entretenir avec vous.

– Avec moi ? Ici ? Et de qui s'agit-il ?

– Approchez, vous allez le savoir.

Madelon s'exécuta non sans circonspection. Elle se

demandait jusqu'à quel point faire confiance à cette inconnue, quand une voix trop connue d'elle se fit entendre :

– Madelon, nous sommes bien aise de vous trouver ici.

La jardinière fronça les sourcils et tourna la tête en direction des arbustes serrés dans l'ombre de l'orangerie.

– Cette voix…, dit-elle. Quelle est cette sorcellerie ?

– Calme-toi, Madelon, reprit la voix. Il n'y a aucune diablerie ici. C'est bien moi, Louis, ton roi.

– Sire ? Est-ce possible ? s'effraya la jeune fille en esquissant une révérence. Mais que… ? Comment se peut-il que Votre Majesté se trouve ici alors que je l'ai aperçue, il y a quelques instants à peine, sur la terrasse de…

– J'ai dû venir ici pour une raison qui ne te concerne en rien, l'interrompit le roi. Mais écoute-moi.

– Je suis votre servante, Sire.

– Pars sur-le-champ et rapporte-moi une plume et du papier.

– Du papier, Sire ? Mais où saurais-je en dénicher ? Je ne manie que des vases et des fleurs…

– Débrouille-toi. Et agis au plus vite. De ton efficacité dépend le sort de l'État !

À ces mots, la jeune fille roula des yeux terrorisés et, sans plus attendre, s'enfuit.

– Du papier, Sire ? s'étonna Zinia. Une plume ? Que ne lui avez-vous demandé pourpoint et perruque ? Vous eussiez pu ainsi paraître.

– Notre priorité est d'empêcher que la lettre soit

transmise à l'espion hollandais et qu'elle quitte la France pour tomber entre des mains qui ne doivent pas la voir.

– Comment comptez-vous interdire cela, Sire ?

– Par un ordre, tout simplement. Un ordre de ma main.

Ils patientèrent un bon quart d'heure. Colin, qui, pendant cet échange, s'était aventuré au-delà de l'orangerie, revint alors précipitamment.

– Sire, il vous faut regagner votre cachette : la fille est de retour.

Une fois encore, le monarque subit l'humiliation de devoir se dérober aux yeux d'un de ses sujets.

– Voici le papier et la plume pour Sa Majesté, susurra Madelon en s'approchant.

Elle avait spontanément pris le ton de la confidence. Avec un sourire engageant, elle remit dans les mains de Colin les feuilles roulées, une belle plume soigneusement taillée ainsi qu'une petite fiole.

– J'ai cru bon de prendre également de l'encre, bien que le roi ne me l'ait pas demandé, ajouta-t-elle.

– Heureuse initiative, repartit le garçon. Je constate avec plaisir qu'il ne vous suffit pas d'être charmante mais qu'en outre, vous faites preuve d'un esprit qui…

– Colin ! Nous sommes pressés ! l'interrompit Zinia en lui arrachant le tout pour le tendre au roi.

Pendant quelques instants, on n'entendit plus que le crissement appliqué de la plume sur le vélin.

– Voilà, fit enfin le monarque. Ma fille, veuillez porter sans tarder ce message à mon capitaine des mousquetaires.

Il tendit la missive pliée avec soin à travers les branches basses d'un citronnier.

– Et j'insiste : cette lettre est capitale. Vous détenez là le sort de la France !

– B… bien, Sire.

– Veillez bien à ce qu'elle lui soit délivrée en main propre. Vous lui confirmerez que je vous en ai donné l'ordre personnellement.

Sans ajouter un mot, la jeune jardinière tourna les talons et s'envola vers le château. Zinia attendit qu'elle se fût suffisamment éloignée pour demander au roi :

– Et pour nous, Sire ? Quels sont vos projets ?

– J'ai demandé au capitaine qu'il conduise le secrétaire de M. de Villarmesseaux jusqu'au Trianon.

– Vous ne lui avez pas donné l'ordre de l'arrêter ?

– Ç'eût été une erreur. À n'en pas douter, l'usurpateur ne se serait pas gêné pour contrer mon projet. En prison, l'espion eût pu être libéré. En l'envoyant là où la fête de ce soir doit se dérouler, nous obligeons le marquis de Villarmesseaux à l'aller rejoindre pour lui transmettre le précieux document qu'il aura subtilisé à la reine.

– Mais cela n'empêchera pas l'espion de s'envoler ensuite vers la Hollande ! s'écria Colin.

– Sauf si nous sommes là-bas pour étouffer ce complot.

– Dois-je comprendre, Sire, que Votre Majesté a prévu…

– … D'interpréter avec vous le dernier acte de cette mascarade, oui, au Trianon !

Désordres du roi

Le capitaine de Batz ne parvenait pas tout à fait à se sentir honteux. Il venait pourtant d'échouer dans une mission simple que lui avait personnellement confiée Sa Majesté. Une mission qu'il avait déjà conduite des centaines de fois et dans des circonstances bien plus redoutables. L'arrestation de cette jeune fille et de son ami, au cœur du palais, cernés de nombre de compagnies de gardes et de mousquetaires, n'aurait dû être qu'une formalité, mais l'audace de la chevalière de Fonziac l'avait pris de court. Elle s'était enfuie avec une vivacité et un brio qui lui rappelaient sa propre jeunesse, alors que, avec ses camarades, il courait les routes de France au service du feu roi Louis XIII et, surtout, de la reine, Anne d'Autriche. Oui, M. de Castelmore avait échoué dans sa mission, mais il en ressentait un secret agrément et il ne lui déplaisait pas que l'ordre du roi ait été bafoué par cette fougueuse inconnue.

Il lui fallait pourtant rendre compte au monarque de son échec. Tandis que ses hommes continuaient de

411

fouiller la ville, que des postes de garde avaient été dressés sur les routes alentour, le capitaine attendait que Sa Majesté ait terminé son entretien avec la reine pour subir ses foudres et assumer la responsabilité de l'évasion de la belle.

Il arpentait à grands pas calmes l'antichambre sur laquelle s'ouvrait le cabinet de travail du roi, lorsqu'un valet en livrée s'approcha de lui. Une jeune jardinière suivait celui-ci d'un air grave. Elle esquissa une courte révérence avant de prendre la parole :

– J'ai reçu l'ordre personnel de Sa Majesté de vous remettre ce billet en main propre, monsieur.

Elle lui tendit le papier plié.

– Sa Majesté vous l'a remis personnellement ? s'enquit Charles de Batz, intrigué. Pour moi ?

– En effet.

– Et c'est à vous, une jardinière, qu'il s'est adressé ?

– Je vous l'assure, monsieur. Sa Majesté a même ajouté qu'il s'agissait là d'une affaire d'importance concernant la sécurité de l'État.

– Diable !

Le mousquetaire ne tarda pas plus à prendre connaissance de la missive royale. Il la relut deux fois, perplexe. Il ne lui était fait aucun reproche concernant l'évasion de la jeune chevalière. On lui demandait simplement d'accompagner au Trianon ce secrétaire de M. de Villarmesseaux qu'il avait croisé dans l'après-dîner. Rien de bien extraordinaire, et le capitaine ne voyait pas ce que la sécurité de l'État gagnerait à l'affaire. Cependant, il n'avait pas l'habitude de discuter les ordres du roi. D'autant plus qu'il tenait à effacer, si possible, son récent échec en la matière.

Charles de Batz releva la tête pour remercier la messagère et l'assurer qu'il exécuterait sur-le-champ l'ordre ainsi transmis. Mais elle avait déjà disparu. Sans attendre, il interpella trois de ses hommes et se mit à la recherche de celui qu'il lui fallait conduire à Trianon.

À quelques pas de là, sur un dernier salut à celle qui le prenait pour son légitime époux, le marquis de Villarmesseaux quittait les appartements de la reine. Il avait hâte de se retrouver seul pour recracher la petite pierre amère.

Heureusement, son entrevue avec Marie-Thérèse avait été courte et fructueuse. La reine, tout à sa joie de se voir réclamée à Versailles, ne s'était en rien inquiétée de la demande du faux époux. Elle ignorait le contenu de la fameuse lettre et se contentait simplement d'apprécier la confiance dont Louis XIV l'avait honorée en la lui remettant. La rendre au roi n'était pour elle qu'une formalité dont elle n'avait cure. Toutefois, elle avait brusquement changé d'humeur à la nouvelle qu'une fête se donnait le soir même et qu'elle n'y était pas conviée. Villarmesseaux avait évité la querelle de ménage en invoquant la raison d'État : cette fête était organisée pour régler discrètement des difficultés auxquelles la guerre prochaine contre les Provinces-Unies n'était pas étrangère. Ce en quoi il ne mentait pas tout à fait.

Une fois seul, il s'accorda un bref répit en reprenant

son apparence coutumière. La fin du calvaire était proche. Bientôt, il serait débarrassé de la lettre. Il n'aurait ensuite qu'à prendre son mal en patience lors de la soirée qu'il saurait écourter sous un prétexte quelconque. Mais, déjà, on frappait à la porte. Très vite, il glissa le caillou sous sa langue, réajusta sa royale tenue et donna l'ordre d'entrer. C'était Bontemps.

– Sire, les invités attendent votre bon plaisir pour se rendre à Trianon.

– Déjà ?

– Il est dix-sept heures, Sire. C'est l'heure que vous avez choisie pour vous embarquer sur le Grand Canal…

– Ma foi, je vais m'y rendre sous peu. Mais avant, faites venir ce secrétaire de M. de Villarmesseaux. Il me faut une fois encore m'entretenir avec lui.

– Le secrétaire, Sire ? Mais…

– Qu'y a-t-il ?

– Votre Majesté elle-même a ordonné tout à l'heure à son capitaine de mousquetaires d'escorter cette personne jusqu'au Trianon…

– Moi ? J'ai donné cet ordre ?

– Par écrit, oui, Sire. J'ai moi-même vu la lettre signée par Votre Majesté.

Le marquis de Villarmesseaux ne put réprimer un frisson. Que cachait ce contretemps ? Qui pouvait manipuler son autorité de la sorte ? Il gonfla sa poitrine, s'apprêtant à paraître devant la cour, mais, alors qu'il passait devant son premier valet de chambre, il devina chez lui une hésitation.

– Y a-t-il autre chose, Bontemps ?

– Non, Sire. Je veux dire… presque rien.

– De quoi s'agit-il ? Parlez, voyons !

– Cela concerne à nouveau le marquis de Villarmes-seaux…

– Le marquis… ?

Le faux roi plissa les yeux afin de dissimuler son inquiétude. Avait-on découvert quelque chose ? S'était-il, d'une façon ou d'une autre, trahi ?

– Eh bien ? reprit-il. En quoi ce bon marquis vous trouble-t-il ?

– Un de ses hommes souhaite s'entretenir avec Votre Majesté.

– Ah ?

– Je dois informer Votre Majesté qu'il ne s'agit nullement d'une personne de qualité, mais plutôt d'un homme d'épée. Et quand je dis « d'épée », j'honore cette personne plus qu'elle ne le mérite…

– Vous voulez donc dire… un spadassin ?

– En effet, Sire. Nous n'avons pas l'habitude de donner suite aux sollicitations des gens de cette sorte. Cependant…

– Continuez.

– … cependant, j'ai cru comprendre que Votre Majesté s'intéressait à la maison de Villarmesseaux et…

– Je ne louerai jamais assez la pertinence de votre jugement, Bontemps. J'ai en effet chargé le marquis d'une mission confidentielle, et ses gens s'en font les messagers. Faites monter ce spadassin.

Le valet de chambre se retira sans un mot, et l'on introduisit Bertaud d'Estafier dont l'état des vêtements et la mine farouche tranchaient singulièrement sur les ors et tentures du cabinet de travail. Villarmesseaux attendit, drapé dans sa dignité, que Bontemps fût sorti et, dès que la porte se referma, il cracha la fine pierre et retrouva de ce fait son visage aigri et son embonpoint fatigué. L'air déconfit de son homme de main l'avait déjà alerté.

— Que fais-tu ici ?

— Le… prisonnier… Il s'est échappé !

— C'est une plaisanterie ? Trois hommes aguerris n'auraient pas été fichus d'en retenir un quatrième, dévêtu et drogué jusqu'aux yeux ?

— Il a bénéficié d'une aide extérieure.

Villarmesseaux se rapprocha de la table pour s'y appuyer. Si le roi bénéficiait d'une aide, cela signifiait que le complot était éventé. Et si cela était véritablement le cas, on ne tarderait pas à arrêter tous ceux qui y avaient trempé. À moins que…

— Et… de qui vient cette aide providentielle ?

— De cette donzelle, lâcha honteusement d'Estafier. La fille de Fonziac…

— Encore elle ? J'ai pourtant donné l'ordre qu'on la jette à la Bastille ! Comment a-t-elle pu… ?

En deux mots, l'homme de main résuma la façon dont leur vigilance avait été prise en défaut.

— Je devine maintenant comment le Hollandais a été éloigné à Trianon. Le roi a dû signer lui-même cet ordre. Ce que je comprends moins, c'est la raison pour laquelle il ne s'est pas présenté au château afin de reprendre sa place.

— Vu l'état dans lequel il se trouvait, vêtu de hardes, chauve et la moustache rasée, il n'avait que peu de chances d'être reconnu et encore moins d'être admis à circuler ici…

— Hum. Cela nous laisse encore quelques atouts en main. Profitons de ce répit. Assurément, Louis et ses acolytes se seront eux aussi rendus à Trianon. Réunis quelques hommes et cours-y au plus tôt. Mets la main sur eux et empêche-les d'agir.

— Vous voulez dire… ?

— S'il le faut, oui.

— Le roi aussi ?

— La jeune Fonziac lui aura tout raconté, évidemment. On ne peut laisser planer sur nous une telle menace.

— Il nous reste l'exil.

— Sans argent ? Non, nous n'avons plus le choix : nous devons mener notre mission à bien et toucher ainsi la récompense des Hollandais.

— Vous ne m'avez pas répondu pour le roi…

— Avec un peu de chance, à l'heure qu'il est, seuls Louis, Mlle de Fonziac et son petit laquais sont au courant de notre projet. Et nos trois fuyards ne sont toujours rien d'autre que des parias désignés à la vindicte par mon bon vouloir royal. Profitons de cet avantage ! Tandis que je remettrai la lettre à mon soi-disant secrétaire, fais en sorte que je n'entende plus jamais parler d'eux…

— Il sera fait selon vos désirs, répondit Bertaud.

Puis il ajouta avec un demi-sourire :

— Sire…

Le Trianon de porcelaine

Autour du bassin d'Apollon, la cour se donnait à voir. Se trouvaient réunis là tous ceux qui s'enorgueillissaient d'avoir été invités à la fête. Chacun, ici, mesurait à quel point une distinction de la sorte se monnayait ailleurs, en influence et en prestige.

Bien qu'elle se sût le joyau de ces réjouissances, la marquise de Montespan ne parvenait pas tout à fait à masquer son inquiétude. Parmi les invitées, plusieurs petites duchesses qui n'avaient pas dépassé vingt ans étalaient des charmes auxquels, elle le savait mieux que quiconque, le roi n'était pas indifférent. Avec ses trente-deux ans et ce ventre qu'elle cherchait à rendre plus discret sous les amples robes que lui dessinait son couturier personnel, la belle Athénaïs craignait plus que tout de perdre sa position enviée de favorite. En outre, des âmes bien intentionnées s'étaient fait un malin plaisir de lui rapporter la visite inattendue de la reine, venue de Saint-Germain à la demande expresse de son mari. Que cachait ce déplacement impromptu ? La réception allait-elle être remise en cause ? Au lieu d'une réaffirmation de son attachement à sa maîtresse, Louis XIV voulait-il suggérer à la cour que le temps de sa disgrâce était venu ? D'ailleurs, il était en retard.

La marquise allait d'un groupe à l'autre, échangeant sourires et amabilités, devinant derrière les éventails les commentaires acides qui, déjà, se répandaient. Aussi affectait-elle d'afficher la plus extrême sérénité, susurrant à chaque invité un compliment qu'elle semblait offrir comme une grâce venue du ciel même.

Enfin, le roi parut. Un frémissement parcourut l'assemblée des courtisans. Sous son travestissement, Gaëtan de Villarmesseaux, escorté de la compagnie écossaise au-devant de laquelle marchaient les Gardes de la manche, avançait d'un pas vif. Habituellement, le roi aimait prendre du temps en ses jardins pour apprécier les ordonnancements conçus pour lui par M. Le Nôtre. Pourquoi cette hâte ? Il n'était pas imaginable que Sa Majesté se souciât de quelque façon de son retard. Affectant de n'en rien remarquer, la cour, avec un bel ensemble, s'abîma dans une révérence. Le monarque ralentit momentanément le pas – hésitation que tout le monde put noter –, puis il se dirigea vers la marquise.

– Je suis bien aise de vous retrouver, madame.

– J'avais craint un instant, Sire, que les charges de l'État nous interdisent de jouir de votre présence.

– Mais non, répondit-il, laconique.

Et sans plus attendre, il contourna le bassin, saluant d'un bref signe de tête les aristocrates pressés autour de lui. Comme lors de toute apparition de leur maître, chacun espérait un mot du roi, une remarque, une promesse qui le distinguerait du reste du troupeau. Mais ce jour-là, il n'en fut rien. Tous étaient curieux de savoir comment la soirée se déroulerait. La marquise redoubla de sourires et de grâces tandis que le royal cortège s'approchait du Grand Canal.

C'était une merveille que cette majestueuse étendue d'eau sur laquelle Louis XIV faisait naviguer une petite flottille de neuf bateaux : vaisseau de trente-deux canons, felouque napolitaine, galère et gondoles. Les participants y prirent place pour atteindre le Trianon. Mme de Montespan était dans la gondole du roi, mais elle ne put le dérider.

Ils accostèrent au son d'une douce sarabande qu'entamait un petit orchestre à cordes dissimulé dans un bosquet. Les invités avaient ensuite à traverser des jardins fleuris qui menaient à une terrasse.

Villarmesseaux interpella aussitôt un des laquais qui s'empressaient pour aider les passagers à regagner la terre ferme :

– Faites appeler mon capitaine des mousquetaires. Je veux le voir sur-le-champ.

Le garçon détala, dérouté par cet ordre. Autour de Mme de Montespan, on échangea des regards surpris sans oser le moindre commentaire. Que se passait-il pour que le roi, si friand de fêtes champêtres, veuille rencontrer, ici, un de ses militaires ?

Le capitaine de Castelmore rejoignit le monarque qui atteignait la terrasse. Villarmesseaux l'entraîna à l'écart.

– Monsieur le capitaine, j'ai ouï dire que vous avez escorté ici le secrétaire de M. de Villarmesseaux…

— Oui, Sire, ainsi que Votre Majesté me l'a ordonné.

— Où est-il ? Il me faut lui parler au plus vite.

Le mousquetaire manifesta une imperceptible surprise.

— Mais, Sire, vous m'avez fait parvenir une seconde missive m'ordonnant de le renvoyer au château…

— Un contrordre ? Moi ?

— Que Votre Majesté m'excuse, mais… le voici.

Charles de Castelmore sortit de sa manche un billet plié dont son interlocuteur s'empara avec une rage à peine dissimulée. Il le parcourut à la hâte et le glissa dans sa poche.

— Y a-t-il un problème, Sire ? s'enquit le mousquetaire.

Villarmesseaux ne répondit pas immédiatement et fit quelques pas pour se calmer. Aucun doute n'était permis : le véritable monarque, devinant l'objet du complot, avait repris l'initiative. Mais il ne disposait encore que de faibles moyens. Ces tentatives pour éloigner le Hollandais ne servaient qu'à gagner un peu de temps. Tout n'était pas perdu. Loin de là.

— Monsieur le capitaine… ?

— Oui, Sire ?

— On m'a rapporté que la jeune personne que je vous avais demandé d'embastiller aurait échappé à la vigilance de vos hommes. Est-ce possible ?

— T… tout à fait, Sire. Avec une audace folle, elle…

— Épargnez-moi les détails de votre échec et mettez plutôt votre énergie à me le faire oublier. Retrouvez-la. Elle et ceux qui l'accompagnent. Il n'est d'ailleurs pas improbable qu'elle se cache ici.

– Au Trianon, Sire ?

– Cette dangereuse comploteuse est prête à tout, comme vous l'avez pu constater. Je veux qu'on la neutralise au plus tôt. Il y va de la sécurité de l'État.

Le faux monarque tourna brusquement le dos à son capitaine, lui signifiant son congé. Puis il sembla se raviser.

– Une dernière chose, monsieur le mousquetaire. Je sais qu'un M. d'Estafier, qui est de la maison du marquis de Villarmesseaux, doit se trouver, lui aussi, dans les parages. Faites-lui savoir que je désire m'entretenir avec lui séance tenante.

– Bien, Sire, fit le militaire avec une courte révérence.

Il s'éloigna, troublé par les ordres contradictoires du monarque et blessé qu'un spadassin qu'il avait déjà eu l'occasion de croiser puisse bénéficier de la confiance du monarque. Il n'osait s'autoriser à penser que le jugement de son roi n'était plus aussi sûr. Mais, en bon militaire, il avait l'habitude d'obéir aux ordres, et il s'empressa de rejoindre ses hommes.

Au départ de M. de Castelmore, la marquise de Montespan osa enfin s'approcher du roi.

– J'espère, Sire, que les affaires de l'État ne vont pas vous priver du plaisir de la fête, et nous, de la joie de passer cette soirée avec Votre Majesté.

– Rassurez-vous, madame. Dès que deux ou trois petits problèmes d'urgence auront été résolus, je serai tout à vous.

– Louis, minauda la marquise, vous me comblez d'aise.

Elle esquissa quelques pas en direction de l'assemblée des courtisans qui patientaient.

– J'ai voulu, poursuivit-elle, afin de commencer cette soirée sous les meilleurs auspices, offrir à Votre Majesté le plaisir d'un petit impromptu.

– Ah ? Vraiment ?

– Et comme je sais que Sa Majesté, tout empreinte des choses de l'esprit, ne dédaigne pas le rire le plus franc tel que le goûte son peuple, j'ai accueilli ici une troupe qui va nous donner une farce. Plaise au ciel que celle-ci distraie le roi et sa cour.

– Une farce ? M. de Molière serait-il parmi nous ?

– Non pas, Sire. Il s'agit d'une petite compagnie dont on m'a vanté le talent et qui attend votre bon vouloir pour frapper les trois coups.

– Ma foi, allons entendre ces histrions.

Villarmesseaux tendit son bras à la marquise et, ensemble, ils s'avancèrent.

Le Trianon de porcelaine se composait de cinq pavillons recouverts de carreaux aux motifs bleu et blanc, à la mode chinoise, qui s'organisaient autour d'une cour. On en réservait quatre à la préparation des plaisirs de la bouche du roi. Le cinquième abritait ses plaisirs tout court.

La marquise, son illustre compagnon et leurs invités débouchèrent dans cette cour quand le jour déclinait et que les ombres s'étiraient. Des laquais enflammèrent aussitôt des torches, et l'on vit un large rideau cramoisi qui masquait des tréteaux montés l'après-midi même. Devant, seul, un fauteuil destiné au roi. L'usage voulait que la cour restât debout. Cependant, quelques duchesses bénéficiaient du privilège d'un petit tabouret, et, ces dernières semaines, le roi avait également autorisé la marquise à s'asseoir en sa présence, eu égard à son état.

Le faux monarque ne manifesta pas le moindre enthousiasme à la vue du décor dressé pour son plaisir. Aussi l'assemblée observa-t-elle la même réserve. La marquise masqua son dépit derrière un sourire légèrement figé. Elle sentait bien que le roi ne goûtait guère la fête que lui-même avait voulue, mais elle espérait encore que la farce parviendrait à dérider son auguste amant.

C'est alors que Villarmesseaux fit une grimace. Depuis son départ, tout à l'heure, du château, il n'avait pu s'isoler, et l'amertume envahissait sa bouche. Autour de lui s'échangèrent des regards inquiets. Le roi voulait-il ainsi signifier son dégoût de la soirée ? Voire de la marquise ?

– Veuillez m'attendre, madame, lâcha-t-il du bout des lèvres, il me faut m'isoler un instant.

Il gagna à la hâte le pavillon qui abritait sa chambre, laissant la cour silencieuse de perplexité : le roi n'avait pas l'habitude de vouloir s'isoler pour satisfaire ses besoins naturels. Il reparut moins de dix minutes plus tard, visiblement plus serein, disponible, avec un sourire que Mme de Montespan n'espérait plus.

– Votre Majesté consentira-t-elle à goûter au spec-tacle ?

– Avec joie, madame.

Il prit alors place dans le siège qui l'attendait, on apporta un tabouret pour sa favorite, et le reste de la cour se disposa en demi-cercle autour d'eux, en face de la scène. La marquise fit un léger signe de la tête, et aussitôt, derrière le rideau, on frappa les trois coups.

La nuit des rois

Le rideau s'ouvrit sur un décor de carton-pâte figurant les abords d'un palais de légende. Au loin, les frondaisons du parc plongé dans la nuit achevaient de conférer au spectacle une aura fabuleuse. Sur la scène, un roi assis sur un trône grotesque disait, à un chambellan de comédie, attendre la visite de son cousin, souverain d'un pays voisin. Le public ne saisit pas immédiatement l'enjeu de l'histoire. Mais il remarqua la ressemblance du costume et de la perruque du comédien avec ceux que portait Villarmesseaux. Fabritio, qui avait endossé le rôle, imitait exactement la position de son principal spectateur : il s'appuyait sur un coude, puis sur l'autre, dans un jeu qui distilla progressivement un léger malaise. Le comédien oserait-il manier l'ironie à l'encontre du roi ?

Le cousin annoncé entra alors en scène. Barbouillé d'un épais fard blanc, Fagotin s'avança, vêtu comme son compère. Les deux personnages affichèrent leur surprise de se voir si semblables. Leurs costumes se voulaient sans doute le reflet de leur rivalité. Ils commencèrent une querelle : tous deux prétendaient régner sur une île récemment découverte, que l'on disait pleine de richesses et où vivait une princesse aux yeux les plus beaux du monde. Ils durent s'interrompre à cause de l'entrée de l'ambassadeur de Tartarie vêtu comme eux. C'était Léandre, venu réclamer la main de la princesse incarnée par Isabelle.

Dans la cour, la perplexité était entière. Rien dans cette histoire ne prêtait à rire, mais, surtout, l'on pressentait l'affront fait à Sa Majesté. Un silence glacial s'installa. On attendait et redoutait la réaction du roi. Mme de Montespan, en particulier, se sentait la première responsable de la situation. Mlle Des Œillets aurait-elle ourdi une machination destinée à la perdre ? Le roi allait certainement penser que sa maîtresse le provoquait. Ses jours à la cour étaient désormais comptés. Cependant, tous ignoraient les véritables pensées de celui qui demeurait encore impassible dans son fauteuil. Pour Villarmesseaux, mal à l'aise, cette histoire de rois empruntant le costume d'un autre ne pouvait être le fruit d'une coïncidence. Les comédiens laissaient entendre qu'ils en savaient plus sur la situation que toute la cour. Un doute le saisit alors : se pouvait-il que, là, devant ses yeux, s'agitât la troupe qui avait accueilli la fille de Fonziac ? Cela aurait expliqué cette mise en scène grotesque. Il lui fallait, sans tarder, mettre fin à leur mascarade et profiter du pouvoir qu'il détenait encore pour expédier tout ce beau monde dans le silence sans mémoire d'une prison de province. Et d'autant plus vite que la pierre diffusait à nouveau son amertume.

L'arrivée d'une vieille femme ascétique, d'une sou-brette bien en chair et d'un jeune homme timide, tous trois vêtus du même costume royal, précipita la colère du faux Louis. Il se redressa dans son fauteuil, blême, et, se tournant vers Athénaïs de Montespan, lâcha :

– J'ignore pourquoi, madame, vous avez choisi de me faire cet affront, mais croyez que je saurai m'en souvenir.

Puis il se leva, décidé à repartir à Versailles et plus loin encore s'il le pouvait. C'est alors qu'une voix qu'il connaissait déjà l'apostropha :

– Ah çà, monsieur, quel dommage que vous décidiez de quitter la pièce alors qu'elle promet de devenir plus réjouissante encore !

Le marquis de Villarmesseaux se retourna lentement, jusqu'à faire face à un redoutable Scaramouche, masqué et empanaché, une épée qui n'avait rien d'un accessoire de théâtre à la main. Par prudence, les nobles avaient à leur tour dégainé leur lame et s'étaient rapprochés de leur souverain. Celui-ci dévisagea le fanfaron, devinant derrière le faux nez la jeune chevalière qui avait surgi de son trou de province pour s'ingénier à lui gâter la vie. Le personnage de théâtre arracha son masque et se décou-vrit, déployant une splendide chevelure rouge.

– Zinia de Fonziac, grinça Villarmesseaux entre ses dents.

– Oui, monsieur. Il serait dommage que, parmi tous ces roitelets de carnaval, il en manquât un.

Et elle ajouta, en fixant Villarmesseaux dans les yeux :

– Vous !

Désigner le roi de France comme un roitelet de carnaval, l'injure était plus que patente.

— Ah çà ! intervint M. de Saint-Aignan en s'interposant, il ne sera pas dit que je laisserai un saltimbanque, fût-il une comédienne, bafouer ainsi sous mes yeux l'honneur de mon roi.

Et aussitôt, il pointa sa lame sur la gorge de Zinia.

— Rangez cette rapière ! lança alors une voix du fond de la scène.

Sans en comprendre immédiatement la raison, les membres de la cour sentirent à leur tour un frisson leur remonter l'échine. Ils firent volte-face, hésitants, vers le théâtre et virent s'avancer un inconnu en chemise, chauve et glabre, qui tenait pour seule arme un crayon gras. L'homme pénétra dans le cercle qui s'était formé autour de Zinia et de Villarmesseaux : une arène insolite, composée pour moitié de la cour, et pour l'autre de rois de comédie. Il tendit la main vers Léandre qui s'empressa de lui remettre son pourpoint alors que Fagotin le coiffait de sa propre perruque. Smeraldina sortit de ses basques un petit miroir qu'elle approcha du visage de l'homme. Celui-ci dessina sur sa lèvre une fine moustache et toisa enfin l'assemblée des nobles.

— Le roi !

Instinctivement, tous s'écartèrent devant ce déconcertant prodige : deux monarques identiques se faisaient face.

— Beau talent d'imitation, jeune homme, fit Villarmesseaux. Votre maquillage et votre vague ressemblance avec notre personne sont étonnants. Cependant, ce travestissement n'efface en rien l'impudence dont votre compagnie fait preuve, et je veux que vous alliez tous méditer en prison sur le respect que l'on doit au roi de France.

— Sur cet unique point, je suis en accord avec vous, monsieur, répondit l'homme que la cour hésitait encore à reconnaître tout à fait. Se travestir en roi de France et prendre sa place sont des crimes qu'il nous sera difficile de pardonner. Mais, s'il y a prison, celle-ci sera pour vous !

— Beau discours, mon garçon. Mais il reste vain : tout le monde, ici, vous a vu avoir recours au subterfuge d'un maquillage esquissé à la hâte. J'ignore pour quelle raison, avec vos amis, vous tentez d'usurper ma place, mais je ne souffrirai pas de m'adresser plus longtemps à des conspirateurs. Qu'on appelle ma garde, mes mousquetaires !

Et le marquis de Villarmesseaux, toujours sous l'apparence royale, fit demi-tour, pressé de se réfugier à nouveau dans le pavillon réservé au roi afin de recracher au plus vite l'amer caillou.

— Un instant encore, monsieur, intervint Zinia.

— On ne dit pas « monsieur » au roi de France ! lui intima Saint-Aignan.

— J'en suis parfaitement consciente, répondit la jeune chevalière avec un insolent sourire. Mais on ne doit pas, ce me semble, lui donner non plus du « mon garçon » !

Elle se fendit alors d'une longue et lente révérence devant Villarmesseaux, plus chargée d'ironie que de respect, avant de poursuivre :

– Il me serait toutefois agréable que vous restiez en notre compagnie.

Mais, comme l'usurpateur poursuivait sa sortie, Zinia brandit son épée, lui interdisant toute retraite. Aussitôt, vingt lames furent pointées sur sa gorge. La noblesse avait réagi comme un seul homme pour protéger son roi. Avec un vilain sourire, Villarmesseaux dégaina la sienne. Tous se figèrent. Le moindre mouvement risquait de faire couler le sang.

– Je salue la fidélité de la cour à mon égard, fit celui dont la moustache n'était qu'un trait de crayon, mais ne vous trompez pas de personne.

En un bond, il se glissa au centre du cercle, cueillit l'épée des mains de la jeune fille et croisa le fer avec Villarmesseaux. D'instinct, la cour fit un pas en arrière. Ils contemplaient, égarés, cette scène effarante : le roi de France se combattant lui-même.

Il y eut un moment de silence où l'on se demanda si un duel allait bel et bien s'engager. Les deux hommes se toisaient, identiques, arrogants, souverains. Mais, bientôt, de subtiles différences les distinguèrent. M. de Saint-Aignan s'aperçut que l'homme sorti de la troupe des comédiens arborait une assurance qui manquait de plus en plus à l'autre. Ce dernier parvenait difficilement à cacher un rictus qui se transformait, seconde après seconde, en une vilaine grimace. Une grimace de dégoût. Sa main, prise d'un léger tremblement, faisait vibrer sa lame qui, en heurtant celle de son adversaire, donnait un petit son métallique, dérisoire tintement qui sonnait le glas de l'affrontement.

Brusquement, l'un des deux rois lâcha son arme, portant la main à la bouche. Il recracha une minuscule pierre blanche mêlée de salive et, aussitôt, sous les yeux hallucinés des spectateurs, son visage s'empâta et son ventre enfla jusqu'à faire sauter ses boutons. Il perdit ce cambrement altier qui lui conférait sa royale fierté. Son dos se voûta, ses jambes fléchirent, et, bientôt, à genoux, engoncé dans un pourpoint qui ne lui seyait plus, ses traits se défirent, faisant place au faciès effondré du marquis de Villarmesseaux.

La stupeur, l'horreur et la consternation laissèrent l'assistance muette pendant quelque temps, puis, d'un même mouvement, tous signifièrent leur allégeance à Louis XIV, l'unique, par une révérence qui n'avait, en cette occasion, rien de protocolaire.

– Relevez-vous, mesdames, et vous, messieurs, redressez-vous. Votre fidélité a été, un instant, trompée par cet imposteur, cet homme auquel, abusé, j'avais fait l'honneur d'accorder ma confiance. Il me plaît que sa perfidie ait été révélée devant vous. Cependant, je vous demanderai, avec la plus grande insistance, à ce que pas un mot ne soit prononcé à propos de ce qui s'est déroulé ici. Il ne conviendrait point que le reste de la cour et le peuple de France puissent imaginer qu'il soit concevable d'attenter à la personne du roi et, plus encore, à son image.

Tous inclinèrent sobrement la tête en guise d'acquiescement. Il était étrange de contempler ainsi la cour, empanachée dans ses nobles atours, faisant face à la tribu des comédiens, vêtus comme le roi. Parmi eux,

Colin, mal à l'aise sous sa perruque, fit un léger signe à Zinia. Celle-ci, comprenant le message, osa s'approcher du monarque.

– Sire, lui glissa-t-elle à mi-voix. La lettre.

Louis XIV hocha la tête puis se tourna vers l'assemblée :

– Je ne permettrai pas que ce misérable gâche la fête que je me réjouissais de partager avec vous. Mais il me faut clore cette affaire. Veuillez aller m'attendre dans le grand salon. Je vous y rejoins sans tarder.

Le roi attendit que les courtisans se fussent éloignés pour donner à ses mousquetaires qui les avaient rejoints l'ordre de fouiller le marquis de Villarmesseaux, demeuré prostré aux pieds du monarque.

Le capitaine de Castelmore se chargea lui-même de l'opération. Il fit dévêtir le vaincu, indigne de porter une minute de plus les vêtements royaux, et entreprit de retourner poches et manches, de déchirer les doublures de soie, d'arracher les rubans :

– Rien, Sire. Il ne cache rien.

– Pas même une… lettre, monsieur le mousquetaire ?

– Non Sire, je peux vous l'affirmer.

Le roi s'adressa alors à son prisonnier :

– Ne croyez pas que le moindre aveu de votre part diminuera la peine que vous méritez. Cependant, s'il vous reste une once d'honneur, employez celle-ci à me dire où vous avez dissimulé la lettre que vous avez dérobée ce jour.

– Je… je ne l'ai plus. Je l'ai remise avant le spectacle à Bertaud d'Estafier, mon…

– Son homme de main ! l'interrompit Zinia. Et où est-il maintenant ?

– D'Estafier ? Parti rejoindre le Hollandais, avoua le marquis.

– Votre secrétaire ?

– Je n'avais pas le choix, plaida Villarmesseaux.

– Entre l'honneur et la lâcheté, nous avons toujours le choix, lâcha le monarque, le prix en serait-il la mort.

Et dans sa bouche, cette affirmation résonna comme une sentence.

– Nous pouvons peut-être encore le rattraper ! suggéra Zinia.

– Capitaine, faites cerner tout le domaine de Versailles et lancez vos hommes à la poursuite de ce spadassin !

– Bien, Sire.

– Permettez, Votre Majesté, ajouta Zinia, que je tente, moi aussi, d'intercepter la missive. Je connais son porteur. Il me sera aisé de l'identifier.

– Mademoiselle la chevalière de Fonziac, étant donné ce que vous doit la couronne de France, il me serait difficile de vous refuser quoi que ce fût. Surtout s'il s'agit, une fois encore, de voler au secours de votre roi.

Zinia sauta aussitôt sur un des chevaux des mousquetaires et s'élança dans les allées sombres du parc de Versailles.

L'insaisissable secrétaire

Dès qu'elle arriva aux abords du château, Zinia sauta de selle et se précipita vers les gardes qui accouraient au-devant d'elle.

– Avez-vous vu M. d'Estafier ? leur lança-t-elle, et elle précisa : l'homme de main du marquis de Villarmesseaux ?

Elle le savait dans les parages, sans doute prêt à remettre la lettre à l'espion hollandais. En guise de réponse, les gardes se déployèrent en cercle, épaulèrent leurs mousquets et la mirent en joue. L'officier qui les commandait l'interpella :

– Veuillez, mademoiselle, déposer votre épée au sol et ne plus tenter le moindre mouvement. Nous savons que vous avez échappé une première fois à l'ordre d'embastillement donné à votre encontre par Sa Majesté, et nous vous savons dangereuse.

– C'est une erreur, plaida-t-elle. Je suis envoyée par le roi lui-même…

– Inutile d'argumenter, mademoiselle, intervint alors Bontemps. J'étais présent lorsque Sa Majesté a demandé qu'on vous arrêtât.

Les soldats gardaient leurs armes pointées sur elle, les baïonnettes luisant dans la lueur des torches. La jeune fille devinait la peur dans leurs yeux. Paraissait-elle si terrible ? Elle voulut faire un pas de côté pour prendre la fuite, mais les gardes l'en dissuadèrent.

— Tendez les mains, reprit l'officier en tirant une corde de sa poche.

Il lui entoura les poignets avec un nœud coulant qu'il redoubla, serrant chaque tour avec fermeté. Lorsqu'elle fut solidement entravée, les soldats parurent rassurés.

— Vous allez maintenant pouvoir nous suivre et...

L'officier s'interrompit soudain. Le bruit distinct d'un cheval au galop leur parvint du bassin de Neptune. La troupe se mit à nouveau en garde. Bientôt surgit de la nuit le capitaine de Castelmore.

— Nous l'avons eue capitaine ! clama avec fierté le soldat. Elle a une fois encore tenté de nous échapper, mais, grâce à ma vaillance et...

— Libérez immédiatement Mlle de Fonziac !

— Mais...

— Ordre du roi !

Il y eut un instant de flottement dans la troupe. N'avait-on pas vu, quelques heures plus tôt, le capitaine Charles de Batz de Castelmore arrêter en personne cette donzelle ? Désappointé, l'officier s'exécuta.

— M. d'Estafier ? redemanda aussitôt Zinia. L'avez-vous vu ?

Le militaire hésita. D'un signe de tête, le capitaine balaya ses doutes.

– Pas que je me souvienne, finit par lâcher à regret l'officier, comme s'il trahissait là un secret d'État.

Une voix vint alors au secours de Zinia :

– Il se trouve dans le petit salon… par là…

Il s'agissait de M. Bontemps, resté prudemment en arrière.

Pour M. de Tilbur, il ne faisait aucun doute que le complot battait de l'aile. Ces va-et-vient que le supposé roi lui avait imposés entre le château et le Trianon l'avaient alerté. Assurément, Villarmesseaux avait perdu la maîtrise de la partie qui s'était engagée et il lui fallait redoubler de prudence. Ainsi, lorsque, au Trianon, un second message du roi l'avait enjoint de retourner au château, il avait jugé plus prudent de prendre la poudre d'escampette et de se replier immédiatement dans le repaire où ses complices gardaient leur otage. Il y envisagerait la nouvelle stratégie à adopter.

La nuit était tombée, sombre, dense. Tilbur s'approcha de la demeure et, aussitôt, s'immobilisa. La porte, mue par un courant d'air, battait régulièrement contre le chambranle, tel un sinistre glas. Il fit trois pas en arrière et se figea, l'oreille en alerte. Mais la rue n'était que silence. Il se résolut alors à entrer.

La maison était vide. Aucune trace du prisonnier ni de ses gardiens. Pas de message non plus. Restait la solution de repli. Il s'éloigna sans hésiter dans les rues de Versailles.

Pendant ce temps, au château, Zinia pénétrait dans un petit salon désert. M. d'Estafier, lui non plus, n'avait pas attendu la venue de la troupe pour disparaître. Charles de Castelmore questionna des laquais et apprit que le suspect avait quitté l'enceinte du château une dizaine de minutes auparavant. Le capitaine mobilisa aussitôt ses mousquetaires, sauta en selle, et prit la direction de la demeure où Sa Majesté avait été séquestrée, guidé par Zinia.

Une fois sur place, la jeune fille eut la certitude qu'ils n'y trouveraient rien. La porte bâillait sur une entrée vide. Aussi, lorsque le capitaine et ses hommes se ruèrent à l'intérieur, elle resta en retrait, scrutant la rue dans l'espoir d'y relever un indice. Soudain, au loin, elle devina une ombre qui se mouvait avec discrétion. Zinia redoubla d'attention. La clarté de la lune lui révéla alors une silhouette qui ne lui était pas étrangère. Elle choisit de la suivre. Telle une souris reconnaissant son chemin dans un labyrinthe, celle-ci trottait sans hésiter, tournant brusquement dans une ruelle, puis dans une autre, menaçant à tout instant d'échapper à sa poursuivante. Quelques rues plus loin, Zinia parvint toutefois à la rejoindre.

– Que fais-tu ici, Madelon ? lui demanda-t-elle en lui posant la main sur l'épaule.

– Mademoiselle ! Vous m'avez effrayée !

La jeune jardinière dévisagea avec inquiétude cette inconnue qu'elle croisait pour la troisième fois de la journée et qui paraissait être au mieux avec le roi. Pouvait-elle être tout à fait franche avec elle ?

– Tu ne loges donc pas dans les communs du château ?

– Il n'y a guère de place pour tout le monde. Je partage une chambre avec ma sœur, là-bas…

– Vu où se trouve le château, j'ai l'impression que tu n'as pas pris le chemin le plus court…

– C'est que…

La jeune fille s'empourpra.

– Eh bien ! insista Zinia. Parle !

– Ma foi, lorsque j'ai eu fini mon service, j'ai aperçu le beau jeune homme, celui aux yeux sombres qui était avec vous tout à l'heure.

– Colin ?

– Il me semble, en effet, que c'est là son nom, oui. Il quittait le château, seul.

– Pour aller où ?

– Il s'est d'abord rendu dans la rue où vous étiez avec les soldats.

– Attends, je ne comprends pas, il ne s'y trouvait pas lorsque nous sommes arrivés…

– Dame ! Il en était déjà reparti. Lorsque nous avons débouché dans cette rue…

– « Nous » ? Tu étais avec lui ?

– Je l'avais rejoint, oui. Il aurait été dommage de laisser passer une belle occasion…

Zinia garda le silence. Elle dévisagea la jardinière. Celle-ci n'était pas dépourvue de charme. Elle fut alors envahie par un sentiment trouble, agaçant. Une gêne qu'elle ne parvenait pas à s'avouer réellement.

– Continue, reprit-elle.

– Il a vu sortir un homme d'une des maisons et s'est immédiatement mis à couvert, m'attirant dans l'ombre d'un passage et m'enlaçant tendrement.

– Ah ?

– Hélas ! j'ai vite compris que c'était un stratagème pour passer inaperçu et non pas pour me séduire. Dès que l'inconnu s'est éloigné, il lui a emboîté le pas en me conseillant de ne pas rester dans le quartier. J'ai fait mine de partir, mais je suis revenue pour voir si je ne pouvais pas, une fois encore, lui servir d'alibi… C'est alors que je vous ai entendus arriver.

– Viens, conclut Zinia avec autorité.

– Moi ? Mais où ? Pourquoi ?

– Pour m'indiquer le chemin… et retrouver Colin.

Colin Terrepot

Colin. Zinia ressassait ce que Madelon lui avait innocemment confié : « le beau jeune homme ». Elle n'avait jamais pensé à lui en ces termes, ni beau, ni homme. Jeune à la rigueur. Et encore. Pour elle, Colin, c'était Colin, rien de plus. Quelqu'un qu'elle avait toujours connu et qui, d'une certaine façon, avait toujours fait partie de sa vie. Mais, après la remarque de la jardinière, elle commençait à envisager les choses sous un autre angle.

Les jeunes filles avançaient sans échanger une parole. Pour l'instant, leurs recherches ne donnaient rien. Toujours aucune trace de Colin. Ni de M. d'Estafier.

Elles parvinrent bientôt dans un nouveau quartier. Au loin, elles perçurent une rumeur, le murmure d'une foule. Les lumières de torches et de flambeaux dansaient sur les façades. Prudemment, elles s'approchèrent.

Sur une place dominée par la silhouette austère d'une église, une centaine de personnes vêtues de hardes patientaient, tournées vers l'édifice devant lequel on apercevait un carrosse funèbre tiré par quatre chevaux noirs.

— Qu'est-ce qui se passe ? demanda Zinia à la jardinière.

— Je... je l'ignore. Je ne viens jamais par ici. Je ne sors du château que pour aller dormir...

Un porteur de torche qui avait surpris leur échange s'en mêla :

— C'est la cérémonie pour Angélique de May, la fille de la comtesse Ephrosine de May. Elle a été rappelée à Dieu à sept ans à peine et, depuis, chaque année, le jour et l'heure anniversaires de sa mort, la mère fait dire une messe, puis distribue des sols, des livres et même parfois des écus pour que les pauvres fassent des prières. Elle veut que son Angélique repose avec les saints du paradis. Et nous, on est là pour les pièces.

Zinia n'écoutait que d'une oreille. Elle venait d'apercevoir, fendant la foule des gueux, le soi-disant secrétaire du marquis de Villarmesseaux qui, justement, se dirigeait vers une demeure basse aux volets clos. À quelques mètres derrière lui, elle reconnut Colin. Elle s'écarta de Madelon et tenta de se rapprocher d'eux. Mais la foule était dense. Elle ne parvenait pas à s'en extirper et, un instant, elle perdit le garçon de vue. Elle avisa alors une borne sur laquelle elle put se hisser. Ainsi, elle eut le temps de les voir entrer l'un après l'autre dans la demeure aux fenêtres fermées. Que s'y passait-il ? Se pouvait-il que Colin fût complice de l'espion hollandais ? Ou bien avait-il l'audace et la naïveté de croire que, seul, il parviendrait à neutraliser les ennemis du roi ? Zinia ignorait si M. de Tilbur se trouvait déjà en possession de la lettre convoitée. Assurément,

442

Table des matières

Troisième partie
Les trois métamorphoses

Jean-Michel Payet

l'auteur

Jean-Michel Payet est né en 1955 et vit en banlieue parisienne. Architecte, illustrateur et écrivain, il a d'abord suivi les cours d'architecture de l'École des beaux-arts et ceux des Ponts et Chaussées. En parallèle de sa profession d'architecte-urbaniste, il a illustré de nombreux livres depuis 1990, notamment *Le Lion blanc* de Michael Morpurgo dans la collection Folio Cadet, aux Éditions Gallimard Jeunesse. Jean-Michel Payet est aussi l'auteur de plusieurs romans pour la jeunesse, parus aux Éditions des Grandes Personnes : *Mademoiselle Scaramouche* récompensé par de nombreux prix dont le Prix des Incorruptibles, *Dans la nuit blanche et rouge* ainsi que *Ærkaos*.

Du même auteur
Éditions des Grandes Personnes
Mademoiselle Scaramouche
Dans la nuit blanche et rouge
Ærkaos

Si tu as aimé ce livre, découvre
d'autres **histoires palpitantes**

dans la collection

LA JEUNESSE DE MOLIÈRE

Pierre Lepère

n° 1290

Jean-Baptiste Poquelin naît sous le règne de Louis XIII. C'est une époque tourmentée, funèbre et légère à la fois, celle des libertins baroques et des burlesques furieux – comme Cyrano de Bergerac –, que l'on croisera au fil de ces pages. Jean-Baptiste est destiné à devenir tapissier comme son père, mais, initié au théâtre par son grand-père, il entre au collège de Clermont, futur lycée Louis-le-Grand, dirigé par les Jésuites, où il fait de solides études. Il rencontre alors une comédienne plus âgée que lui, Madeleine Béjart, qui va bouleverser sa vie. Profondément amoureux, il suit les conseils de la belle comédienne et décide de fonder l'Illustre-Théâtre, au grand dam de son père qui méprise les saltimbanques. La troupe court d'échec en échec et l'aventure se termine en tragi-comédie. Quand le récit s'achève, celui qui deviendra Molière n'a que 23 ans. C'est le moment où, pour éviter la prison, il s'exile en province : il va y jouer durant quinze ans avant de triompher enfin dans la capitale…

MESDEMOISELLES DE LA VENGEANCE

Florence Thinard

n° 1576

L'épée à la main, Olympe, baronne de Haussy, Nagîna, princesse du désert, Agathe, fine lame du royaume de France, et Sylvine, vigoureuse paysanne, veulent se venger du Commodore, redoutable pirate qui les a toutes, d'une façon ou d'une autre, cruellement blessées. Sur les côtes de Charente, dans la France du XVIIᵉ siècle, ces quatre jeunes femmes, qui n'ont pas froid aux yeux, se lancent dans une aventure tumultueuse et riche d'imprévus…

GUERRE SECRÈTE À VERSAILLES

Arthur Ténor

n° 1652

À 15 ans, Jean de Courçon veut devenir mousquetaire, mais son père en décide autrement : il sera page à Versailles et servira les grands. Fini les rêves d'aventure ? Pas si sûr, car la cour du Roi-Soleil recèle mille pièges. Très vite, le jeune provincial s'y fait un ennemi mortel, François de Champin-Belcourt, petit noble arrogant et sans scrupule. Avec la complicité de la jolie Prunelle, Jean va devoir rendre chaque coup s'il veut sauver son honneur… et sa tête.

Mise en pages : Maryline Gatepaille

Loi n° 49-956 du 16 juillet 1949
sur les publications destinées à la jeunesse
ISBN : 978-2-07-065775-9
Numéro d'édition : 260948
Dépôt légal : mars 2014

Imprimé en Espagne par Novoprint (Barcelone)